SANTÉ PARFAITE

Du même auteur
aux Éditions J'ai lu

Le retour de Rishi, *J'ai lu 3458*
La vie sans conditions, *J'ai lu 3713*
Vivre la santé, *J'ai lu 3953*
Les sept lois spirituelles du succès, *J'ai lu 4701*
Le retour de Merlin, *J'ai lu 5013*
La voie du magicien, *J'ai lu 5029*
Les clés spirituelles de la richesse, *J'ai lu 5614*
Le chemin vers l'amour, *J'ai lu 5757*
Les sept lois pour guider vos enfants, *J'ai lu 5941*
Comment connaître Dieu, *J'ai lu 6274*
Dieux de lumière, *J'ai lu 6782*
Les sept lois spirituelles du yoga, *J'ai lu 7707*

DR DEEPAK CHOPRA

SANTÉ PARFAITE

Traduit de l'anglais par Alain-René Gélineau,
avec la collaboration de Christine Baudot, du Dr Jean Estrangin
et le concours du Dr Élisabeth Thomas

Préface de Kiran Vyas

Collection dirigée
par Ahmed Djouder

Titre original :
PERFECT HEALTH
Three Rivers Press, New York, 2000

Cet ouvrage constitue une version revue et augmentée du livre *La santé parfaite,* publié aux éditions A.L.T.E.S.S. en 1991.

Préface

J'ai eu la chance d'assister à deux conférences du Dr Deepak Chopra. Ces rencontres, qui m'ont révélé plusieurs facettes de sa personnalité, sont restées gravées dans ma mémoire.

La première eut lieu voici quelques années dans un amphithéâtre de la Sorbonne, à Paris. Deepak Chopra y exposait avec une logique toute cartésienne et une admirable clarté la beauté et la profondeur de l'Ayurvéda.

Plus récemment, en juillet 2004, je l'ai de nouveau entendu lors du congrès du Parlement mondial des religions, à Barcelone. Il surprit l'auditoire en parlant ce jour-là de la force et de l'efficacité de la prière dans la guérison. Prier est un acte de foi, un acte avant tout religieux. Pourtant, Deepak Chopra, avec son ardeur et sa conviction habituelles, expliqua que la prière pouvait jouer un rôle déterminant dans le processus de guérison. Et de nous donner nombre d'exemples de ses effets bénéfiques sur certaines maladies graves.

Grâce à ces conférences, j'ai mieux compris pourquoi, en 1999, l'hebdomadaire américain *Time*, après lui avoir décerné le titre de « poète prophète de la médecine alternative », l'avait inclus parmi les cent personnalités du siècle écoulé.

Le terme « Ayurvéda » était encore inconnu en Occident voici quelques années. Pourtant, l'Ayurvéda, tout à la fois science, médecine et art de vivre, existe depuis des millénaires, et prodigue aujourd'hui encore nombre de bienfaits.

Désormais, grâce au Dr Chopra, les mots sanscrits « Vata, Pitta et Kapha » font partie du vocabulaire des médecines alternatives. Il a fait connaître à un large public les mille facettes de cette médecine holistique, qui s'appuie à la fois sur la nutrition, les massages, l'aromathérapie, la musicothérapie, la chromothérapie, le *panchakarma*, le yoga, la pensée positive, la méditation, etc.

La communauté scientifique qui rejetait ou tenait en piètre estime cette médecine alternative est aujourd'hui bien plus tolérante, plus réceptive. Mieux, elle commence même à s'intéresser à l'Ayurvéda, tandis que l'Organisation mondiale de la santé (OMS), de son côté, la considère comme une médecine à part entière.

Être en parfaite santé est l'objectif fondamental de l'Ayurvéda, et nombreux sont ceux qui apprécient aujourd'hui ses effets vertueux sur le corps comme sur l'esprit. Les deux doivent évoluer en harmonie. Que serait en effet la santé physique si nous étions dépourvus de celle de l'émotionnel ou de l'affectif ?

L'âme se doit d'être épanouie pour connaître la paix intérieure, la béatitude, la lumière... L'Ayurvéda, qui relie avec beaucoup d'aisance les sujets physiques et métaphysiques, aide à y parvenir.

L'Ayurvéda met en lumière une autre réalité – insoupçonnée. Chaque année, 98 % du nombre total d'atomes du corps sont remplacés. D'une façon simple, Deepak Chopra nous explique que le corps est comme une rivière : on ne se baigne jamais deux fois dans la même eau.

Le Dr Chopra éclaire cette réalité à la lumière de la sagesse des grands rishis de l'Inde. Oui, la liberté par rapport à la maladie existe : il faut amener la conscience à prendre en charge la maladie. Ainsi la conscience des cellules va se développer et le processus de guérison s'accélérer.

Dans cet ouvrage facile d'accès, des tests vous aideront à déterminer votre propre constitution, votre nature profonde. On sait en effet depuis Socrate que bien se connaître est le premier pas – essentiel – vers la victoire...

Traduit dans une douzaine de langues, ce livre reconnu pour sa clarté, son authenticité et sa pertinence vous donnera des conseils sur l'art de se soigner, l'apprentissage de la méditation et la manière de prendre connaissance (Véda) de l'élan vital (Ayur) qui anime chacun.

Vous y trouverez également des solutions pratiques et concrètes à mettre en œuvre pour améliorer votre santé au quotidien. Ainsi, vous rétablirez l'équilibre naturel de votre corps et renforcerez le lien intime qui relie corps et esprit.

Kiran VYAS,
fondateur du centre TAPOVAN,
vice-président de l'European Council of Ayurveda.

Introduction

Bien des changements se sont produits depuis la première édition de ce livre. À l'époque, il pouvait sembler audacieux d'affirmer que la santé n'est pas seulement l'absence de maladies, que des méthodes naturelles sont susceptibles de stimuler nos capacités de guérison et que le corps humain s'apparente davantage à un réseau où circulent l'énergie et l'information qu'à une structure anatomique figée. Aujourd'hui, de telles idées sont reconnues comme les fondements mêmes de notre conception moderne de la santé et de la maladie, de la vie et de la mort. Une enquête publiée dans une revue spécialisée, le *Journal of American Medical Association,* révélait que plus de 40 % des Américains ont désormais régulièrement recours aux médecines parallèles et qu'ils ne se satisfont plus d'une conception purement matérialiste du corps humain. Plus de deux facultés de médecine sur trois ont d'ailleurs mis en place pour leurs étudiants des cycles d'enseignement de ces thérapies, complémentaires de la médecine classique. Enfin, sous la pression des patients désireux d'avoir accès à des approches thérapeutiques différentes, organismes de sécurité sociale et mutuelles se sont décidés à rembourser les soins nécessités par ces médecines qui prennent en considération les différentes composantes de l'être humain.

La communauté scientifique elle-même a cessé de rejeter systématiquement les médecines parallèles. L'heure n'est plus à la dérision mais aux enquêtes approfondies. Il suffit de consulter une base de données bibliographiques pour se rendre compte que des milliers d'études savantes leur sont à présent consacrées chaque année, une bonne part portant sur les pouvoirs curatifs des plantes. On s'accorde désormais à reconnaître que la méditation, le yoga, les massages et les méthodes diététiques sont susceptibles de jouer un rôle décisif dans les processus de guérison. Tout le monde a entendu parler de traitements à base de millepertuis, de racine de ginkgo et d'echinacea, et il est maintenant possible de trouver des remèdes naturels dans n'importe quelle pharmacie. Grâce à la presse, aux livres et à Internet, chacun est mieux informé que jamais des questions de santé et de plus en plus à même de prendre en main son propre bien-être. Ce phénomène peut être ressenti comme une menace par les tenants de la médecine conventionnelle. Dans la prise de conscience et la responsabilisation croissantes de chacun, je verrais plutôt pour ma part un signe positif pour la santé des individus et de la collectivité.

En fondant le Chopra Center for Well Being de La Jolla, en Californie, nous avons voulu créer un environnement permettant d'apprécier les effets de la thérapie ayurvédique dans les meilleures conditions. Nous avons mis sur pied des cycles de formation pour appliquer les principes et les méthodes de la médecine globale aux problèmes de santé les plus courants. Un programme intitulé « Pour une naissance merveilleuse » propose ainsi aux couples qui attendent un bébé de préparer cette naissance comme s'il s'agissait de mettre au monde un dieu ou une déesse. Des praticiens appliquent actuellement notre méthode dans le monde entier. Grâce à eux, des êtres humains bien portants et conscients voient le jour. Nous avons formé des spécialistes de la médecine ayurvédique pour qu'ils puissent à leur tour en enseigner les principes de base dans le cadre d'un cours que nous avons appelé « Créer la santé ». Plus de cinq mille personnes, disséminées sur tous les continents, ont reçu l'agrément du Chopra Center pour enseigner la méditation du son primordial, notre méthode de relaxation qui permet à chacun de prendre conscience de ses réserves d'énergie et de créativité. « Vers la complétude », un programme destiné aux personnes qui luttent contre le cancer a eu des effets décisifs sur des patients contraints de relever le défi que représente cette maladie. D'autres programmes spécialisés, s'adressant à ceux qui souffrent de fatigue chronique, à ceux qui doivent perdre du poids ou encore aux femmes en phase de ménopause ont déjà aidé des milliers de personnes à mobiliser leur potentiel afin de changer leur vie. Tout au long de ces dix dernières années, j'ai régulièrement observé les résultats spectaculaires obtenus grâce aux méthodes exposées dans ce livre.

Le changement d'état d'esprit intervenu dans le passé récent apparaît très positif. Une véritable révolution est en cours qui aura pour résultat de bouleverser complètement l'image que nous nous faisons du monde qui nous entoure et de nous-mêmes. L'antique tradition de l'Ayurvéda séduit désormais médecins et scientifiques, qui s'en servent pour nous aider à concevoir l'univers comme un champ de potentialités infini et éternel que nous avons la possibilité de mettre à profit pour guérir et pour changer. Tel est en somme le message essentiel que ce livre voudrait transmettre.

Cette édition mise à jour comporte de notables aménagements par rapport à la précédente. J'ai voulu que soient mentionnées les nouvelles pratiques de guérison dont nous avons éprouvé l'efficacité avec les patients en traitement au Chopra Center. Des exercices de visualisation et de méditation sont proposés. Ils permettent d'accéder à un niveau de conscience supérieur et d'acquérir une perception différente de son corps. J'expose également des méthodes qui mettent l'esprit en communication effective avec les cellules, les tissus et les organes dont le corps est composé. Pour avoir une santé parfaite et pour la préserver, il est en effet essentiel d'apprendre à exercer une influence sur ce qu'il est convenu de désigner comme le « système neurovégétatif ». Les chapitres sur l'alimentation et les plantes médicinales ont été revus et complétés de façon à proposer le régime le mieux adapté à chacun. Alors que le recours à des compléments alimentaires tend à devenir de plus en plus courant, il convient de ne pas perdre de vue les avantages d'un régime équilibré. Celui que propose ce livre s'efforce d'être à la fois simple, varié et séduisant. J'ai fait référence aux travaux scientifiques, de plus en plus nombreux, qui s'intéressent aux interactions de l'esprit et du corps du point de vue de la santé et de la maladie. Il est toujours extrêmement profitable de prendre connaissance de recherches menées dans un esprit d'objectivité sur des pratiques de santé vieilles de plusieurs milliers d'années. Des développements sont consacrés aux moyens de nourrir le corps à travers les cinq sens et de mettre à profit l'ouïe, le toucher, la vue, le goût et l'odorat afin de stimuler les ressources thérapeutiques internes dont chacun dispose. Prenant en compte le fait que notre environnement constitue une extension de notre corps, j'ai suggéré quelques exercices faciles propres à favoriser la communication entre le monde extérieur et notre univers intérieur. J'ai voulu avant tout que ce livre soit pratique, accessible et facile à utiliser par tous.

Au cours de ma longue étude des pratiques de guérison, je me suis convaincu que la santé véritable est tout autre chose que l'absence d'anomalie clinique. Il s'agit également de quelque chose de plus que l'harmonie parfaite du corps et de l'esprit. La santé est en définitive un état de conscience supérieur. Depuis des milliers d'années, les grands sages védiques affirment que l'objectif qui doit être assigné au corps est de favoriser l'illumination. Dans cet état, notre point de référence n'est plus le moi, mais l'esprit. Nous découvrons que le sujet, l'objet et le processus même de la connaissance ne font qu'un. Les frontières spatiales et temporelles s'estompent. Nous prenons conscience que nous sommes des êtres illimités, provisoirement engoncés dans notre peau d'individus séparés. Cet état de complétude est à la base de tout processus de guérison : il représente la santé parfaite. Je suis heureux d'être à nouveau en mesure de guider mes lecteurs vers ce lieu, tout proche de l'endroit où chacun d'eux vit présentement.

I

UN LIEU APPELÉ SANTÉ PARFAITE

1

Invitation à une réalité supérieure

En chacun de nous existe un lieu dénué de maladie, qui ne ressent jamais la douleur et qui ne peut ni vieillir ni mourir. Lorsqu'on va en ce lieu, les limitations que nous acceptons tous cessent alors d'exister. Elles ne peuvent même plus appartenir au domaine du possible. Ce lieu s'appelle « santé parfaite ».

Les séjours que l'on y fait peuvent être soit très brefs, soit durer de nombreuses années. Mais même la plus courte visite va suffire à induire un profond changement. Aussi longtemps qu'on y demeure, les hypothèses que l'on tient pour valides dans la vie quotidienne ordinaire vont se modifier, et la possibilité d'une existence nouvelle, plus élevée et plus idéale, va commencer à s'épanouir. Cet ouvrage s'adresse à tous ceux et celles qui seront désireux d'explorer cette existence nouvelle pour en imprégner leur vie et la rendre permanente.

La cause des maladies est souvent extrêmement complexe, mais on peut affirmer une chose avec certitude : personne n'a pu encore prouver que tomber malade soit nécessaire. En fait, c'est exactement le contraire. Chaque jour nous sommes mis en contact avec des millions de virus, de bactéries, d'allergènes et de champignons, dont seule la plus infime fraction suffirait à nous rendre malades. Il n'est pas rare pour les médecins de voir des patients dont le tractus respiratoire héberge des cultures de méningocoques virulents, qui vivent là pourtant en toute innocuité. En effet, ce n'est qu'en de rares occasions qu'ils peuvent sévir et causer une méningite, cette infection grave et parfois fatale du système nerveux central. Qu'est-ce qui provoque une telle attaque ? Personne ne le sait avec précision, mais il semble que cela provienne d'un facteur mystérieux appelé « résistance de l'hôte », ce qui signifie que nous, les « hôtes » de ces microbes, leur ouvrons ou leur fermons la porte. Plus de 99,99 % du temps, la barrière est fermée, ce qui implique que chacun d'entre nous est beaucoup plus proche en fait de la santé parfaite que nous ne l'imaginons d'habitude.

Les maladies cardiaques constituent la principale cause de décès aux États-Unis. Dans la plupart des cas, elles sont causées par des dépôts de plaques qui obstruent les artères coronaires apportant l'oxygène au cœur. Quand le cholestérol et d'autres déchets commencent à boucher ces artères, le manque d'oxygène qui s'ensuit menace d'endommager la fonction cardiaque. Et pourtant l'évolution d'une maladie cardiaque dépend principalement de l'individu. Une personne souffrant d'une seule plaque, de dimension assez restreinte, pourra être affligée d'une angine de poitrine, causant une douleur aiguë, symptomatique des maladies des artères coronaires. Par contre, une autre personne portant plusieurs de ces athéromes (ou dépôts graisseux), de dimension suffisante pour bloquer la plus grande partie du flux d'oxygène vers le cœur, peut très bien ne rien ressentir. On a rencontré des individus dont les artères coronaires étaient obstruées à 85 % et qui pourtant étaient capables de participer à des marathons, tandis que d'autres ont succombé à une crise cardiaque avec des artères parfaitement propres. Notre faculté physique à repousser la maladie est extrêmement flexible.

Outre cette immunité physique, nous possédons tous une forte résistance émotionnelle à la maladie. Comme le disait l'une de mes patientes plus âgées : « J'ai lu assez de choses en psychologie pour savoir qu'un adulte bien dans sa peau est censé accepter le fait de tomber malade, de vieillir et finalement de mourir. À un certain niveau, j'ai compris cela ; mais, émotionnellement et instinctivement, je n'en crois rien. Tomber malade et se dégrader physiquement me semble une erreur gigantesque, et j'ai toujours eu bon espoir qu'un jour quelqu'un viendrait pour la corriger. »

Cette femme a presque 80 ans maintenant, et sa condition physique et mentale est excellente. Quand on lui demande ce qu'elle pense de l'avenir, elle répond : « Peut-être allez-vous penser que c'est stupide, mais j'ai le sentiment que je ne vais ni vieillir ni mourir. » Est-ce aussi déraisonnable que cela en a l'air ? Les gens qui se considèrent « trop occupés pour tomber malades » ont la réputation de jouir d'une santé dépassant la moyenne, tandis que ceux qui s'angoissent trop à propos de la maladie en sont plus souvent la proie. Un autre homme nous a expliqué que l'idée de « santé parfaite » lui plaisait parce qu'elle constituait une solution créatrice – peut-être la seule – aux problèmes écrasants auxquels doit faire face la médecine à l'heure actuelle. Cet homme, occupant un poste élevé dans le domaine de l'électronique, comparait la santé parfaite à une sorte d'idée-phare ou de « percée » capable de transformer toute entreprise.

Une telle percée constitue une solution unique pour résoudre les problèmes. Qu'implique-t-elle comme changement ? En premier lieu, la création d'une situation meilleure, orientée vers des buts beaucoup plus élevés que ceux auxquels on aspire d'habitude, et ensuite la recherche des moyens appropriés pour que s'accomplisse cette vision. « Si les gens continuent à penser et à agir selon leurs vieilles habitudes, expliquait cet homme, ils réussiront peut-être à obtenir de 5 à 10 % d'améliorations en travaillant dur. Cependant, pour obtenir de deux à dix fois plus d'améliorations, la barre doit être placée assez haut pour que les gens disent : "Bon, si vous voulez une amélioration de *tant*, il va nous falloir procéder d'une manière totalement différente." »

Ce sont de telles percées de la pensée que l'on voit appliquées dans des sociétés informatiques de pointe comme celles de Silicone Valley. Ainsi, alors qu'il fallait auparavant deux ans pour produire des modèles courants de « software », la génération suivante a été planifiée de telle sorte que cela ne nécessite plus aujourd'hui qu'un an. Ou bien dans le cas où les défauts de fabrication ont été abaissés à 5 %, l'objectif à atteindre sera désormais qu'ils tombent à 0 %. C'est exactement ainsi que la santé parfaite opère : elle se donne comme objectif « zéro pour cent de maladie » et découvre ensuite comment ce but peut être atteint. Dans l'industrie de pointe, il peut en coûter huit à dix fois plus cher de réparer un appareil défectueux que d'en fabriquer un complètement sans défaut au départ. Pour cette raison, exiger la « qualité à la source » (c'est-à-dire faire les choses correctement dès le début) est une bien meilleure direction à prendre en affaires, plutôt que de se contenter simplement du relativement satisfaisant.

Cela est vrai également en médecine, où les mesures préventives sont, de loin, bien meilleur marché que les traitements, que ce soit en termes d'hommes ou de finances. Un sondage récent montre que les Américains redoutent plus que tout les « maladies catastrophiques ». La raison à cela est liée moins à la douleur ou à la souffrance qu'aux dépenses énormes occasionnées par un long séjour à l'hôpital et par les coûts exorbitants d'un long traitement. Même la mort n'est pas considérée comme aussi effrayante que de laisser sa famille dans la misère. En clair, ce dont nous avons besoin aujourd'hui est une approche médicale qui croit à la « qualité dès la source » et en fait la promotion auprès des individus.

La promesse d'une nouvelle médecine : l'Ayurvéda

Le premier secret qu'il nous faut connaître en ce qui concerne la santé parfaite est que c'est à *nous* de la choisir. Personne ne peut jouir d'une santé meilleure que celle qui lui semblera possible. La santé parfaite n'est pas une simple amélioration de 5 à 10 % par rapport à une bonne santé. Elle implique un changement total de perspective qui rend inacceptables la maladie et l'infirmité, même à un âge avancé.

Mais pouvons-nous vraiment croire que quelque chose d'aussi complexe que le corps humain puisse être totalement dépourvu de maladies ? Selon l'Institut national d'études sur le vieillissement, aucun régime ou exercice, aucune vitamine, aucun remède ou changement dans le mode de vie ne s'est avéré capable de prolonger la vie d'une manière systématique. S'il semble aujourd'hui plus facile que jamais auparavant d'éviter les troubles dégénératifs chez les personnes âgées, tels que maladies cardiaques, attaques d'apoplexie, cancer, artériosclérose, arthrite, diabète, ostéoporose, etc., cela reste néanmoins peu probable. Et même si des chercheurs déclarent publiquement avec optimisme que des percées majeures ont lieu dans la guérison du cancer et d'autres maladies considérées incurables, ils restent en fait beaucoup plus pessimistes lorsqu'ils sont entre eux. Les meilleurs progrès qu'ils puissent espérer s'avèrent infimes, ne constituant que de tout petits pas minuscules vers une solution. (Ainsi, par exemple, s'il est vrai que faire baisser le taux de cholestérol réduit statistiquement les crises cardiaques considérées sur une vaste échelle, cela ne constitue toutefois nulle garantie que quiconque sera épargné.)

Pour que la santé s'améliore de deux à dix fois plus, il nous faut une nouvelle connaissance, qui se fonde sur un concept plus profond de la vie. Ce livre présente une source unique porteuse d'une telle connaissance : le système de médecine préventive et curative que l'on appelle l'Ayurvéda. Remontant à plus de cinq mille ans en Inde, l'Ayurvéda vient de deux racines sanskrites : *Ayus*, ou « vie », et *Veda*, qui signifie « connaissance » ou « science ». Aussi traduit-on habituellement Ayurvéda par « science de la vie ». Une autre lecture plus précise conduirait à traduire par « connaissance de l'étendue de la vie ».

Le but de l'Ayurvéda est de nous indiquer comment notre vie peut être influencée, façonnée, prolongée et finalement maîtrisée sans être aucunement sujette à la maladie ou au vieillissement. Le principe directeur de l'Ayurvéda est que le corps est avant tout influencé par l'esprit. Voilà pourquoi on va pouvoir s'affranchir de la maladie et de la souffrance en contactant sa propre conscience, en la ramenant à un état d'équilibre, et en transmettant cet équilibre au corps. C'est cet état de conscience équilibrée, bien plus que toute autre sorte d'immunité physique, qui va être à l'origine d'une santé meilleure.

L'Ayurvéda incarne l'essence de la sagesse de visionnaires dont la tradition remonte à de nombreux siècles avant la construction des Pyramides et s'est perpétuée de génération en génération. Au Chopra Center, nous avons voulu développer un Ayurvéda moderne qui, tout en prenant pour base les conceptions héritées de cette vénérable tradition, n'ignore rien de la science moderne.

Au cours des quinze dernières années, mes collègues et moi-même avons soigné plus de dix mille patients et formé près d'une centaine de praticiens à la théorie et à la pratique de l'Ayurvéda. En adoptant l'Ayurvéda, nous n'avons pas abandonné notre formation conventionnelle, mais nous l'avons étendue. Le mélange de l'Ayurvéda et de la médecine occidentale réunit sagesse antique et science moderne, qui s'avèrent parfaitement compatibles l'une avec l'autre. Les praticiens du Chopra Center continuent à établir l'histoire médicale de leurs patients, et à se fier à des tests objectifs qui indiquent qu'une personne est malade ; mais en plus, nous encourageons et guidons nos patients à regarder en eux, pour qu'ils découvrent cette conscience équilibrée si précieuse à l'intérieur d'eux-mêmes.

Le corps quantique de l'homme

Pour comprendre comment il est possible de le faire, il nous faut explorer plus profondément le corps lui-même. Dans l'Ayurvéda, le corps physique est le passage vers ce que j'appelle le « corps quantique de l'homme ». La physique nous apprend que le fondement de la nature demeure au niveau quantique, bien au-delà des atomes et des molécules. Le « quantum », défini comme l'unité de base de la matière et de l'énergie, est de 10 000 000 à 100 000 000 de fois plus petit que le plus petit atome. À ce niveau, la matière et l'énergie deviennent interchangeables. Tous les quanta sont constitués de vibrations invisibles, sortes de « spectres » d'énergie qui attendent de prendre une forme physique. L'Ayurvéda affirme qu'il en va de même pour le corps humain : il prend d'abord la forme de vibrations intenses mais invisibles, appelées fluctuations quantiques, avant de « précipiter » en impulsions d'énergie et en particules de matière.

Le corps quantique est le fondement sous-jacent de tout ce que nous sommes : pensées, émotions, protéines, cellules, organes... toutes les parties visibles ou invisibles de nous-mêmes. Au niveau quantique, notre corps envoie de multiples sortes de signaux invisibles, qui attendent que nous en tenions compte. Nous avons un pouls quantique sous-jacent au pouls physique, et un cœur quantique qui crée cette pulsation. En réalité, l'Ayurvéda soutient que tous les organes et processus de notre corps ont leur équivalent quantique.

Notre corps quantique ne nous serait que fort peu utile si nous ne pouvions le détecter. Heureusement, la conscience humaine est capable de ressentir ces faibles vibrations, grâce à l'incroyable sensibilité du système nerveux. Un seul photon de lumière tombant sur la rétine de l'œil cause un bien moindre impact qu'un simple grain de poussière sur un terrain de football, et pourtant les terminaisons nerveuses spécifiques de la rétine, les bâtonnets et les cônes, parviennent à détecter ce simple photon, et peuvent envoyer ensuite un message au cerveau qui va nous permettre de voir sa lumière. Les bâtonnets et les cônes sont comme des radiotélescopes géants, d'énormes structures capables de détecter des signaux à la frontière même de l'existence physique, puis de les amplifier de telle sorte que nos sens puissent directement les utiliser.

C'est en soignant ce corps quantique lui-même – le corps sous-jacent à tous les autres aspects de nous-mêmes – que l'Ayurvéda peut faire naître des changements qui dépassent de loin la portée de la médecine ordinaire, celle-ci se cantonnant simplement au niveau de la physiologie grossière. Cela s'explique par le fait que la puissance disponible au niveau quantique est infiniment supérieure à celle que l'on trouve à des niveaux plus grossiers. L'explosion d'une bombe atomique, qui constitue un gigantesque « événement » quantique, n'en est qu'une illustration parmi tant d'autres. Un exemple plus constructif serait celui du laser, qui, se servant de la même lumière que celle émise par une lampe de poche, mais l'organisant sous forme de vibrations quantiques cohérentes, accroît sa puissance dans une telle proportion qu'elle parvient à traverser l'acier.

C'est le principe quantique qui est en jeu dans ce cas, principe qui révèle que les niveaux les plus subtils de la nature contiennent l'énergie potentielle la plus grande. Le vide noir de l'espace intergalactique, tout en n'étant que pur néant, recèle pourtant des quantités d'énergie presque inconcevables, dont quelques centimètres cubes suffisent à propulser une étoile. Mais ce n'est que lorsqu'elle accomplit le saut quantique que cette « énergie virtuelle », comme on la nomme, peut exploser sous forme de chaleur, de lumière et d'autres formes de radiations visibles.

Nous savons tous qu'un morceau de bois qui brûle libère bien moins d'énergie que la scission de ses atomes au cours d'une réaction nucléaire. Mais nous oublions trop souvent le côté créatif de cette même équation : faire *apparaître* quelque chose de neuf au niveau quantique s'avère tout aussi puissant que de détruire quelque chose d'autre. Si la nature seule peut créer des rochers, des arbres, des étoiles et des galaxies, nous sommes quant à nous activement occupés chaque jour à fabriquer quelque chose qui est sans conteste bien plus complexe et précieux qu'une étoile : un corps humain. Que nous en soyons ou non conscients, chacun d'entre nous est responsable de la création du corps dans lequel il vit. Voilà quelques années, un cardiologue de San Francisco, le docteur Dean Ornish, a pu prouver que quarante de ses patients cardiaques, pourtant dans une phase avancée de leur maladie, étaient néanmoins parvenus à réduire les plaques graisseuses qui bouchaient leurs artères coronaires, et la presse en avait fait ses gros titres. Du fait que les artères de ces patients s'étaient mises à s'ouvrir, de l'oxygène tout frais pouvait désormais atteindre le cœur, soulager les effroyables douleurs que ces malades ressentaient à la poitrine et réduire les risques de maladies fatales.

Plutôt que de s'en remettre à la chirurgie et aux remèdes habituels pour débloquer leurs artères, le groupe du docteur Ornish avait eu recours à de simples exercices de yoga, à la méditation et à un régime strict. Pourquoi cette découverte fut-elle considérée comme si remarquable ? Parce que le courant principal de la médecine n'avait jamais reconnu auparavant qu'une maladie cardiaque puisse régresser une fois qu'elle s'était déclarée. La position officielle de la médecine est qu'une artère malade doit nécessairement suivre sa propre évolution : peu importe ce que l'on peut croire, penser, manger ou faire, de telles artères poursuivraient sans relâche leur sinistre destinée, dégénérant un peu plus jour après jour, pour finalement s'obstruer et asphyxier le muscle cardiaque.

Pourtant, au niveau quantique, on sait qu'*aucune* partie du corps ne vit isolée des autres. De même que l'on ne trouve pas de liens visibles entre les étoiles d'une galaxie, de même n'existe-t-il pas de « fils » apparents qui maintiendraient ensemble les molécules de vos artères ; néanmoins, artères et galaxies sont étroitement reliées ensemble, en une structure parfaite, sans défaut. Ces liens invisibles, que nous ne pouvons observer même au microscope, sont de nature quantique ; sans cette « physiologie cachée », votre physiologie visible ne pourrait exister. Elle n'aurait jamais pu être autre chose qu'un ensemble de molécules dispersées.

Selon l'Ayurvéda, cette découverte faite par le Dr Ornish à propos des maladies cardiaques se vérifie pour tous les troubles, une fois que l'on sait comment faire usage du corps quantique. Un dépôt de plaques de cholestérol apparaît aussi solide qu'une couche de rouille sur un vieux tuyau, mais ces plaques sont en fait vivantes et changeantes, comme tout le reste du corps. De nouvelles molécules graisseuses y pénètrent et en sortent, de nouveaux vaisseaux capillaires se forment pour leur apporter oxygène et nourriture. La grande nouvelle, dans cet exemple du Dr Ornish, c'est que tout ce que nous construisons dans notre corps, nous pouvons aussi le détruire. Un homme qui meurt d'une crise cardiaque à l'âge de 50 ans a eu dans sa vie d'innombrables occasions de se recréer de nouvelles artères. Une femme âgée de 70 ans, dont la colonne vertébrale est percluse d'ostéoporose, a eu dans sa vie d'innombrables occasions de se recréer une colonne saine. (Il n'est pas vraiment possible de dénombrer avec précision toutes les occasions, étant donné que le processus de changement est constant ; cependant, l'on pourrait tout à fait soigner une artère endommagée ou un os abîmé en l'espace de quelques mois, voire quelques semaines.) Chacun d'entre nous est sans cesse en train de se construire un nouveau corps. Qu'est-ce qui nous empêche alors de nous fabriquer des artères saines, une colonne vertébrale saine, une personne en bonne santé et « parfaite » ?

Dans l'antique tradition védique de l'Inde, la force la plus fondamentale sous-jacente à toute la nature est l'intelligence. L'univers n'est pas, en fin de compte, une « soupe d'énergie » ; il ne se réduit pas à un simple chaos. L'agencement si précis et incroyable des choses dans notre monde – et par-dessus tout, l'existence si étonnante de l'ADN – sont des preuves de la quantité infinie d'intelligence qui existe dans la nature. Comme l'a dit un astrophysicien, la probabilité que la vie ait pu être créée par hasard est à peu près du même ordre que la création d'un Boeing 707 à partir d'un ouragan soufflant sur un tas d'ordures !

L'une des transformations les plus cruciales de la science contemporaine est l'émergence soudaine sur la scène de modèles qui tiennent compte de l'intelligence en tant que force vitale dans l'univers. (En physique, on parle par exemple d'un certain principe dit « anthropique », qui suggérerait que l'ensemble de la création depuis le Big Bang a été conçu dans le dessein d'aboutir à la vie de l'homme.)

Pourquoi cela nous concerne-t-il ? Parce que l'Ayurvéda, considéré dans un contexte plus large, n'est rien d'autre qu'une technologie nous permettant de contacter ce niveau quantique à l'intérieur de nous-mêmes. Pour y parvenir, nous avons besoin de techniques spéciales – que nous couvrirons de façon détaillée dans les pages qui suivent – visant à éliminer couche après couche les « masques » de notre corps physique ; en outre, il nous faut transcender, c'est-à-dire aller au-delà de l'activité incessante qui emplit notre esprit, activité semblable au bruit d'une radio que l'on ne pourrait arrêter. Au-delà de cette agitation, de cette distraction, demeure une région silencieuse qui apparaît aussi vide que le champ quantique entre les étoiles. Pourtant, tout comme ce champ quantique, notre silence intérieur est riche de précieuses promesses.

Ce silence au fond de nous constitue la clé pour accéder au corps quantique. Il ne s'agit pas d'un silence chaotique, mais organisé. Il a une forme et une structure, un but et des processus, tout comme le corps physique. Au lieu de considérer notre corps comme un ensemble de cellules, de tissus et d'organes, on peut avoir recours à la perspective quantique qui le montre comme un flux silencieux d'intelligence, un bouillonnement constant d'impulsions qui créent, contrôlent et deviennent notre corps physique. À ce niveau, le secret de la vie est que *tout élément de notre corps* peut être changé à volonté, par une simple intention.

Si cela semble difficile à croire, permettez-moi de citer l'exemple de Timmy, un enfant de 6 ans parfaitement normal en apparence, mais souffrant de l'un des plus étranges syndromes psychiatriques : un dédoublement multiple de la personnalité. Timmy a plus d'une douzaine de personnalités différentes, chacune avec ses propres structures émotionnelles, inflexions vocales, goûts et aversions. Les gens qui, comme lui, sont sujets à de multiples personnalités, ne sont pas que de simples cas psychologiques ; quand ils changent de personnalité et en revêtent une autre, des changements remarquables peuvent aussi se produire dans leur corps.

L'une de ces personnalités pourra être atteinte de diabète, par exemple, et la personne souffrira d'une déficience en insuline tant que cette facette régnera. Par contre, les autres personnalités peuvent être complètement dépourvues de diabète et les niveaux d'insuline s'avéreront alors normaux. De même, une personnalité peut souffrir d'hypertension tandis que les autres n'en seront pas affectées ; on a même remarqué que des verrues, des écorchures et d'autres marques peuvent apparaître et disparaître sur la peau, selon les changements de personnalités. Les études sur ces cas de dédoublement de personnalité portent aussi sur des patients qui peuvent instantanément modifier leurs électroencéphalogrammes (EEG) d'ondes cérébrales ou changer la couleur de leurs yeux, passant du bleu au marron par exemple. On connaît l'exemple d'une femme qui avait trois menstruations par mois, correspondant à ses trois personnalités différentes.

Le cas de Timmy est vraiment étonnant parce que l'une de ses personnalités – et seulement celle-là – est allergique au jus d'orange, ce qui donne lieu à de l'urticaire s'il en boit. Un reporter de la rubrique « Santé » écrit dans le *New York Times* : « L'urticaire se produira même si Timmy boit du jus d'orange, et si ce jus est encore en train d'être digéré au moment où une autre personnalité apparaît. Plus incroyable encore, si Timmy revient alors que la réaction allergique est encore présente, les démangeaisons liées à l'urticaire vont cesser immédiatement, et les pustules gonflées d'eau commenceront à régresser. »

C'est là l'illustration parfaite de la façon dont les signaux émis par le corps quantique peuvent provoquer des changements instantanés dans le corps physique. Ce qui est tout à fait remarquable dans le cas présent, c'est que l'on ne voit pas apparaître et disparaître les allergies selon la simple fantaisie ou les caprices de l'esprit, d'ordinaire. Comment le pourraient-elles ? Les globules blancs du système immunitaire, recouverts d'anticorps qui provoquent la réaction d'allergie, attendent passivement le contact avec un antigène. Lorsque celui-ci a lieu, une série de réactions chimiques se déclenchent automatiquement.

Il apparaît pourtant que, tandis que les molécules de jus d'orange s'approchent des globules blancs de Timmy, la *décision se fait* de réagir ou non. Ceci implique que la cellule elle-même est intelligente. En outre, cette intelligence est contenue à un niveau plus profond que ses molécules, car la rencontre de l'anticorps et du jus d'orange se fait entre des atomes de carbone, d'hydrogène et d'oxygène tout à fait ordinaires.

Dire que des molécules peuvent prendre des décisions est un défi à la science physique actuelle : c'est comme si le sucre pouvait parfois choisir d'être sucré et parfois non sucré. Mais ce n'est pas seulement l'intensité saisissante du cas de Timmy qui nous étonne le plus : une fois que nous pouvons « digérer » le fait qu'il choisit ou non d'être allergique – car sinon comment pourrait-il faire apparaître ou disparaître les pustules ? – il nous faut également faire face à la possibilité que *nous aussi*, nous choisissons nos propres maladies. Simplement, nous ne sommes pas conscients de ce choix, parce qu'il a lieu à un niveau situé au-dessous de nos pensées de tous les jours. Mais si nous disposons d'une telle faculté, nous devrions aussi être capables d'en avoir la maîtrise.

Le corps est une rivière

Nous avons tous tendance à percevoir notre corps comme une « sculpture pétrifiée », un objet solide, fixe, concret ; alors qu'en réalité il est plutôt comme une rivière, un flux d'intelligence en constant changement. Héraclite, le philosophe grec, déclarait : « Nul ne peut se baigner deux fois dans la même rivière, car l'eau vive s'y renouvelle constamment. » Il en va de même pour le corps. Si vous « pincez » un peu de votre peau à la taille par exemple, la graisse que vous tenez entre vos doigts n'est pas la même que celle du mois précédent. Vos tissus adipeux (ou cellules graisseuses) se remplissent et se vident de graisse constamment, si bien que toutes les trois semaines, ils se renouvellent complètement. La paroi de votre estomac change tous les cinq jours (la couche la plus interne des cellules stomacales se renouvelle en quelques minutes, lors même de la digestion). Votre peau change toutes les cinq semaines. Votre squelette, en apparence si massif et rigide, se renouvelle entièrement tous les trois mois. En fait, le flux d'oxygène, de carbone, d'hydrogène et d'azote est si rapide que l'on pourrait être remodelé en l'espace de quelques semaines ; ce sont seulement les atomes plus lourds de fer, de magnésium et de cuivre, entre autres, qui ralentissent le processus. Vous avez beau sembler le même en apparence, vous êtes pourtant comme un immeuble dont les briques seraient sans cesse remplacées par de nouvelles. Chaque année, 98 % au moins du nombre total d'atomes de votre corps sont renouvelés ; ceci a été vérifié par des études radio-isotopiques faites dans les laboratoires d'Oak Ridge en Californie. Le contrôle de ce flux continuellement changeant se fait au niveau quantique du corps-esprit, mais la médecine n'a pas encore pu tirer profit de ce fait : elle n'a pas encore fait le « saut quantique ».

Pour modifier le schéma du corps, il nous faut apprendre à réécrire le programme de l'esprit. Dans les chapitres suivants, j'aimerais vous inspirer à faire un voyage d'auto-exploration et vous guider en vous montrant comment l'Ayurvéda peut vous permettre de garder un meilleur contrôle de votre santé, grâce à ce niveau quantique qui constitue aujourd'hui la nouvelle frontière de la médecine. Cette approche sera divisée en trois sections, correspondant aux trois grandes parties de cet ouvrage.

Un lieu appelé santé parfaite

Nous débattrons d'abord de la possibilité de la santé parfaite, puis de sujets plus pratiques. L'Ayurvéda nous enseigne que chaque individu a reçu de la nature une matrice unique, que l'on nomme sa *prakruti*, ou constitution. En faisant le test simple du chapitre 2, vous découvrirez celle des dix constitutions physiques qui vous correspond. C'est le pas le plus important à faire pour atteindre une meilleure santé, parce que votre prakruti vous indique comment la nature souhaite que vous viviez. Selon l'Ayurvéda, votre corps sait ce qui est bon ou mauvais pour lui ; la nature a placé en vous depuis la naissance des instincts corrects. Dès que vous commencerez à prêter attention et à obéir à ces tendances innées, vous vous apercevrez que votre physiologie est capable d'atteindre son équilibre propre en n'ayant qu'un effort minime à fournir.

Comme nous allons le voir plus en détail, des déséquilibres extrêmement ténus dans l'organisme peuvent semer les graines de maladies futures, alors que la préservation de l'équilibre permet d'assurer un état de santé idéal. Les points forts et faibles de chaque constitution seront exposés pour vous permettre de choisir une approche adéquate en vue de prévenir les troubles. La maladie que vous devriez chercher à éviter est celle à laquelle vous êtes le plus enclin et cela est indiqué par votre prakruti.

Le corps quantique humain

Dans cette partie nous pénétrerons plus profondément dans le niveau quantique à l'intérieur de nous-mêmes et explorerons comment l'esprit régit le corps, l'entraînant soit vers la maladie soit vers la santé. Des milliers d'années avant que la médecine moderne ait découvert le lien entre le corps et l'esprit, les sages de l'Ayurvéda l'avaient déjà maîtrisé et avaient mis au point une « technologie interne » qui opère à partir des niveaux les plus profonds de notre conscience. Le secret de la santé parfaite dépend de la pratique de ces techniques. Nous évoquerons le rôle de la méditation pour éliminer les obstacles à une bonne santé ; nous étudierons comment le corps quantique humain peut être exploité pour transformer le corps physique avec bien plus de puissance que ne pourraient le faire les drogues, les régimes ou l'exercice.

Nous couvrirons dans cette partie de vastes sujets, allant du risque de cancer jusqu'à l'élimination des toxines physiques et mentales, sujets qui demeurent des points d'interrogation pour la médecine et que l'on aborde et traite au Chopra Center. En vous voyant vous-même à travers les yeux d'un médecin ayurvédique et en lisant les études de cas des personnes qui ont suivi nos programmes, vous pourrez mieux comprendre pourquoi « la guérison quantique » représente un progrès majeur dans notre approche du corps et de l'esprit.

Vivre en accord avec la nature

Une fois présenté le grand dessein de l'Ayurvéda, je terminerai par des conseils pratiques que j'ai compilés au cours des quinze dernières années. L'idéal de la santé parfaite dépend d'un équilibre parfait. Tout ce que vous mangez, dites, pensez, faites, voyez et ressentez affecte votre équilibre général. On pourrait penser qu'il est impossible de contrôler à la fois toutes ces diverses influences et pourtant, en suivant les régimes et exercices spécifiques adaptés à chaque constitution, ainsi que les « routines » quotidiennes et saisonnières, vous pourrez rectifier la grande majorité des déséquilibres actuellement présents dans votre physiologie et même éviter ceux qui pourraient se présenter à l'avenir.

Le réenchantement de la nature

Il est fascinant d'observer comment le concept de santé parfaite s'inscrit dans un mouvement intellectuel plus large, qui donne une assise solide aux fondements de la science. Ilya Prigogine, lauréat du prix Nobel de chimie en 1977 et l'un des pionniers de ce mouvement, l'appelle « le réenchantement de la nature », c'est-à-dire la prise de conscience que la nature n'est pas une machine mais un environnement merveilleux dont les possibilités latentes restent encore à peine concevables aujourd'hui. La nature est comme la bande passante d'une radio qui comporterait un nombre infini de stations ; la réalité dont nous faisons l'expérience maintenant ne constitue qu'une seule station sur cette bande, totalement convaincante tant que l'on reste branché sur elle, mais masquant aussi les autres choix qui existent de part et d'autre.

Au tournant de ce siècle, le psychologue William James a pressenti le mécanisme qui nous permet de tourner le cadran : « L'une des découvertes les plus importantes de ma génération, écrit-il, a été que les êtres humains peuvent modifier leurs vies en modifiant leurs attitudes d'esprit. » C'est une remarque dont la portée était très grande, qui s'adressait plus à l'avenir qu'à l'époque même de James. En ce temps-là, nul ne contestait le fait que la nature se déploierait mécaniquement, et serait le résultat de lois implacables opérant sans aucun égard pour les êtres humains. Mais de nos jours, il semble bien que les êtres humains comptent désormais pour beaucoup, ce qui montre peut-être que la nature nous offre seulement la réalité que nous sommes prêts à accepter ou à imaginer.

Pendant de nombreux siècles, nous avons sans aucun doute cru à la maladie et à la mort. Cela en dit beaucoup plus sur notre rapport à la vie que sur la vie elle-même. La vie est infiniment souple, et les forces qui la poussent à se maintenir sont au moins aussi puissantes que celles qui la font reculer. Si vous plantez un sapin dans un coin pollué situé au cœur d'une ville, sa longévité sera peut-être de cinquante ans ; mais s'il est planté à la campagne, celle-ci pourra s'étendre et atteindre deux ou trois cents ans ; enfin, sur les crêtes venteuses des montagnes Rocheuses, ce pin pourrait survivre plus de deux mille ans. Quelle est donc alors sa longévité naturelle ? De toute évidence, elle dépend entièrement de la situation. Certaines forces sont toujours à l'œuvre pour préserver la vie de ce sapin, tandis que d'autres s'y opposent. Dans cet équilibre dynamique demeure la destinée de l'arbre. Une vie relativement courte et infiniment longue sont l'une et l'autre naturelles, tout dépend de l'environnement.

Au laboratoire, une souris élevée en cage et que l'on nourrit avec un régime normal vivra normalement moins de deux ans. Si vous réduisez la température de son corps et ne lui donnez qu'un minimum de calories (tout en préservant les vitamines, minéraux, protéines, etc., dont elle a besoin), la vie de la souris peut se prolonger jusqu'à deux fois, voire même trois. D'autre part, si vous exposez cette même souris à un niveau de stress anormal, comme par exemple en la balançant chaque jour sous les yeux d'un chat tenu juste à l'écart, la souris mourra très probablement en l'espace de quelques semaines. Dans chaque cas, les organes internes de l'animal auront connu un vieillissement comparable : le cœur, le foie et les reins usés seront tous trois uniformément « vieux », même si l'une des souris a vécu peut-être cinquante fois plus longtemps que celle qui est morte le plus rapidement.

Au fur et à mesure que l'équilibre des forces change, la vie change. Dans le cas des êtres humains, l'environnement peut être choisi et contrôlé, ce qui donne à notre longévité propre une incroyable souplesse. Quand nous parlons de santé parfaite, ce que nous avançons c'est que l'équilibre dynamique de la vie peut en fait être modifié à notre avantage. Personne n'a vécu indéfiniment, mais il est tout à fait possible d'ajouter 50 ans à une durée de vie moyenne de 70 ans et d'atteindre le plus long record de vie jamais connu à ce jour (121 ans, record attribué à un Japonais vivant sur une île). Dans l'empire romain, l'espérance de vie d'un adulte était de 28 ans ; en l'an 2020, elle pourra aller jusqu'à 90 ans dans le cas d'un homme ou d'une femme en bonne santé qui vit aux États-Unis. Cela représente un vaste éventail de flexibilité.

Si vous observez la plus petite unité de vie – celle de la cellule –, le contraste entre une vie courte ou longue est encore plus prononcé. Prenez un seau et remplissez-le d'eau au bord d'un étang, puis observez-en une goutte au microscope, vous verrez une myriade de plantes et d'animaux monocellulaires : paramécies, amibes, algues, et ainsi de suite. Chaque amibe peut avoir une durée de vie d'environ deux à trois semaines seulement.

Mais parce que les amibes se reproduisent en se divisant, le matériel génétique à l'intérieur de chacune d'elles est aussi vieux que la cellule-mère dont elle est issue, ce qui lui donne ainsi un âge de quatre semaines au lieu de deux. Cette cellule-mère provenant elle-même de sa propre mère, cela nous conduit à dire qu'une partie de l'amibe que vous observez est trois fois plus vieille que ce que vous pensiez, une autre partie quatre fois plus vieille, etc. Jusqu'à ce qu'on en vienne à la conclusion que cette simple amibe extraite d'un étang local est en fait aussi âgée – au moins en partie – que toutes les amibes qui ont vécu depuis le fond des âges, soit peut-être un milliard d'années.

Bien entendu, les atomes et les molécules présents aujourd'hui à l'intérieur de l'amibe n'y ont pas demeuré depuis aussi longtemps. Ils vont et viennent constamment, en un tourbillon d'atomes d'oxygène, d'hydrogène, de carbone et d'azote. Néanmoins, l'amibe conserve sa forme et son identité de génération en génération. Une certaine force de vie lui donne sa cohésion et, tant que l'ADN de l'amibe ne sera pas détruit, cette cellule abritera cette portion de vie à tout jamais.

Votre corps, composé de 50 000 à 100 000 milliards de cellules, est inconcevablement plus complexe qu'une amibe, mais la vie qui s'y loge est tout à la fois aussi vieille et aussi jeune. Pour parler avec exactitude de la durée d'une vie humaine, l'on doit faire référence aux nombreuses durées de vie représentées en un seul corps. Une cellule ordinaire de la paroi stomacale ne vit que quelques jours et une cellule de l'épiderme seulement deux semaines ; un globule rouge vit plus longtemps : de deux à trois mois. On peut trouver des cellules vivant très longtemps dans le foie, où il leur faut plusieurs années pour se régénérer ; les cellules cérébrales et cardiaques durent apparemment une vie entière sans se reproduire.

Le plus surprenant, c'est que c'est exactement le même ADN qui régit toutes ces durées de vie, de la plus courte à la plus longue. Les cellules de la peau et du cerveau sont génétiquement identiques ; elles proviennent du moment de la conception, lorsque la moitié de l'ADN de votre père s'est uni à la moitié de l'ADN de votre mère pour former le ruban unique d'ADN qui est devenu... vous-même. Par un processus que nous commençons à peine à comprendre, votre ADN fut capable de créer toutes sortes de cellules spécialisées – celles du cerveau, de la peau, du cœur, du foie, etc. – qui ont chacune leur longévité propre, bien définie. Il n'est pas possible de savoir quelle vie sera la plus longue à partir d'une simple observation des cellules : les neurones du cerveau, qui durent une vie entière, sont en tout point identiques aux cellules olfactives du nez – grâce auxquelles on peut jouir du sens de l'odorat – et pourtant ces cellules olfactives, elles, sont renouvelées toutes les quatre semaines.

Comme dans le cas de l'amibe, chaque cellule humaine est constituée d'atomes qui « volent » littéralement à travers elle : il ne faut ainsi que quelques millièmes de seconde pour que l'oxygène et le dioxyde de carbone s'échangent dans vos poumons ; vos cellules cérébrales puisent et rejettent les ions de sodium et de potassium trois cents fois par seconde. Le muscle de votre cœur extrait si rapidement l'oxygène hors de l'hémoglobine du sang qu'il ne faut que quelques secondes au sang rouge vif et brillant venant irriguer le cœur pour en ressortir presque noir.

Mais ce tourbillon incessant d'activité ne désintègre pas votre structure ou votre identité plus que dans le cas de l'amibe. Votre ADN a revêtu un aspect distinctement « humain » depuis au moins plusieurs millions d'années ; l'ADN originel dont il provient est aussi vieux que la vie elle-même, remontant à presque deux milliards d'années. Vous pouvez ainsi voir que vous êtes d'une permanence indéfinie au niveau génétique, même si la matière de votre corps, elle, apparaît puis disparaît sans cesse.

Une vie dénuée d'imperfections

Mais alors, si la vie est vraiment aussi souple et dynamique, comment se fait-il que nous ne puissions « durer » plus longtemps ? Cela serait possible si nous savions comment nous servir de l'équilibre des forces qui sont à l'œuvre en nous et autour de nous. Les sages antiques de l'Ayurvéda avaient assez d'audace pour poser la question ultime : « En fin de compte, est-il nécessaire de tomber malade et de vieillir ? » Leur réponse est « non ». Si l'on maintient les forces à l'intérieur de nous en harmonie et en équilibre avec l'environnement qui nous entoure, nous pouvons être à l'abri de toute maladie. Un équilibre parfait rend possible une santé parfaite.

Dans l'Ayurvéda, nous nous fions sans hésiter au principe énonçant que tout trouble peut être prévenu tant que l'équilibre est maintenu, non seulement dans le corps, mais aussi dans l'esprit et la psyché. Les sages de l'Ayurvéda enseignent qu'en chacun de nous existe une impulsion à croître et à progresser. Cette impulsion régit notre équilibre général automatiquement ; on peut la voir à l'œuvre dans chaque cellule, et plus particulièrement dans le cerveau, qui maintient simultanément l'équilibre de la température du corps, du taux métabolique, de la croissance, de la faim et de la soif, du sommeil, de la chimie sanguine, de la respiration, et de maintes autres fonctions. Il faut que leur coordination soit incroyablement précise pour que la santé soit maintenue (l'hypothalamus, une zone minuscule située dans la partie antérieure du cerveau, pas plus grande que le bout d'un doigt, coordonne des douzaines de fonctions automatiques du corps, ce qui lui a valu le surnom de « cerveau du cerveau »).

Mais la source réelle de l'équilibre demeure, plus profondément encore, au niveau quantique. Là, l'impulsion fondamentale de notre croissance et de notre progrès peut être captée grâce à des techniques spéciales que nous explorerons. Il s'agit d'un domaine vital et cependant largement méconnu de la plupart des gens, ce qui explique pourquoi ils se trouvent fréquemment démunis devant la maladie et le vieillissement. Quand les forces agissant contre la vie ont le dessus, le corps n'a pas d'autre choix que de se détériorer au fil du temps.

Au contraire, si nous apprenons à vivre en équilibre à partir du niveau le plus profond de notre être, notre croissance intérieure n'a pas de limites prévisibles. Des douzaines de livres exposent la valeur de la croissance intérieure, mais passent à côté de l'élément clé sur lequel l'Ayurvéda met l'accent : la croissance est automatique ; elle fait partie du plan de la nature, inscrite dans nos cellules mêmes. Il s'agit seulement de remonter la rivière silencieuse de l'intelligence jusqu'à sa source. Tel est le secret ultime de la santé parfaite. Si nous pouvions permettre à l'esprit de s'élargir et d'explorer des réalités supérieures, le corps suivrait aussi. Cela ne suffirait-il pas pour le préserver de la maladie et du vieillissement ?

Savoir jusqu'où l'évolution nous conduira demeure pure spéculation, mais il existe des exemples saisissants où l'esprit a refusé de croire à la maladie et où le corps a suivi. L'année dernière, j'ai vu un patient suisse, Andreas Schmitt, qu'on avait déclaré atteint d'un cancer fatal. Un an et demi auparavant, il avait remarqué un point douloureux dans son dos, qui le dérangeait chaque fois qu'il s'appuyait sur sa chaise. Tâtant avec ses doigts, il avait détecté une zone enflée, de la taille d'une petite pièce de monnaie. Sa femme lui dit qu'elle avait l'aspect d'un large grain de beauté de couleur foncée ; au moyen d'un miroir de poche, Andreas put apercevoir une excroissance marron violacée, située exactement entre ses omoplates.

Les événements s'enchaînèrent alors d'une manière rapide et sombre à la suite de cela. Un cancérologue de Genève lui fit une biopsie, qui révéla un mélanome, une forme de cancer de la peau particulièrement virulente et d'extension rapide. Le lendemain, Andreas se faisait opérer. Les chirurgiens enlevèrent l'excroissance et sondèrent les ganglions lymphatiques situés sous l'aisselle droite. Quatorze ganglions suspects furent éliminés ; il s'avéra que quatre d'entre eux contenaient des cellules de mélanomes. Une fois ceux-ci extraits, il restait à irradier les régions de son dos et de ses épaules pour atteindre les cellules cancéreuses qui pouvaient encore s'y trouver. Andreas, un homme d'une cinquantaine d'années et d'un bon niveau d'instruction, refusa les radiations.

« La logique qui était la mienne, me confia-t-il plus tard, était simplement d'attendre et de voir. La tumeur était extraite ; j'avais éprouvé des souffrances traumatiques considérables à la suite de l'opération et, au fond de moi, je n'étais pas sûr de me sentir assez fort pour endurer encore de nouveaux traitements. Si je pouvais trouver le temps de récupérer à la maison et de fortifier ma confiance, ne m'en porterais-je pas mieux ? »

Cette décision ennuya le cancérologue, qui fit savoir à Andreas que s'il interrompait le traitement, les mélanomes réapparaîtraient presque certainement dans les six mois à venir.

« Et ça ne serait pas le cas avec des radiations ? » demanda Andreas.

« Les risques seront moindres », répondit son docteur.

« Et combien de temps puis-je espérer vivre encore après cela ? » demanda Andreas.

Son médecin fut contraint de trouver une réponse à cette difficile devinette : non-traités, les patients atteints de mélanomes métastatiques ne survivent que quelques mois ; avec un traitement maximum, leur espérance de vie s'accroît, quelquefois de quelques années, quelquefois moins. Au bout de cinq ans, le nombre de survivants est de moins de 10 %. Dans les dix ans, pratiquement personne n'est encore en vie.

« Eh bien, si je ne dois pas survivre longtemps, se dit Andreas, pourquoi me mettre à la torture pour faire simplement plaisir à tel ou tel docteur ? »

Sa vie se poursuivit mais, six mois plus tard, apparut un ganglion lymphatique enflé, cette fois sous son aisselle gauche. Des tests révélèrent une réapparition des mélanomes, comme prévu. Pour être tout à fait réaliste, à ce stade, ne restait plus aucun espoir médical. Quand Andreas vint en Amérique me consulter pour trouver de l'aide, je commençai d'abord par lui présenter le concept de corps quantique. « Avant qu'un cancer ne puisse exister physiquement, il faut qu'il se soit déclenché à un niveau plus profond. Plutôt que de s'occuper de la rupture du mécanisme d'autoréparation de l'ADN ou de l'action des carcinogènes, l'Ayurvéda estime que la maladie provient de distorsions dans les faisceaux de vibrations quantiques qui maintiennent le corps intact.

« Vous pouvez apprendre à amener votre conscience à ce niveau subtil de vous-même ; en fait, ce que nous appelons pensées et émotions n'est rien d'autre que les expressions de ces fluctuations quantiques. L'esprit conscient a la capacité de guérir, et semble avoir été l'agent de guérisons soudaines même dans les cas les plus avancés de maladies incurables. »

Toutes les soi-disant maladies incurables ont présenté des cas de guérison mystérieuse. L'une des caractéristiques du mélanome est qu'il est plus sujet à une autoguérison que bien des formes de cancer moins mortelles. Ces « rémissions spontanées » sont très rares, survenant moins d'une fois sur cent, mais elles peuvent apparemment conduire à des guérisons totales et durables.

« Si une personne a pu parvenir à se guérir du mélanome, fis-je remarquer, alors nous savons que c'est possible. Qu'est-ce qui déclenche le processus de guérison ? Une certaine découverte nouvelle qu'il vous faut faire à l'intérieur de vous-même. Aujourd'hui même, vous avez autant de chances que quiconque de faire cette découverte. »

Malgré ce qui pesait sur lui, Andreas prit au sérieux ce conseil. Il apprit plusieurs techniques de l'Ayurvéda pour stimuler ses défenses naturelles et se soumit en outre à des traitements de purification visant à éliminer les impuretés de son corps (cette approche est expliquée dans les chapitres 6 et 7). Puis il retourna en Suisse et, quatre mois plus tard, nous fit savoir avec jubilation que son ganglion lymphatique enflé avait régressé. Les rayons X et les tests sanguins ne révélaient plus aucune trace de mélanome dans son corps. Malgré les prévisions des cancérologues suisses affirmant qu'il ne pourrait survivre plus de trois mois après la réapparition de son cancer, Andreas vit pourtant toujours une vie normale aujourd'hui, et cela plusieurs années plus tard.

L'aspect le plus frappant dans un tel cas est que l'esprit du patient soit ainsi parvenu à « inviter » son corps à accepter une nouvelle réalité, en se gardant de porter l'attention sur le fait que ce qui se passait semblait « impossible ». Comment expliquer de tels événements extraordinaires ? Une étude faite sur quatre cents cas de cancers guéris grâce à des rémissions spontanées a révélé que les modes de traitement utilisés avaient fort peu de chose en commun. Certaines personnes avaient bu du jus de raisin ou avalé des doses massives de vitamine C ; d'autres avaient prié, pris des remèdes à base de plantes, ou avaient tout simplement « fait la fête ». Ces patients très différents avaient pourtant tous une chose en commun : à un certain point de leur maladie, ils ont soudain pris conscience et su, avec une totale certitude, qu'ils allaient se porter mieux. Comme si la maladie n'était plus qu'un mirage, du jour au lendemain, chacun d'eux a pu passer au-delà, dans un espace où nulle peur, nul désespoir, ni aucune maladie n'existe.

Ils étaient entrés dans le lieu qui s'appelle la santé parfaite.

2

À la découverte de votre constitution

Par une claire journée d'octobre, au cœur de Boston (ou de New York ou de Chicago), la foule s'en retourne au travail après le déjeuner. Certaines personnes portent un chapeau, ou une écharpe et des gants, comme s'ils sentaient venir l'hiver ; d'autres portent des chemises à manches courtes, comme si l'été était encore là. Un jogger en short, la poitrine nue, traverse en courant au feu vert, fonçant vers le parc. Il se distingue en un contraste frappant d'une vieille femme qui attend son bus, engoncée dans un manteau à col de fourrure lui descendant jusqu'aux chevilles. À première vue, on pourrait penser que ces personnes vivent sous des climats différents. En fait, elles ne sont que les expressions des différences que la nature a placées en elles, au plus profond.

Et si, vraisemblablement, un grand nombre de gens ont dû tous prendre un sandwich, des frites et un café au déjeuner, la nourriture se fera lourde dans certains estomacs, transitera nerveusement chez d'autres, passant inaperçue chez la plupart. Dans certains corps, le cœur se mettra à battre plus vite lorsque le trottoir semble trop encombré de passants ; d'autres vont déverser de l'acide gastrique en excès ou faire l'expérience d'une élévation de leur pression artérielle. Il faut toutes sortes de gens pour faire un monde... mais la médecine actuelle a-t-elle vraiment noté à quelles catégories les uns et les autres appartiennent ?

La médecine ordinaire accorde bien plus d'attention aux différences entre les maladies qu'entre les gens. Lorsqu'un patient se plaint d'une attaque d'arthrite dans les mains, un médecin se rendra compte que cette douleur courante peut être reliée à plus de cent maladies, entraînant toutes des articulations rigides, enflammées et douloureuses. L'on sait que, si certaines personnes vont hériter à la naissance de cette propension à devenir arthritiques, un nombre déconcertant d'autres facteurs peuvent également contribuer à l'apparition de tels accès : modifications hormonales, stress physique et mental, régime inapproprié, manque d'exercice, etc.

L'Ayurvéda met en évidence le fait que si les maladies diffèrent, c'est principalement parce que les gens eux-mêmes sont si différents. Certes, la biologie reconnaît bien que chacun d'entre nous est né avec une « individualité biochimique », mais cela n'a guère d'incidence sur le plan pratique, une fois que l'on se trouve dans le cabinet du médecin. Être pourvu d'une individualité biochimique signifie que personne ne peut être considéré comme « standard ». À tel ou tel moment donné, vos cellules et vos tissus ne contiennent pas un niveau moyen d'oxygène, de gaz carbonique, de fer, d'insuline ou de vitamine C. Au contraire, ils en comportent une quantité précise et unique à chaque instant, dans telle ou telle condition physique, et tel ou tel état de vos pensées et de vos émotions. Votre corps est une structure complexe à trois dimensions, formée de millions de différences infimes et, en vous instruisant à leur sujet, vous pouvez considérablement améliorer votre santé. À ce niveau, la santé parfaite est un phénomène biologique tout à fait spécifique.

Connaître votre constitution

Quel que soit le point où se pose votre regard, votre corps, de son côté, tire quelque chose d'unique de chacune des molécules d'air, d'eau et de nourriture que vous ingérez, guidé par ses propres tendances innées. Le choix nous revient soit de suivre ces tendances, soit de les modifier, mais nous opposer à elles inconsidérément n'est pas naturel. Dans l'Ayurvéda, une vie en accord avec la nature – aisée, plaisante et sans tension – sous-entend le respect de la personnalité unique de chacun.

La première question qu'un médecin ayurvédique se posera n'est pas : « De quelle maladie souffre mon patient ? », mais : « Qui est mon patient ? » Par ce « qui », il ne faut pas entendre notre nom, mais comment nous sommes constitués. Aussi le médecin va-t-il chercher les traits révélateurs qui dévoileront votre constitution, également connue sous le nom de *prakruti*. Ce terme sanskrit signifie « nature ». C'est donc d'abord votre nature fondamentale qu'il va chercher à découvrir avant de prêter l'oreille aux maux et aux symptômes dont vous souffrez.

La constitution ayurvédique est comme une matrice porteuse des tendances innées qui se sont structurées dans votre système. Un verre de lait entier contient 120 calories, indépendamment de qui va le boire. Mais il est tout à fait possible qu'une personne utilise ces calories avant tout pour stocker de la graisse et qu'une autre transforme la plus grande partie de ces calories en énergie ; de même, si le corps d'un enfant va en extraire de grandes quantités de calcium pour fabriquer de nouveaux tissus osseux, une personne âgée, elle, va évacuer ce même calcium par l'intermédiaire des reins (ceci pouvant d'ailleurs aboutir à un douloureux calcul rénal si son corps n'est plus capable de traiter ce calcium efficacement).

En ayant connaissance de votre constitution, un médecin ayurvédique va pouvoir vous dire quels régimes, activités physiques et thérapies médicales devraient pouvoir vous aider, et au contraire ce qui pourrait ne pas être bon pour vous ou même vous nuire. Une pizza comportant une abondante proportion de fromage pourra, dans le cas par exemple d'une personne souffrant d'une maladie artérielle à un stade avancé, lui être potentiellement fatale. La graisse ingérée pourrait être la « goutte » de trop causant la rupture de l'un de ces athéromes (ou dépôts graisseux) qui bouchent tel ou tel vaisseau sanguin irriguant le cœur. Une telle rupture, aussi minime soit-elle, a parfois donné lieu à de massives crises cardiaques. Et pourtant cette même pizza s'avérera relativement inoffensive pour d'autres ; un régime riche en corps gras est même souhaitable pour ceux qui ne parviennent pas à prendre du poids avec des régimes normaux. La connaissance de vous-même, de votre prakruti, constitue un indice inestimable pour déterminer ce que vous devriez manger.

On peut indiquer trois raisons importantes montrant en quoi la connaissance de sa constitution propre est un premier pas vers la santé parfaite :

1. *Les germes des maladies sont semés très tôt.* Il serait difficile de trouver un patient cardiaque d'une quarantaine d'années, qui n'ait déjà montré des indices suspects vers 20 ans. Un anatomiste examinant les artères

d'une personne décédée à l'âge de 20 ans sait qu'il aurait pu, lorsque la victime était plus jeune, détecter des dépôts graisseux susceptibles de causer ultérieurement la crise cardiaque. Même des enfants de 10 ans peuvent déjà présenter des allergies, une surcharge pondérale chronique, un taux élevé de cholestérol ou un ulcère peptique. À cet âge-là, la maladie qui couve serait plus facile à traiter ou à prévenir, mais les symptômes sont hélas souvent difficiles à repérer. Par la compréhension des constitutions et des points spécifiques qui font leur force ou leur faiblesse, on pourra commencer à prendre des mesures préventives avec le plus de chances de succès, du fait qu'elles pourront être administrées bien avant que la maladie ne se déclare.

2. *La connaissance des constitutions permet une prévention plus spécifique.* Personne n'est prédisposé à subir toutes les maladies existantes ; cependant, la plupart d'entre nous essayons sans cesse de nous évertuer à en prévenir le plus grand nombre possible – cancer, crises cardiaques, ostéoporose, etc. –, ce qui nous contraint à errer d'une peur médicale à l'autre. Si vous essayez de prévenir toutes les maladies sans connaître vos prédispositions particulières, c'est comme si vous étiez en train de tâtonner dans le noir. Pourquoi 60 millions d'Américains adultes continuent-ils de vivre avec une hypertension non traitée ? L'une des raisons est qu'un lien n'a pas été établi entre la prévention et l'individu qui en a besoin. Crises cardiaques, cancer et diabète n'affectent que des individus bien particuliers, qui sont à prendre en considération cas par cas. Le bon sens serait donc que la prévention procède de même.

3. *La connaissance des constitutions permet un traitement plus précis une fois la maladie déclarée.* Un trai-

tement standard, comme par exemple prescrire du Valium à toute personne souffrant d'anxiété ou des protecteurs gastriques à tout individu ayant un ulcère, est une sorte de quitte ou double, fondé sur le principe qu'une maladie donnée est la même chez tout le monde. Mais comme nous l'avons vu, cela n'est pas vrai. Selon l'Ayurvéda, trois personnes peuvent fort bien ressentir de l'anxiété provoquée par trois niveaux différents de stress. Leurs ulcères peuvent se produire bien qu'elles aient adopté trois régimes différents, à cause des pressions exercées sur leur lieu de travail ou de leurs difficultés à la maison. En réalité, ces personnes souffrent de trois maladies différentes, auxquelles on donne à tort le même nom. Cela se vérifie aussi dans le cas des gros fumeurs, des gros mangeurs ou encore des allergiques et des asthmatiques. Dans tous ces cas, la constitution ayurvédique est remarquablement précise, comme vous allez le voir, parce qu'elle met le doigt sur ce qui se passe à l'intérieur de chaque individu.

Enfin, la connaissance de sa constitution est essentielle pour se comprendre soi-même. Quand on découvre ce qui se passe vraiment à l'intérieur, on n'est plus limité par des notions imposées par la société, cherchant à nous indiquer comment l'on devrait agir, parler, penser et sentir. L'une des grandes joies données par l'étude de l'Ayurvéda vient de la vision profondément perspicace de cette science sur les petites choses que l'on considère d'habitude comme des idiosyncrasies : par exemple, les spots publicitaires à la télévision encourageant à boire un jus d'orange le matin, alors que certaines personnes pourront ressentir des brûlures d'estomac ou des maux de ventre en le faisant. Il n'y a rien là d'anormal : c'est seulement le signe que pour leur constitution bien spécifique, la propriété acide du jus d'orange n'est pas souhaitable.

Une personne dont les nerfs sont perturbés par une tasse de café peu corsé est par nature différente de quelqu'un qui peut avaler trois tasses de café noir sans en ressentir le moindre effet. Si vous réagissez à une tasse de café, à un courant d'air froid, aux critiques de votre patron, à un mot d'amour, ou à un temps pluvieux, c'est que votre constitution physique vous envoie un signal. C'est un signal très personnel que vous seul pouvez entendre. Si vous commencez à écouter tous les signaux qui vous sont ainsi envoyés chaque jour, à chaque minute qui passe, vous pourrez remarquer comment ils affectent vos humeurs, votre comportement, vos perceptions, goûts et attitudes, votre attirance envers d'autres personnes, et bien d'autres choses encore.

L'expression « constitution physique » ne correspond qu'à une toute petite partie de ce que recouvre vraiment le terme *prakruti* : il s'agit en fait de votre monde, de la réalité personnelle que vous générez à partir du noyau créatif demeurant au fond de vous. L'on devrait parler plus rigoureusement de « constitution psychophysiologique » quand on évoque votre prakruti. Cette expression inclut à la fois l'esprit (la psyché) et le corps (la physiologie). Je préfère éviter de l'utiliser pour rester bref, mais il est important de se souvenir que la constitution physique comporte également un aspect mental.

Touver la fréquence du corps

D'où proviennent ces constitutions physiques ? Tout le monde possède essentiellement le même type de cellules et d'organes, malgré le fait que telle ou telle personne naisse, à cause de certaines lois génétiques, avec des yeux bleus et non marron, par exemple. Par ailleurs, malgré de très grandes variations d'une personnalité à l'autre, nous partageons tous le même éventail d'émotions. Afin de trouver l'origine plus profonde des constitutions, l'Ayurvéda observe le point de jonction entre l'esprit et le corps. Il est clair qu'un tel point existe : chaque fois qu'un événement se produit dans l'esprit, un événement correspondant a lieu également dans le corps. Si un enfant a peur du noir, sa peur va revêtir une forme physique, celle de l'adrénaline qui se déversera dans son sang. L'Ayurvéda explique qu'une telle relation se passe en un lieu « pris en sandwich » entre le corps et l'esprit, là où la pensée se transforme en matière ; ce lieu est occupé par trois principes fonctionnels appelés *doshas*.

Les doshas sont uniques et d'une importance capitale parce que ce sont eux qui permettent le dialogue entre l'esprit et le corps. Tous vos espoirs, peurs, rêves et souhaits, ainsi que les moindres soupçons d'émotions et de désirs, ont laissé des traces dans votre physiologie ; ces événements mentaux façonnent constamment le corps en lui « parlant ». Pour la plupart d'entre nous, les messages émis ne sont pas autant porteurs de vie qu'ils devraient l'être. À un certain moment au cours de notre vie d'adulte, les marques du stress et de l'âge commencent à prévaloir sur celles de la croissance et de l'expansion. Si votre corps continue de s'user année après année, alors que votre esprit est toujours capable d'amour et de créativité, c'est le signe qu'il faut s'occuper de vos doshas.

Selon l'Ayurvéda, la raison pour laquelle le courant d'entropie, qui nous entraîne vers le bas, est plus fort que le courant d'évolution, qui tente de nous tirer vers le haut, provient d'un déséquilibre des doshas, déséquilibre qui constitue le premier signal pour indiquer que le corps et l'esprit ne sont pas parfaitement coordonnés. Voilà pourquoi un poète aussi brillant que Keats est mort à l'âge de 26 ans de la tuberculose, et un musicien aussi génial que Mozart d'une insuffisance rénale alors qu'il n'avait que 35 ans. Leur corps ne faisait pas « bon ménage » avec le génie de leur esprit. De nos jours, par contre, le fait de pouvoir restaurer les doshas permet d'ouvrir une perspective, celle d'aboutir à un système « corps-esprit » toujours équilibré, en bonne santé et en constante évolution.

Les trois doshas se nomment Vata, Pitta et Kapha. Bien qu'ils régissent des milliers de fonctions distinctes dans le système corps-esprit, celles-ci peuvent être réduites à trois fonctions fondamentales :

Le dosha Vata contrôle le mouvement.
Le dosha Pitta contrôle le métabolisme.
Le dosha Kapha contrôle la structure.

Chaque cellule de votre corps doit comporter ces trois principes. Pour rester en vie, votre corps devra avoir du Vata (mouvement) pour lui permettre de respirer, de faire circuler le sang ou transiter la nourriture à travers le système digestif, et de transmettre les impulsions nerveuses au cerveau, ou du cerveau au corps. Il devra avoir du Pitta (métabolisme) pour permettre l'assimilation de nourriture, d'air et d'eau dans l'organisme tout entier. Il devra avoir du Kapha (structure) pour maintenir la cohésion des cellules et fabriquer les muscles, la graisse, les os et les tendons. La nature a besoin des trois éléments pour construire un corps humain.

Dans le chapitre suivant, nous nous étendrons davantage sur ces doshas. Mais il nous faut d'abord déterminer votre constitution, car cela éveillera chez vous un intérêt beaucoup plus fort et personnel pour les doshas. Tout comme il existe trois doshas, l'on dénombre aussi trois types principaux de constitutions humaines dans le système ayurvédique, qui dépendront du dosha prédominant. Si un médecin vous examine et vous dit : « Vous êtes d'une constitution Vata », il veut dire que les caractéristiques de Vata sont les plus prononcées en vous ; vous auriez donc alors une prakruti Vata.

Il importe de savoir si vous êtes d'une constitution Vata, Pitta ou Kapha, parce que cela va permettre de déduire avec précision le régime, l'exercice, la routine quotidienne et d'autres mesures pouvant prévenir les maladies. Une personne Vata vit dans un monde aux « couleurs » de Vata jusque dans les plus petits détails. En absorbant de la nourriture dont elle sait qu'elle équilibre Vata, elle va pouvoir rééquilibrer tout son organisme en profondeur. Cela vous apparaîtra comme évident dès que vous aurez complété le petit test proposé dans les pages suivantes. Mais il importe que vous vous souveniez bien que les trois doshas sont présents en chacun de nous, et que tous trois doivent être maintenus en équilibre. Connaître sa propre constitution est la clé de l'équilibre total, une clé qui fournit l'élément le plus important en vue d'une transformation profonde : vous-même, tel que la nature vous a créé.

Test pour déterminer sa constitution physique selon l'Ayurvéda

Le test ci-dessous se divise en trois parties. Pour les 20 premières questions, qui correspondent au dosha Vata, lisez chaque phrase et attribuez-vous une note allant de 0 à 6 selon qu'elle s'applique plus ou moins à vous.

0 = ne s'applique pas à mon cas

3 = s'applique à moi quelquefois (ou de temps en temps)

6 = s'applique à moi très souvent (ou presque tout le temps)

À la fin de cette section, faites le total de votre score Vata. Par exemple, si vous vous êtes donné 6 à la première question, 3 à la deuxième et 2 à la troisième, votre total à ce niveau du test serait de 6 + 3 + 2 = 11. Procédez de même pour l'ensemble de cette section et vous arriverez à votre score Vata final. Poursuivez alors avec les 20 questions concernant Pitta, puis Kapha.

Quand vous aurez fini, vous aurez totalisé trois totaux différents. C'est leur comparaison qui déterminera votre constitution.

Le choix sera assez évident en ce qui concerne vos caractéristiques physiques, plutôt objectives. Mais pour les caractéristiques plus subjectives ayant trait à l'esprit ou au comportement, il vous suffira de répondre selon la manière dont vous avez ressenti et agi la plupart du temps dans votre vie, ou au moins ces dernières années.

Section 1 – Vata

	Ne s'applique pas à mon cas	***S'applique ~~pas~~ quelquefois***	***S'applique ~~pas~~ très souvent***
1. Mon activité s'accomplit très rapidement	1 • 2	3 • 4	5 • 6
2. J'ai des difficultés à mémoriser les choses et à m'en souvenir ensuite	1 • 2	3 • 4	5 • 6

	Ne s'applique pas à mon cas	*S'applique ~~pas~~ quelquefois*	*S'applique ~~pas~~ très souvent*
3. Je suis d'un naturel vif et enthousiaste	1 • 2	3 • 4	5 • 6
4. Je suis mince ; je ne prends pas très facilement de poids	1 • 2	3 • 4	5 • 6
5. J'assimile rapidement de nouvelles choses	1 • 2	3 • 4	5 • 6
6. Ma démarche est habituellement vive et légère	1 • 2	3 • 4	5 • 6
7. J'ai des difficultés à prendre des décisions	1 • 2	3 • 4	5 • 6
8. Je suis sujet aux flatulences ou à la constipation	1 • 2	3 • 4	5 • 6
9. J'ai tendance à avoir froid aux mains et aux pieds	1 • 2	3 • 4	5 • 6
10. Je deviens fréquemment anxieux ou inquiet	1 • 2	3 • 4	5 • 6
11. Je supporte moins bien le temps froid que la plupart des gens	1 • 2	3 • 4	5 • 6

	Ne s'applique pas à mon cas	*S'applique pas quelquefois*	*S'applique pas très souvent*
12. Je parle rapidement et mes amis me trouvent bavard	1 • 2	3 • 4	5 • 6
13. Mes humeurs changent facilement et je suis plutôt d'une nature émotive	1 • 2	3 • 4	5 • 6
14. J'ai souvent du mal à m'endormir ou à avoir un sommeil profond	1 • 2	3 • 4	5 • 6
15. Ma peau a tendance à être très sèche, particulièrement en hiver	1 • 2	3 • 4	5 • 6
16. Mon esprit est très actif, parfois agité, mais aussi très imaginatif	1 • 2	3 • 4	5 • 6
17. Mes mouvements sont vifs et dynamiques ; mon énergie a tendance à jaillir par à-coups	1 • 2	3 • 4	5 • 6
18. Je suis facilement excitable	1 • 2	3 • 4	5 • 6

	Ne s'applique pas à mon cas	*S'applique pas quelquefois*	*S'applique pas très souvent*
19. Quand je suis laissé à moi-même, mes habitudes de sommeil et d'alimentation ont tendance à devenir irrégulières	1 • 2	3 • 4	5 • 6
20. J'apprends vite, mais oublie vite également	1 • 2	3 • 4	5 • 6

SCORE VATA : ____________

Section 2 – Pitta

	Ne s'applique pas à mon cas	*S'applique pas quelquefois*	*S'applique pas très souvent*
1. J'ai le sentiment d'être très efficace	1 • 2	3 • 4	5 • 6
2. Dans mes activités, j'ai tendance à être extrêmement précis et ordonné	1 • 2	3 • 4	5 • 6
3. Je suis entêté et j'aime plutôt utiliser la manière forte	1 • 2	3 • 4	5 • 6

	Ne s'applique pas à mon cas	*S'applique ~~pas~~ quelquefois*	*S'applique ~~pas~~ très souvent*
4. Par temps chaud, je me sens plus mal à l'aise ou me fatigue plus facilement que la plupart des gens	1 • 2	3 • 4	5 • 6
5. J'ai tendance à transpirer facilement	1 • 2	3 • 4	5 • 6
6. Même si je ne le montre pas toujours, je deviens irritable ou me mets en colère très aisément	1 • 2	3 • 4	5 • 6
7. Si je saute un repas, ou si je dois attendre pour manger, je ne me sens pas bien	1 • 2	3 • 4	5 • 6
8. L'une des caractéristiques suivantes correspond à mes cheveux : – tendance à grisonner ou à une calvitie précoce – cheveux minces, fins et raides – cheveux blonds, roux, ou couleur sable	1 • 2	3 • 4	5 • 6

	Ne s'applique pas à mon cas	*S'applique ~~pas~~ quelquefois*	*S'applique ~~pas~~ très souvent*
9. J'ai bon appétit : si je le désire, je peux beaucoup manger	1 • 2	3 • 4	5 • 6
10. Beaucoup de gens me trouvent têtu	1 • 2	3 • 4	5 • 6
11. Je vais à la selle très régulièrement ; je serais plutôt enclin à des diarrhées qu'à de la constipation	1 • 2	3 • 4	5 • 6
12. Je m'impatiente très facilement	1 • 2	3 • 4	5 • 6
13. J'ai tendance à être perfectionniste sur des détails	1 • 2	3 • 4	5 • 6
14. Je me mets facilement en colère, mais ça passe vite	1 • 2	3 • 4	5 • 6
15. J'adore les aliments froids tels que glaces et boissons glacées, par exemple	1 • 2	3 • 4	5 • 6

	Ne s'applique pas à mon cas	*S'applique ~~pas~~ quelquefois*	*S'applique ~~pas~~ très souvent*
16. Je suis plus facilement enclin à ressentir qu'une pièce est trop chaude plutôt que trop froide	1 • 2	3 • 4	5 • 6
17. Je ne supporte pas les aliments trop épicés et piquants	1 • 2	3 • 4	5 • 6
18. Je ne tolère pas aussi bien les désaccords qu'il le faudrait	1 • 2	3 • 4	5 • 6
19. J'aime les défis et, quand je veux quelque chose, je suis très déterminé à faire des efforts pour l'obtenir	1 • 2	3 • 4	5 • 6
20. J'ai tendance à avoir l'esprit critique sur les autres et sur moi-même	1 • 2	3 • 4	5 • 6

SCORE PITTA : __________

Section 3 – Kapha

	Ne s'applique pas à mon cas	*S'applique ~~pas~~ quelquefois*	*S'applique ~~pas~~ très souvent*
1. Ma tendance naturelle est de faire les choses de manière lente et calme	1 • 2	3 • 4	5 • 6
2. Je prends du poids plus facilement que la plupart des gens et le perds plus lentement	1 • 2	3 • 4	5 • 6
3. Je suis d'une nature placide et calme ; je ne m'irrite pas facilement	1 • 2	3 • 4	5 • 6
4. Je peux facilement sauter des repas sans me sentir mal	1 • 2	3 • 4	5 • 6
5. J'ai tendance à avoir des mucosités abondantes, des glaires, des congestions chroniques, de l'asthme ou des problèmes de sinus	1 • 2	3 • 4	5 • 6

	Ne s'applique pas à mon cas	*S'applique ~~pas~~ quelquefois*	*S'applique ~~pas~~ très souvent*
6. J'ai besoin d'au moins huit heures de sommeil pour me sentir bien le lendemain	1 • 2	3 • 4	5 • 6
7. Je dors très profondément	1 • 2	3 • 4	5 • 6
8. Je suis d'un naturel calme et ne me mets pas facilement en colère	1 • 2	3 • 4	5 • 6
9. Je n'apprends pas aussi vite que certaines personnes, mais je me souviens très bien des choses et pendant longtemps	1 • 2	3 • 4	5 • 6
10. J'ai tendance à l'embonpoint : je fais facilement des réserves	1 • 2	3 • 4	5 • 6
11. Le temps frais et humide ne me convient pas	1 • 2	3 • 4	5 • 6
12. Mes cheveux sont épais, de couleur foncée et ondoyants	1 • 2	3 • 4	5 • 6
13. J'ai la peau douce et lisse, et le teint plutôt pâle	1 • 2	3 • 4	5 • 6

	Ne s'applique pas à mon cas	*S'applique ~~pas~~ quelquefois*	*S'applique ~~pas~~ très souvent*
14. J'ai une structure physique robuste et solide	1 • 2	3 • 4	5 • 6
15. Les termes suivants me décrivent bien : serein, d'un naturel doux, affectueux et enclin au pardon	1 • 2	3 • 4	5 • 6
16. Ma digestion est lente, ce qui me donne une impression de lourdeur après les repas	1 • 2	3 • 4	5 • 6
17. J'ai une très bonne résistance et de l'endurance physique, ainsi qu'un niveau d'énergie stable	1 • 2	3 • 4	5 • 6
18. Je marche généralement d'un pas mesuré et lent	1 • 2	3 • 4	5 • 6
19. J'ai tendance à trop dormir, à me sentir vaseux au réveil, et à m'activer lentement le matin	1 • 2	3 • 4	5 • 6

	Ne s'applique pas à mon cas	*S'applique pas quelquefois*	*S'applique pas très souvent*
20. Je mange lentement et suis lent et méthodique dans mes actions	1 • 2	3 • 4	5 • 6
SCORE KAPHA :			

Score Final :

Vata ______________ Pitta ______________ Kapha

Comment déterminer votre constitution

Bien qu'il n'existe que trois doshas, l'Ayurvéda les combine de dix manières différentes, ce qui conduit à dix constitutions distinctes.

Constitution à un dosha :

Vata
Pitta
Kapha

Si l'un des doshas est présent à un degré beaucoup plus élevé que les autres, vous avez une constitution à un dosha. C'est le cas par exemple lorsque le dosha principal a un score deux fois plus élevé que le second (ex. Vata : 90, Pitta : 45, Kapha : 35), mais il faut également tenir compte de marges plus réduites. Une constitution qui serait véritablement à un dosha présentera de façon très prononcée les traits d'un dosha : Vata,

Pitta ou Kapha. Le deuxième dosha par ordre d'importance exercera également une influence sur vos tendances naturelles, mais à un bien moindre degré.

Constitution à deux doshas :

Vata-Pitta ou Pitta-Vata
Pitta-Kapha ou Kapha-Pitta
Kapha-Vata ou Vata-Kapha

Si aucun des doshas ne prédomine particulièrement, votre constitution est à deux doshas, ce qui signifie que vous allez manifester les qualités de vos deux principaux doshas, soit simultanément, soit en alternance. Le plus élevé apparaît d'abord dans votre constitution, mais les deux comptent.

La plupart des gens ont une constitution à deux doshas. Chez certains, le premier dosha est très marqué (les scores pourront par exemple être comme suit, Vata : 70, Pitta : 90 et Kapha : 46, ce qui, dans ce cas, ferait de cet individu un pur Pitta si Vata était un peu moins prédominant). Chez d'autres, la différence sera moindre : si le premier dosha reste prédominant, le second lui sera presque égal. Par exemple, on pourra obtenir un score du style Vata : 85, Pitta : 80 et Kapha : 40. Cette constitution serait de type Vata-Pitta, même si ces deux doshas sont dans des proportions très proches.

Enfin, certaines personnes ont des scores dans lequel un dosha vient en tête, mais où les deux autres sont exactement équivalents (par exemple Vata : 69, Pitta : 86 et Kapha : 69). Ce genre de constitution reste du type à deux doshas, dans lequel le deuxième dosha n'a pu être nettement repéré lors du test écrit ; la personne sera alors soit Pitta-Vata, soit Pitta-Kapha. Si votre score est de ce genre, prêtez attention au premier dosha, celui qui domine nettement, et au fil du temps le deuxième deviendra plus clair.

Constitution à trois doshas : Vata-Pitta-Kapha

Si vos trois scores sont pratiquement égaux (par exemple, Vata : 88, Pitta : 75, Kapha : 82), votre constitution est alors à trois doshas. Cette catégorie est toutefois considérée comme rare. Vérifiez bien vos réponses une deuxième fois, ou demandez à un ami de vous aider à refaire le test pour confirmation. Puis lisez la description de Vata, Pitta et Kapha donnée dans les pages suivantes, pour voir si un ou deux des doshas prédominent dans votre constitution. Si ce n'est pas le cas, reportez-vous alors au paragraphe dans lequel nous traitons plus complètement de la constitution à trois doshas (cf. page 86).

Il se peut que Vata crée des confusions. Si vous vous trouvez dans l'incapacité de donner des réponses précises sur bien des points, votre constitution peut être voilée par un déséquilibre Vata. Vata est le « leader » des doshas et peut très bien imiter Pitta et Kapha. Vous pouvez tout à la fois avoir une ossature mince et un poids au-dessus de la normale ; ou être enclin à l'inquiétude mais aussi irritable ; ou encore être sujet à de l'insomnie pendant une certaine période, puis avoir tendance ensuite à dormir trop longtemps. De telles fluctuations seront vraisemblablement causées par un déséquilibre Vata.

Mais en général, les constitutions ne sont pas ambiguës. Au fur et à mesure que vous allez acquérir une plus grande compréhension du système ayurvédique, vous allez être capable de voir quelles réponses étaient dues à Vata et quelles autres à votre vraie nature. Si, malgré cela, vous restez encore dans le doute, il est conseillé de consulter un médecin formé à l'Ayurvéda.

Caractéristiques des constitutions

Après avoir déterminé votre constitution, vous pouvez ensuite apprendre à l'interpréter. Une chose qu'il importe de savoir en ce qui concerne le système ayurvédique est qu'il est « génétique » : les constitutions se transmettent de génération en génération. Bien longtemps avant la théorie de l'ADN, les sages de l'Ayurvéda s'étaient rendu compte que les traits génétiques apparaissent par groupes : une personne dont le teint et les cheveux sont de type oriental aura des yeux marron, et non bleus ; une musculature robuste nécessite une ossature bien charpentée pour la soutenir, plutôt qu'une structure mince ou frêle. L'esprit, le corps et le comportement forment toujours un tout cohérent et très subtil, ce qui fait que seule la connaissance des doshas pourra le mettre en évidence.

Votre constitution physique est le moule dans lequel vous avez été modelé, mais il ne contient pas votre destinée. Avoir une grande ou une petite taille, être d'un naturel indécis ou déterminé, anxieux ou calme, correspond bien à telle ou telle constitution, laissant cependant une large place à tout ce qu'une constitution ne peut contrôler : pensées, émotions, souvenirs, talents, désirs, etc. *Mais c'est grâce à la connaissance de votre constitution que vous allez devenir capable d'évoluer vers un état de santé plus idéal*. Contrairement à la médecine occidentale, dont le seul objectif est de s'occuper de la santé physique ou mentale, l'Ayurvéda vise à élever chaque aspect de la vie à un niveau supérieur, qu'il s'agisse des relations personnelles, de la satisfaction au travail, de la croissance spirituelle et de l'harmonie dans la société, qui tous sont des aspects très intimement reliés à l'esprit et au corps, et pourront donc être influencés au moyen d'un seul système de médecine, à condition que celui-ci soit fondé sur une connaissance suffisamment profonde. Tel est l'argument mis en avant par l'Ayurvéda qui est, à mon sens, aussi profond que convaincant.

Caractéristiques de la constitution Vata

- Ossature frêle, mince
- Aptitude à intégrer rapidement de nouveaux éléments mais aussi à les oublier vite
- Vivacité pour accomplir l'action
- Tendance à s'inquiéter
- Appétit et digestion irréguliers
- Tendance à la constipation
- Sommeil léger, propension à l'insomnie
- Se fatigue facilement, tendance à faire trop d'efforts
- Enthousiasme, vivacité
- Énergie mentale et physique, imagination jaillissant par à-coups
- Excitabilité, humeurs changeantes

Le thème de base de la constitution Vata est donné par le terme « variable » ou « fluctuant ». Les personnes Vata sont imprévisibles, beaucoup moins stéréotypées que celles qui seront Pitta ou Kapha, et cette inclination au changement – en ce qui concerne leur taille, leur forme, leurs humeurs et leurs activités – constitue chez eux un véritable signe particulier. Chez une personne Vata, c'est par à-coups que jaillira l'énergie mentale et physique, sans guère de stabilité. Le propre de Vata est :

- d'avoir faim à n'importe quel moment du jour ou de la nuit

- d'aimer les distractions et ce qui change constamment
- de s'endormir à différentes heures selon les nuits, de sauter des repas et d'avoir des habitudes irrégulières en général
- de bien digérer sa nourriture tel jour et beaucoup moins bien le jour suivant
- de manifester des éclats d'émotions qui sont de courte durée et rapidement oubliés
- de marcher d'un pas vif

Physiquement, les Vatas sont, parmi les trois constitutions, ceux qui sont les plus minces, avec en particulier des épaules et/ou des hanches étroites. Certains Vatas trouvent qu'il leur est difficile – voire même impossible – de prendre du poids, et seront chroniquement d'un poids inférieur à la normale ; d'autres auront la chance d'être élancés et souples. Bien que leur appétit puisse être très variable, les Vatas sont les seuls qui peuvent manger ce qu'ils veulent sans pour autant prendre de poids. (Certains Vatas, cependant, voient leur poids varier dans une grande proportion au cours de leur vie : secs et minces comme un fil de fer pendant leur adolescence, ils peuvent devenir rondouillets à l'âge mûr.)

Les disproportions physiques proviennent d'un excès de Vata : ainsi, les mains et les pieds peuvent être trop grands par rapport au corps, ou au contraire trop petits ; les dents peuvent être très petites, ou au contraire longues et saillantes ; un décalage entre les mâchoires supérieure et inférieure est l'une des caractéristiques de Vata. Bien que la plupart des personnes Vata soient plutôt bien proportionnées, jambes arquées, pieds tournés vers l'intérieur, dos voûté (scoliose), bassin déhanché et yeux trop rapprochés ou trop distants seront également courants. Les os peuvent être soit très frêles, soit très longs et lourds. Les articulations, les tendons et les veines seront saillants chez bien des Vatas, à cause du peu de graisse sous la peau. Des articulations qui craquent sont tout à fait caractéristiques.

Le dosha Vata est responsable de tout mouvement dans le corps. C'est grâce à Vata que vos muscles peuvent bouger, et c'est lui qui contrôle également la respiration, le transit de la nourriture dans l'appareil digestif, et les impulsions nerveuses émises par le cerveau. La fonction la plus importante de Vata est de régir le système nerveux central. Les tremblements violents, les crises d'épilepsie et les spasmes sont des exemples de troubles Vata. Quand ce dosha est déséquilibré, des troubles nerveux peuvent apparaître, allant de l'anxiété à la dépression (accompagnées d'un sentiment d'épuisement, comme si l'on était « vidé », contrairement à la dépression « pesante » due au dosha Kapha), voire même à des symptômes mentaux. Toutes sortes de symptômes psychosomatiques peuvent être associés à une aggravation Vata. Voilà pourquoi le simple fait de rééquilibrer Vata permet souvent de guérir des symptômes qui défieraient toute autre sorte de traitement.

Vata est le dosha qui fait qu'on commence quelque chose et qu'on ne le termine pas, caractéristique qui se manifestera fortement lorsqu'une personne dotée de cette constitution sera en déséquilibre : de tels individus vont soudain être pris d'envie d'aller faire des courses sans pourtant rien acheter, vont parler sans jamais parvenir à une conclusion, et montreront des signes d'insatisfaction chronique. Les personnes Vata sont parfois connues pour se « dilapider » trop facilement, dépensant leur argent, leur énergie et leurs paroles, mais ceci n'est plus vrai s'ils demeurent équilibrés, car le dosha Vata est responsable de tout l'équilibre du corps.

La plupart des personnes Vata ont une propension à l'inquiétude et peuvent à certains moments souffrir d'insomnie provenant d'une agitation de la pensée. Le sommeil Vata normal sera le plus court : six heures, voire même moins, cette tendance s'accentuant encore avec l'âge. L'émotion négative caractéristique en cas de stress sera l'anxiété (la peur). Sur le plan digestif, les Vatas se plaindront de constipation et/ou de gaz, bien que certains d'entre eux puissent souffrir aussi de troubles nerveux au niveau de l'estomac, et de digestion irrégulière en général. Les crampes d'estomac, tout comme les douleurs prémenstruelles, sont généralement attribuées à ce dosha.

Les sujets Vata équilibrés montreront une joie, une énergie et un enthousiasme contagieux. Leur esprit sera clair et vif ; il émanera d'eux un bonheur intérieur. Les Vatas sont très sensibles aux changements se produisant dans leur environnement. Ils réagissent de façon vive et aiguë au son et au toucher, et n'aiment pas le bruit. Des qualificatifs comme vif, vibrant, excitable, imprévisible, imaginatif et bavard expriment tous bien ce qu'est le Vata. Si elle est en déséquilibre, la tendance à l'impulsivité qui est typique des Vatas va les pousser à faire trop d'efforts : leur excitation se transformera en épuisement, puis en dépression et en fatigue chroniques.

Parmi toutes ces caractéristiques, la plus importante est peut-être le fait que Vata est le dosha qui « mène » les deux autres. On peut en déduire deux choses : le dosha Vata sera le premier à se déséquilibrer et à provoquer les phases précoces d'une maladie ; il pourra aussi imiter les autres doshas, et faire croire que c'est Pitta ou Kapha qui cause un problème (alors qu'en fait, plus de la moitié de tous les troubles sont d'origine Vata). On l'appelle le « roi » des doshas parce que, lorsqu'il est en équilibre, Pitta et Kapha le sont généralement eux aussi. Équilibrer le dosha Vata est par conséquent d'une importance capitale chez tout le monde.

Les personnes de constitution Vata devront surtout s'accorder suffisamment de repos, ne pas se surmener et rester vigilantes à maintenir des habitudes de vie régulières. Peut-être ces mesures n'apparaîtront-elles pas très naturelles à bien des Vatas, bien qu'elles entraînent souvent de rapides améliorations en cas de troubles physiques et mentaux. C'est de Vata que vient l'instinct fondamental pour l'équilibre et il est absolument vital de le maintenir.

Caractéristiques de la constitution Pitta

- Ossature moyenne
- Caractère entreprenant, amateur de défis
- Force et endurance moyennes
- Intellect aigu
- Appétit et soif intenses, digestion très bonne
- Parole précise et bien articulée
- Tendance à la colère et à l'irritabilité dans des conditions de stress
- Ne peut pas sauter de repas
- Peau claire ou colorée, souvent parsemée de taches de rousseur
- Cheveux blonds, châtain clair ou roux (ou présentant des signes de rousseur)
- Aversion pour le soleil et le temps chaud

Le thème de base de la constitution Pitta est indiqué par le mot « intense ». Toute personne ayant des cheveux roux et un visage haut en couleur comporte une bonne dose de Pitta, de même que toute personne qui sera ambitieuse, vive d'esprit, aura son franc-parler, de l'audace et sera raisonneuse ou jalouse. Le côté combatif du Pitta est naturel chez lui, mais il ne s'exprimera pas nécessairement toujours. Quand ils sont équilibrés, les Pittas sont chaleureux et ardents, aimants et joyeux. Un visage rayonnant de bonheur correspond tout à fait à Pitta. Par ailleurs, le propre de Pitta sera :

- d'avoir une faim de loup si le repas est servi avec une demi-heure de retard
- de mener une vie réglée selon la montre (qui sera en général d'un prix élevé) et de détester perdre son temps
- de se réveiller la nuit en ayant faim et soif
- d'avoir tendance à commander, ou d'en prendre l'initiative
- d'apprendre par l'expérience que les autres vous trouvent trop exigeant, sarcastique ou critique à certains moments
- de marcher d'un pas bien décidé

Physiquement, les Pittas sont de taille moyenne et bien proportionnés. Leur poids est stable ; il ne leur est pas difficile de perdre ou de gagner quelques kilos à volonté. Les traits de leur visage sont bien proportionnés ; leurs yeux sont de taille moyenne et luisent souvent d'un éclat pénétrant. Leurs mains et leurs pieds sont également moyens ; leurs articulations, normales.

La chevelure et la peau d'un individu Pitta sont faciles à reconnaître : cheveux généralement droits et fins, roux, blonds, ou couleur sable, ayant tendance à grisonner précocement. La calvitie, les cheveux qui tombent ou le front qui se dégarnit sont également des signes d'un Pitta fort ou en excès. La peau est chaude, douce et claire ; elle ne bronze pas facilement et bien souvent rougira sans bronzer du tout (en particulier si les cheveux sont fins et blonds). Cela donne aux Pittas une raison supplémentaire de ne pas s'exposer au soleil, ce qui de toute façon est leur inclination naturelle. Une autre caractéristique tout à fait typique d'une peau Pitta est d'être couverte de taches de rousseur et de grains de beauté. (Dans les ethnies raciales où des cheveux et une peau de couleur foncée sont la norme, d'autres caractéristiques sont prises en considération.)

En général, les Pittas ont un intellect aigu et pénétrant, et un bon pouvoir de concentration. Leur tendance innée est d'être ordonnés et de gérer leurs énergies, leur argent et leurs actions avec efficacité. Une exception d'envergure à cette tendance : les dépenses pour des objets de luxe ; les Pittas adorent être entourés de belles choses. Ils ont un fort penchant à réagir au monde visuellement.

La « chaleur » s'exprime partout chez les Pittas : dans leurs emportements (ils ont la « tête chaude »), dans les mains et les pieds, ou sensations de brûlure dans les yeux, sur la peau, dans l'estomac ou les intestins, autant de symptômes susceptibles d'apparaître lorsque Pitta se déséquilibre. Ayant cette chaleur en eux, les Pittas ressentent naturellement de l'aversion à s'exposer longtemps au soleil. Ils se fatiguent très vite quand ils sont soumis à la chaleur et n'aiment pas entreprendre de durs travaux physiques. Leurs yeux n'apprécient pas la lumière vive.

L'émotion négative caractéristique des Pittas sera une propension à la colère et le stress pourra aisément en être la cause. Ils peuvent être irritables et impatients, exigeants et perfectionnistes, en particulier en cas de déséquilibre. Bien qu'ils soient ambitieux et manifestent de bonnes qualités de « leaders », les Pittas peuvent aussi se couper des autres par leurs manières tranchantes et caustiques.

Les Pittas parlent d'une façon précise et bien articulée ; ils font souvent de bons orateurs. Ils tiennent des opinions tranchées et aiment raisonner. Une parole sarcastique et critique est le signe d'un déséquilibre Pitta, mais, comme chez les individus des autres doshas, les Pittas sont à deux facettes : équilibrés, ils sont doux, joyeux, confiants et courageux. Ils aiment les défis et y font face avec vigueur, mais ne disposent que d'une énergie physique moyenne. La résistance des Pittas est assez bonne et leur pouvoir de digestion, s'il est extrêmement élevé et constitue le fondement de leur énergie, peut cependant être mis à mal. Les Pittas font partie de cette classe de gens qui, à l'âge mûr, ont coutume de dire : « Je pouvais manger n'importe quoi, mais ce n'est plus le cas aujourd'hui. » C'est le dosha Pitta qui régit le métabolisme chez les individus de toutes constitutions. Chez les Pittas, le « feu digestif », comme l'appelle l'Ayurvéda, est particulièrement fort, ce qui leur donne un très bon appétit et souvent une soif excessive. Parmi toutes les constitutions, les Pittas seront les moins capables de sauter un repas ou même de manger en retard ; cela les rendra voraces et/ou irritables. Un excès de Pitta sera associé aux brûlures gastriques, à une tendance aux ulcères d'estomac, aux sensations de brûlure dans les intestins et aux hémorroïdes. Si on n'y remédie pas, une aggravation de Pitta pourra gravement affaiblir la digestion.

Le tissu dermique des Pittas est aisément sujet à des irritations, pouvant provoquer démangeaisons, inflammations et acné. Les blancs de leurs yeux sont sensibles et deviennent facilement rouges (une faible vision pourra également être associée à un déséquilibre Pitta). Les Pittas dorment profondément, mais peuvent se réveiller pendant la nuit à cause de sensations trop fortes de chaleur. Leur sommeil est d'une durée moyenne, s'approchant des huit heures « normales » par nuit. S'ils sont en déséquilibre, les Pittas souffriront d'insomnie, en particulier dans le cas où leur travail les absorbe, car ils auront tendance à se faire « dévorer » par lui.

La précaution fondamentale à prendre pour un Pitta est de mener une vie modérée et pure. Chaque cellule du corps se base sur le dosha Pitta pour la régulation d'ingestion de nourriture, d'eau et d'air purs. Toutes sortes de toxines auront vite fait d'apparaître en cas de déséquilibre Pitta. Comme ils sont très sensibles à cet égard, les Pittas vont mal réagir à une nourriture impure, à un air et une eau pollués, à l'alcool, aux cigarettes, et surtout aux émotions « toxiques » : hostilité, haine, intolérance, jalousie. Le dosha Pitta nous procure cet instinct qui nous porte à la modération et à la pureté, qualités qui sont vitales pour la santé.

Caractéristiques de la constitution Kapha

- Ossature robuste, puissante ; grande force et endurance physique
- Sommeil lourd, prolongé
- Énergie stable ; lent et gracieux dans l'action
- Tendance à l'obésité
- Personnalité tranquille, détendue ; lente à se mettre en colère
- Digestion lente, appétit faible
- Peau fraîche, douce, épaisse, pâle, souvent grasse
- Affectueux, tolérant, enclin au pardon
- Lent à saisir de nouvelles connaissances, mais bonne mémoire à long terme
- Tendance à être possessif et content de soi

Le thème de base de la constitution Kapha est indiqué par le mot « détendu ». Le dosha Kapha, principe structurel du corps, procure stabilité et fermeté ; il fournit des réserves de force et d'endurance physiques qui se manifestent dans l'ossature robuste et lourde des individus typiquement Kapha. Dans l'Ayurvéda, les Kaphas sont considérés comme chanceux car, en règle générale, ils jouissent d'une santé solide ; en outre, la vision du monde qui est la leur est sereine, heureuse, paisible.

Le propre de Kapha est :

- de retourner longtemps les choses avant de prendre une décision
- de se réveiller lentement, de traîner au lit et d'avoir envie de boire du café une fois levé
- de se contenter du statu quo et de le maintenir, en cherchant à être conciliant avec autrui
- de respecter les sentiments des personnes pour lesquelles il ressent une authentique sympathie
- de rechercher un bien-être émotionnel en mangeant
- d'avoir des mouvements gracieux, des yeux humides et une démarche ondoyante, même en cas d'obésité

Sur le plan physique, le dosha Kapha apporte de la force et une résistance naturelle contre la maladie. S'ils sont en général bien proportionnés, les Kaphas tendent aussi à être plutôt massifs, avec des hanches et/ou des épaules larges. Ils ont une forte tendance à prendre du poids facilement : il suffit qu'ils regardent de la nourriture pour gagner quelques kilos ! Comme ils ne parviennent pas à perdre facilement leurs kilos en excès, les Kaphas deviennent souvent obèses s'ils sont en déséquilibre. Cependant, des individus dotés d'une constitution moyenne peuvent également être Kapha, et dans le cas des constitutions à deux doshas, telles que Vata-Kapha, il se peut même que le corps soit mince. L'un des traits révélateurs de Kapha est une peau fraîche, lisse, épaisse, pâle et souvent huileuse. De grands yeux de biche, doux et comme « emplis de lait », selon les textes anciens, sont également très typiques. Tout aspect du visage ou du corps évocateur de tranquillité et de stabilité indique une dominante Kapha sous-jacente. Chez la femme, des formes pleines et curvilignes, évoquant les beautés des statues de la Renaissance, sont typiquement Kapha.

Le dosha Kapha est lent. Les personnes qui mangent lentement et ont habituellement une digestion lente sont en général de constitution Kapha, tout comme les gens qui parlent avec lenteur, en particulier s'ils adoptent délibérément cette façon de parler.

D'un naturel calme et bien ancrés en eux, les Kaphas sont lents à se mettre en colère et désireux de maintenir la paix autour d'eux. La relation naturelle qu'ils ont avec le monde se fait surtout par le goût et l'odorat : les Kaphas ont tendance à accorder une grande importance à la nourriture ; plus généralement, ils s'en remettent à leurs sensations corporelles, étant essentiellement des « terriens ».

Les Kaphas ont un niveau d'énergie stable. Leur résistance surpasse celle des autres constitutions, de même que leur fort penchant à accomplir des tâches physiques. Ils sont rarement épuisés par la fatigue physique. Il est très Kapha d'accumuler et d'économiser presque tout : de l'argent, des possessions, de l'énergie, des mots, de la nourriture et de la graisse. En général, la graisse s'accumule plutôt dans le bas du corps, au niveau des cuisses et des fessiers.

Parce que c'est le dosha qui régit l'onctuosité dans les tissus du corps, un déséquilibre Kapha aura tendance à se manifester dans les membranes et muqueuses. Les Kaphas peuvent souffrir de congestion des sinus, de bronchites, d'allergies, d'asthme et de douleurs dans les articulations (bien que l'arthrite relève plus typiquement du dosha Vata). Ces symptômes s'aggravent à la fin de l'hiver et au printemps.

Par nature, les Kaphas sont affectueux, tolérants et enclins au pardon ; la qualité « maternelle » est très Kapha. Les Kaphas ne sont pas facilement déstabilisés en cas de crise, et se révèlent de solides rocs sur lesquels autrui peut prendre appui. Ils ont toutefois une certaine propension à se complaire dans l'autosatisfaction, et même les Kaphas les plus équilibrés feront traîner les choses s'ils se sentent stressés. L'émotion négative caractéristique du Kapha est l'avidité ou l'attachement excessif. Quiconque ne supporte pas de jeter des vieilleries manifeste un excès de Kapha. Lorsqu'ils sont déséquilibrés, les Kaphas deviennent têtus, mous, léthargiques, et paresseux.

Tout comme Vata, Kapha est un dosha froid, mais avec une différence : il ne s'agit pas d'un froid « sec ». Comme leur circulation est bonne en général, les Kaphas ne souffrent pas de refroidissements aux mains et aux pieds. Ils n'aiment pas le temps froid et humide, et leur façon de réagir mentalement à cette sorte de temps est de devenir plus lents encore ou de tomber dans une profonde dépression. Le sommeil du Kapha est long et lourd. Les Kaphas typiques dorment souvent plus de huit heures par nuit ; ce n'est pas à de l'insomnie, mais à un excès de sommeil qu'ils seront sujets. Mais s'il leur faut beaucoup de temps pour démarrer le matin, le soir ils se sentiront pleins d'énergie jusqu'à des heures tardives.

Parmi les trois doshas, les Kaphas sont ceux qui apprennent le plus lentement, mais cela est compensé par une bonne mémoire à long terme et l'acquisition, au fil du temps, d'une maîtrise profonde dans leur domaine. C'est lentement et par une approche méthodique qu'ils acquièrent de nouvelles informations. En cas de déséquilibre, ils deviennent mous et bornés.

La précaution principale à retenir pour les personnes de constitution Kapha est de progresser. Toute situation de stagnation transforme la stabilité du Kapha en inertie : aussi les Kaphas doivent-ils prendre garde de ne pas s'accrocher au passé, ou à des personnes et des possessions, ni de résister au changement. Il est bon pour eux d'être soumis à une bonne dose de stimulation – même si cela ne semble pas naturel à bien des Kaphas – car cela permettra à leur vitalité de s'exprimer ; celle-ci sera au contraire étouffée en cas de nourriture lourde et froide, de manque d'exercice, d'excès alimentaires et de travail routinier. Le dosha Kapha procure un sens de sécurité et de stabilité à l'intérieur de soi, aspect qui est essentiel chez toute personne en bonne santé.

Compréhension des constitutions à deux doshas :

Chacun est pourvu à la naissance d'une certaine proportion de chaque dosha. Ce qui rend possible la description de « purs » Vatas, Pittas ou Kaphas vient du fait qu'ils ont un dosha très largement prédominant ; ce sont des cas extrêmes. Cela n'est pas la norme pour la plupart des gens, cependant, qui auront en général une constitution à deux doshas, dont l'un sera dominant mais pas à un degré extrême.

Une minorité, constituée de gens qui sont du type à un seul dosha ont de la chance en un certain sens, parce qu'ils ne doivent prêter attention qu'à un seul facteur dominant dans leur vie. Il ne s'agit là, toutefois, que d'un avantage mineur. *Il est nécessaire pour chacun d'équilibrer ses trois doshas*. Même si, tout naturellement, vous allez porter la plus grande attention sur votre propre constitution, il sera cependant tout à fait sensé de rester bien familiarisé avec *tous* les doshas. En effet, la meilleure manière d'envisager une constitution quelle qu'elle soit est de considérer qu'à tout moment les trois doshas se manifestent ensemble, mais que simplement l'un ou deux d'entre eux se taillent la part du lion et mobilisent ainsi notre attention.

Parmi les signes déterminant les trois constitutions « pures », on pourra noter les suivants :

Vata : Corps mince, esprit alerte et changeant, vivacité de comportement. Ces individus surprennent les autres par leur façon d'être imprévisibles. Soumis à des contraintes, ils s'agitent et s'inquiètent facilement.

Pitta : Corpulence moyenne, esprit ordonné et volontaire, manières énergiques. Ces individus surprennent les autres par leur intensité. Soumis à des contraintes, ils se mettent en colère et deviennent brusques.

Kapha : Corpulence la plus lourde, esprit calme et stable, manières placides. Ces individus surprennent les autres par leur décontraction. Soumis à des contraintes, ils se sentent contrariés et s'enferment dans leur mutisme.

L'on pourrait apparier ces divers traits pour parvenir à une bonne approximation de ce que serait une constitution à deux doshas. Un Vata-Kapha, par exemple, pourra être tout à la fois excitable et calme, combinaison peu probable à première vue, mais pourtant tout à fait évidente chez de telles personnes. Le dosha dominant donne à la personne sa façon propre de réagir au monde, aussi bien physiquement que mentalement. Le deuxième dosha exerce son influence sous diverses formes. Mais en règle générale, les deux ne se mélangent pas comme le feraient des peintures de couleur différente. Si l'on combine Vata, qui produit une stature mince, avec Kapha, qui génère une corpulence lourde, l'on n'obtient pas en général une corpulence moyenne (celle-ci est en fait caractéristique des Pittas). Ce qui se passe en réalité, c'est qu'une constitution Vata-Kapha manifestera selon le moment tel ou tel autre trait. Ainsi, il pourra y avoir des moments où une personne sera nettement en train de passer d'un dosha à l'autre : un Pitta-Vata pourra par exemple être enclin à la peur et à la colère s'il est soumis à du stress soit en même temps soit à divers instants.

Au cours de notre propre application de l'Ayurvéda, nous avons relevé les points suivants concernant les constitutions à deux doshas, qui pourront peut-être vous aider à acquérir une meilleure compréhension de la manière dont les trois doshas se combinent.

Vata-Pitta

Ces individus ont en général une corpulence mince, tout comme les purs Vatas. De même, ils sont très alertes, amicaux et bavards, mais ont aussi tendance à être plus entreprenants et plus vifs d'intellect (deux caractéristiques Pitta). Ils sont moins portés à tomber dans les excès des Vatas : ils ne sont pas aussi tendus ou physiquement fragiles et/ou imprévisibles. Leur constitution acquiert une stabilité d'ensemble grâce à l'influence de Pitta. En général leur pouvoir de digestion est aussi plus fort que chez les Vatas et leur tolérance au froid est meilleure, car Pitta améliore leur circulation. Les purs Vatas, qui sont extrêmement sensibles à l'environnement, deviennent souvent victimes de leur propre intolérance au bruit, aux courants d'air froid et à un inconfort physique, mais tout cela est moins vrai pour les Vatas-Pittas.

Pitta-Vata

Les personnes de ce type ont plutôt tendance à avoir une corpulence moyenne ; ils sont plus forts et musclés que les Vatas-Pittas, qui se rapprochent plus du physique osseux et nerveux des purs Vatas. Des mouvements vifs, une bonne résistance et une nette propension à s'affirmer caractérisent bien les Pittas-Vatas. L'intensité de Pitta est évidente chez eux. La légèreté de Vata est présente, mais dans une moindre mesure. Ils ont un pouvoir de digestion plus fort, et une élimination plus régulière que les Vatas-Pittas ou les Vatas. Ils accueillent volontiers les défis et font face aux problèmes avec enthousiasme et souvent même agressivité.

Les Vatas-Pittas et les Pittas-Vatas peuvent éprouver une tendance à la peur et à la colère, qui sont les émotions négatives liées à ces deux doshas. S'ils sont déséquilibrés et soumis au stress, cette combinaison fera d'eux des gens tendus, agressifs et déstabilisés. S'il est une constitution ayurvédique qui manifeste le comportement de Type A contre lequel les cardiologues nous mettent en garde, c'est bien celle du Pitta-Vata déséquilibré et, suivant tout près derrière, celle du Vata-Pitta.

Pitta-Kapha

Kapha constitue un élément de structure si puissant qu'il va prêter son physique massif et lourd aux constitutions à deux doshas, même dans les cas où il ne figure pas en premier. Généralement, les Pittas-Kaphas se reconnaissent à leur intensité Pitta dans leurs façons d'être et à leur corpulence Kapha. Ils sont plus musclés que les Pittas-Vatas et peuvent même avoir une apparence plutôt massive. Leur personnalité peut révéler une stabilité propre à Kapha, mais la force de Pitta – à laquelle il faut ajouter un penchant à la colère et un esprit critique – s'impose généralement beaucoup plus que toute autre caractéristique rappelant la sérénité Kapha. Cette constitution convient particulièrement bien aux athlètes, du fait qu'elle combine l'énergie et le punch du Pitta à l'endurance du Kapha. Les personnes de cette catégorie ont du mal à sauter un repas. La combinaison du fort pouvoir de digestion Pitta et de la résistance Kapha aboutit en général à une excellente santé physique.

Kapha-Pitta

La carrure robuste de Kapha se manifestera encore plus dans cette constitution. Les Kaphas-Pittas tendent à avoir une bonne musculature mais avec un taux de graisse plus élevé que les Pittas-Kaphas ou les Pittas. En conséquence, leur visage et leur corps paraîtront plus ronds. Ils ont tendance à se déplacer plus lentement et à être plus détendus que les Pittas-Kaphas ; la prédominance de Kapha leur procure encore davantage de tonus et un niveau d'énergie stable. Ils se sentent en forme s'ils font de l'exercice régulièrement, cela pour compenser la tendance des Kaphas à l'inertie et à la mollesse, mais ils seront moins motivés à agir que ne le sont les Pittas-Kaphas.

Vata-Kapha

Les personnes de cette constitution ont souvent des difficultés à se reconnaître à partir du test écrit, parce que Vata et Kapha tendent à s'opposer, sans parler du penchant Vata à être indécis. Leur signe caractéristique est que la structure frêle du Vata va se combiner d'une façon saisissante aux manières détendues, décontractées du Kapha, particularité qu'un pur Vata ne manifestera jamais. Ou encore, vues sous un autre angle, de telles personnes sont des Kaphas qui, pour une raison ou pour une autre, n'ont jamais acquis un physique imposant. Au contraire, du fait de l'influence prédominante sur le physique de l'irrégularité propre à Vata, celles-ci peuvent même être plutôt petites.

Contrairement aux Vatas, qui sont toujours en mouvement, il émane des Vatas-Kaphas une impression de stabilité intérieure ; ils tendent à être d'humeur égale, mais peuvent aussi manifester, comme les purs Vatas, des réactions de panique s'ils sont en situation de stress. Les individus de ce type sont plutôt vifs et efficaces lorsque l'action est nécessaire, mais sont également conscients de leur tendance Kapha à repousser les échéances. Un désir d'accumulation et d'épargne peut aussi être présent. Comme ces doshas sont l'un et l'autre « froids », les Vatas-Kaphas auront une aversion marquée contre le temps froid. Ces doshas froids peuvent aussi causer une digestion irrégulière ou lente.

Kapha-Vata

Cette constitution est proche de Vata-Kapha, mais présentera souvent une charpente plus robuste et une plus grande lenteur. Du fait de la présence du dosha Kapha, les Kaphas-Vatas seront d'humeur égale et vraisemblablement plus décontractés que les Vatas-Kaphas, mais ne manifesteront pas les puissants élans d'enthousiasme du Vata. Ils auront également tendance à être plus athlétiques et à avoir une meilleure résistance. Comme dans le cas des Vatas-Kaphas, ils peuvent se plaindre d'irrégularités sur le plan digestif et montrer des intolérances au froid.

Compréhension de la constitution à trois doshas :

On dit parfois que naître avec une constitution à trois doshas constitue la meilleure chance de rester en équilibre, parce que les proportions de Vata, Pitta et Kapha sont presque équivalentes. L'attelage n'est pas tiré par tel ou tel cheval plus puissant que les autres. Une telle prakruti, qualifiée de *Sama dosha* (constitution dont les doshas sont équilibrés), si elle est bien confirmée, tendra à jouir d'une bonne santé tout au long de la vie et à avoir une immunité et une longévité idéales. Par contre, on considère aussi que si un déséquilibre commence à se faire jour, les individus dotés d'une constitution à trois doshas auront un désavantage, parce qu'il leur faudra être vigilants afin de ramener les trois en équilibre (il n'y aura pas en effet de cheval de tête pour arrêter l'attelage si celui-ci s'emballe).

Les doshas aiment les alternances et il existe tant de milliers de relations entre chacun d'eux qu'il est extrêmement peu probable qu'ils soient répartis à la naissance dans des proportions égales. C'est comme si, en jetant trois pièces de monnaie par terre, celles-ci formaient d'emblée une ligne parfaitement droite. Voilà pourquoi il se pourrait bien qu'après tout vous soyez une personne à deux doshas et non trois. D'ailleurs, l'important est non pas d'essayer d'entrer dans telle ou telle catégorie, mais d'apprendre quelque chose sur soi, ce qui sera toujours possible même si votre constitution semble au premier abord un peu vague, comme celle à trois doshas a tendance à l'être.

3

Les trois doshas – créateurs de la réalité

Quand un médecin ayurvédique vous examine, les signes des trois doshas lui apparaissent partout, mais il ne peut directement observer les doshas eux-mêmes. Les doshas sont invisibles. Ils régissent les processus physiques de votre corps sans être eux-mêmes tout à fait physiques. Nous les avons qualifiés de « principes métaboliques », expression qui est plutôt abstraite. Pourtant les doshas sont suffisamment concrets pour être déplacés, et leur nombre augmenté ou réduit ; ils peuvent se « coller » à des tissus et se déplacer dans d'autres parties du corps, là où ils n'ont pas lieu de se trouver ; aussi peut-on dire qu'ils existent à la frontière du monde physique. Comme ils demeurent dans le « fossé » (*gap* en anglais) existant entre l'esprit et le corps, ils ne ressemblent à rien de ce que l'on connaît en Occident dans notre cadre de référence scientifique. Vata, Pitta et Kapha ne commencent à apparaître clairement qu'à partir du moment où vous vous considérez vous-même dans une perspective ayurvédique.

Apprendre à « voir » les doshas

Supposez que vous êtes en train de regarder un film en couleurs à la télévision. L'écran semble empli de gens, d'arbres, d'animaux, de ciel et de nuages, mais si on y regarde de plus près, on s'aperçoit qu'il n'y a en fait que trois sortes de points, ou grains « phosphoriques » : des rouges, des verts et des bleus, qui changent sans cesse pour former de nouvelles images. Suivant la façon dont on les regarde, de près ou de loin, l'on voit soit des images soit des points. Les deux perspectives sont correctes, mais celle des trois points est plus fondamentale. Si l'image se déforme, ce sont eux qu'il vous faudra ajuster. Vata, Pitta et Kapha sont ces trois sortes de « points » qu'un médecin ayurvédique voit en vous. Votre foie, vos reins, vos battements cardiaques, votre taux d'insuline, etc., sont autant d'aspects modelés par le jeu des interactions entre les trois doshas. Et l'ajustement du corps, tout comme celui d'une image de télévision, implique le réalignement des doshas dans leurs relations sans cesse changeantes.

La façon d'aborder un problème quel qu'il soit dépendra beaucoup de la façon dont on le voit au départ. Pour l'instant, peut-être ne vous est-il pas possible de voir votre tendance à vous inquiéter périodiquement en termes d'un déséquilibre Vata, ou vos sautes d'humeur incontrôlables en termes d'un excès de Pitta. Mais il suffira d'un tout petit glissement de point de vue pour que vous puissiez le faire. Ainsi, en réajustant Vata ou Pitta, ces problèmes pourront être plus facilement maîtrisés. Même un problème aussi concret que le fait de prendre du poids dépend de l'influence invisible, mais à l'œuvre partout, des doshas.

Lorsque vous avalez une grande coupe de glace au chocolat, peut-être pensez-vous que les corps gras qu'elle contient vont vous faire grossir. Dans un sens strictement littéral, cela est vrai, mais la cause plus profonde demeure dans vos doshas. En premier lieu, ce sont eux qui déterminent votre faim. Ce sont eux aussi qui déterminent votre préférence pour de la glace plutôt que pour des carottes ou du céleri. Et dans une large mesure, ils déterminent même la transformation des calories en graisse. Les gens de constitution Vata vont plutôt transformer les calories en énergie et prendront donc moins de poids s'ils mangent des glaces que les Kaphas, qui, eux, vont convertir un plus fort pourcentage de ces calories en graisse.

Sans l'information émise par les doshas, la glace n'irait jamais jusqu'à vos lèvres, et encore bien moins dans vos cellules. Aussi les calories d'une glace au chocolat ne jouent-elles qu'un rôle partiel dans ce qui va arriver à cette nourriture. Le maître réel de votre régime est votre propre intelligence interne, qui fonctionne sans qu'on ne la voie, mais à un niveau plus profond que les calories. Il en va de même pour tous les autres aspects de votre vie. Ce ne sont pas les cigarettes qui causent le cancer des poumons, mais les gens qui les fument, contraints par des habitudes (ou dépendances) qui se sont incrustées au fil du temps dans leurs doshas. D'une façon très concrète, ce n'est pas vous qui désirez ardemment la nicotine, mais votre Vata, jouant son rôle de régisseur du système nerveux. Par contre, dans le cas où la décision de cesser de fumer est prise, alors c'est *vous* qui l'avez prise, faisant usage de votre liberté de choix qui réside au-delà de vos doshas.

Afin de repérer les déséquilibres à leur stade le plus précoce, les praticiens ayurvédiques ont l'habitude de faire le point sur les doshas. Pour établir un diagnostic sur l'état des doshas d'un patient, un des procédés classiques consiste à lui prendre le pouls. Des médecins ayant une longue expérience de cette technique sont souvent en mesure de percevoir des anomalies qui échapperaient à un observateur moins exercé.

Récemment, un *vaidya* – autrement dit, un médecin ayurvédique – exerçant au Chopra Center fut amené à examiner un patient venu pour un bilan de santé. Au cours de l'entretien, l'homme prétendit ne souffrir d'aucune sorte de troubles. Il dormait bien, digérait et éliminait sans problème. Mis à part le stress dû à une vie professionnelle active, il se considérait comme en excellente santé. Ainsi qu'il est d'usage lors de tout examen clinique complet, le médecin ayurvédique prit le pouls de ce patient. Après quelques secondes, le praticien lui demanda : « Depuis quand souffrez-vous d'ulcères ? » Le patient se montra extrêmement surpris et reconnut qu'il avait en effet omis de mentionner qu'il lui arrivait de souffrir d'ulcères. En fait, ce problème était même récurrent.

Le vaidya fit alors le point sur l'état des doshas de son patient. Ses pulsations révélaient que celui-ci souffrait de déséquilibres du dosha Pitta. Le médecin lui expliqua que ses problèmes d'ulcères persisteraient probablement tant qu'il ne changerait pas de régime alimentaire. Il lui conseilla d'éviter désormais les aliments acides et fermentés, notamment les yaourts et les boissons alcoolisées. Le yaourt, en effet, n'est pas un aliment qui convient aux Pittas, parce qu'il aggrave ce dosha, comme d'ailleurs tout aliment acide ou fermenté. Ces erreurs de régime, jointes à une consommation d'alcool et à d'autres facteurs perturbant le dosha Pitta, étaient à l'origine des déséquilibres qui se manifestaient chez cet homme. Selon les critères occidentaux, on l'avait considéré en parfaite santé, hormis l'apparition ponctuelle d'ulcères douloureux dans la bouche. Selon les critères ayurvédiques, il était affecté de déséquilibres qui tôt ou tard provoqueraient des troubles. C'est pourquoi il parut nécessaire de conseiller à ce patient d'éviter les mets acides tels que yaourt, fromage, vinaigre et tomates pour tenter de réduire les déséquilibres à l'origine de ses ulcères.

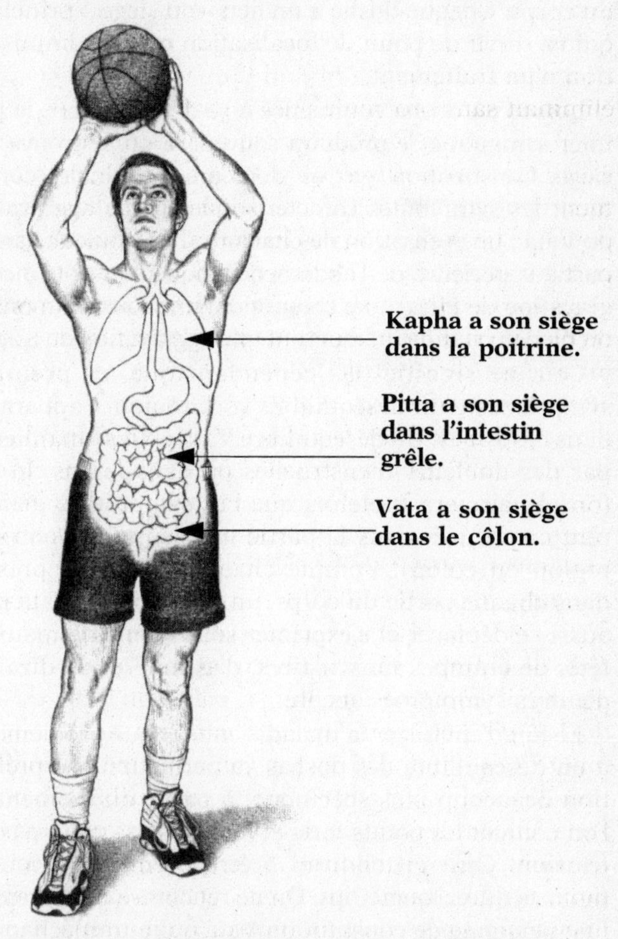

Chaque dosha a un lieu ou siège principal.

Ainsi, le fait de s'analyser soi-même en termes de doshas spécifiques permet une évaluation rapide et précise de l'état de santé dans lequel on se trouve.

Outre leur présence dans chaque cellule, les trois doshas se trouvent également dans les principales régions du corps. Chaque dosha a un lieu – ou siège – principal, qui va servir de point de focalisation pour l'administration d'un traitement.

Lorsqu'un dosha commence à se déséquilibrer, le premier symptôme se produira souvent là où se trouve son siège. Constipation, gaz ou douleurs intestinales constituent les symptômes caractéristiques d'une aggravation de Vata ; une sensation de chaleur ou de douleur dans la partie supérieure de l'abdomen indique souvent une aggravation de Pitta ; une congestion, une toux pulmonaire ou bien un rhume indiqueront une aggravation de Kapha.

Cela ne signifie pas cependant que les premiers symptômes d'un déséquilibre vont toujours apparaître dans ces zones. Un déséquilibre Vata peut se manifester par des douleurs menstruelles ou dans le bas du dos (on remarquera toutefois que ces symptômes demeurent concentrés dans la partie inférieure du ventre, la région du côlon). Comme chaque dosha est présent dans chaque partie du corps, un déséquilibre Vata peut aussi se déplacer et s'exprimer sous forme de maux de tête, de crampes musculaires, d'asthme et de dizaines d'autres symptômes encore.

Le fait d'envisager la maladie en tant que problème dû à un déséquilibre des doshas va permettre une prévention beaucoup plus spécifique, à partir du moment où l'on connaît les points forts et faibles de sa propre constitution. Ceux-ci tendront à être permanents, ou du moins à durer longtemps. On ne rencontre que rarement une personne de constitution Vata qui aurait échappé à l'insomnie toute sa vie durant. Quant aux individus Kapha, ils ont tôt fait d'apprendre qu'ils transforment extrêmement facilement les calories en graisse cellulaire. Mais ce qui importe vraiment, c'est de savoir que toute maladie peut être prévenue, non pas en ajustant méticuleusement Vata, Pitta et Kapha l'un après l'autre, mais en équilibrant le système tout entier grâce à la connaissance des doshas qui est là pour nous guider.

Tout équilibre est dynamique – les 25 gounas

Parce que les trois doshas sont intimement liés entre eux, ils vont fluctuer ensemble ; même si vous avez l'impression que vous n'êtes en train de travailler que sur l'un d'eux, les autres vont pourtant réagir aussi. Si vous avalez des piments rouges très forts, Pitta, le dosha « chaud », va s'accroître, tandis que les doshas « froids », Vata et Kapha, vont diminuer. Un verre d'eau froide va réduire Pitta à son tour, mais augmentera Vata et Kapha. Ils pourront être abaissés en mangeant quelques graines de fenouil, mais cela va augmenter Pitta à nouveau, et ainsi de suite. Les doshas sont continuellement en relation, en un flux et reflux que l'on retrouve partout chez les êtres vivants.

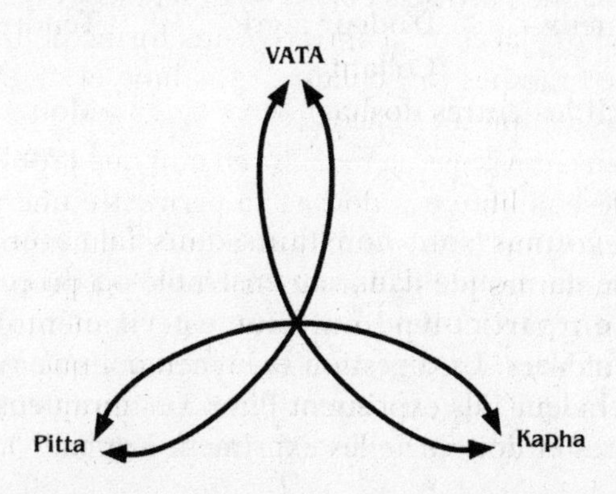

Sur l'illustration suivante, Vata est écrit en lettres majuscules parce que c'est lui qui change le premier et va entraîner à sa suite les deux autres. Cela signifie qu'équilibrer les doshas n'est pas la même chose qu'équilibrer les plateaux d'une balance pour atteindre un niveau égal. Cela revient plutôt à ajuster le flux des images sur un écran de télé, comme nous l'avons déjà indiqué. En d'autres termes, l'équilibre des doshas a lieu lorsque ceux-ci sont dans un équilibre *dynamique*. Le changement et la permanence doivent pouvoir alterner. Pour parvenir à cet état, l'Ayurvéda décrit certaines qualités qui perdurent et sont évidentes partout dans la nature. Il existe vingt-cinq sortes de ces *gounas*, ou qualités fondamentales :

VATA	**PITTA**	**KAPHA**
Sec	Chaud	Lourd
Mobile	Aigu	Froid
Froid	Léger	Huileux
Léger	Humide	Sucré
Changeant	Légèrement huileux	Stable
Subtil	Fluide	Lent
Rugueux	D'odeur aigre	Tendre
Vif	Collant	
(Régit les autres doshas)		Mou
		Lisse

Ces gounas sont constants dans la nature, qu'il s'agisse du monde dans son ensemble ou du corps humain en particulier. Le cœur est vif et mobile : il contient Vata. La digestion et le métabolisme génèrent de la chaleur : ils expriment Pitta. Les muqueuses sont collantes et douces : elles expriment Kapha.

LES DOSHAS ET LEURS QUALITÉS

Les vingt-cinq qualités, ou gounas, constituent la source de toutes les caractéristiques que nous associons à chaque constitution. Ci-dessous figurent quelques-unes des qualités principales de Vata, Pitta et Kapha, ainsi que quelques-unes des caractéristiques spécifiques qu'ils génèrent.

VATA

Le dosha Vata est principalement :

Froid, d'où une sensation de froid aux mains et aux pieds, et une aversion pour les climats froids.

Mobile, d'où une bonne ou mauvaise circulation, selon la façon dont ce dosha sera équilibré : l'hypertension est liée à un excès de Vata, tout comme le sont les battements cardiaques irréguliers, les spasmes musculaires et les douleurs dorsales. Un regard nerveux, aigu, est le signe d'un déséquilibre Vata.

Vif, d'où les nombreuses caractéristiques associées à cette qualité : promptitude à acquérir de nouvelles informations, mais aussi à les oublier ; faible mémoire à long terme ; bonne imagination mais tendance à faire des cauchemars ; activité incessante ; impulsivité ; changements d'humeur ; pensées abondantes et éparpillées ; débit de parole rapide.

*

* *

PITTA

Le dosha Pitta est principalement :

Chaud, d'où une peau chaude et rougissante, toutes sortes d'inflammations ou un métabolisme trop élevé, des sensations de brûlures dans l'estomac, le foie, les intestins, etc. Les Pittas sont généralement friands de nourriture et de boissons fraîches, qui viennent tempérer leur propre chaleur.

Rugueux, d'où une peau rêche et une chevelure en broussaille.

Tranchant, d'où un esprit aigu mais aussi une parole acerbe ; cette qualité peut se muer en excès d'acidité dans le corps et en sécrétions trop abondantes d'acides dans l'estomac.

Humide, ce qui peut conduire à une abondante transpiration : des paumes chaudes et moites sont typiques de Pitta. Cette chaleur moite cause chez les Pittas une aversion pour les étés humides et chauds.

D'odeur aigre, d'où une mauvaise haleine, une odeur corporelle acide, ou une urine et des matières fécales malodorantes en cas d'excès de Pitta.

*
* *

KAPHA

Le dosha Kapha est principalement :

Lourd, tout trouble lié à de la lourdeur est le signe d'un déséquilibre Kapha, qu'il se traduise sous forme d'obésité, de digestion lourde, ou d'une dépression pesante et oppressante.

Sucré, d'où une tendance à prendre du poids ou à avoir du diabète si trop de saveur sucrée est ingérée par le corps.

Stable, ce qui rend les Kaphas très autonomes. Les processus du corps n'oscillent pas d'un extrême à l'autre ; la nature stable du Kapha implique également qu'il ne va pas avoir autant besoin de stimulation extérieure qu'un Pitta ou un Vata. Le corps demeure non affecté par des changements qui pourraient déséquilibrer d'autres constitutions.

Sec, d'où une peau sèche, des cheveux ternes ou secs, des yeux ternes et une transpiration faible ou modérée. La peau peut aisément gercer, se craqueler et être sujette au psoriasis ou à l'eczéma.

Doux, ce qui donne lieu à un vaste éventail de caractéristiques, telles qu'une peau douce et des cheveux soyeux, des manières douces, un regard doux, et une vision des choses dénuée d'exigences.

Lent, ce qui se trouve confirmé dans les mouvements lents et fluides des Kaphas, ainsi que dans leur parole au débit lent et leur pensée bien réfléchie.

Sec, chaud et lourd sont trois qualités qui définissent bien chaque dosha. Si quelque chose devient sec, c'est que Vata augmente, que ce soit sous l'aspect d'un climat sec, d'un vent sec d'automne ou de nourriture sèche (comme le pop-corn, les crackers, les fruits secs...). Si vous avez une peau ou des sinus qui deviennent trop secs, c'est le signe que Vata s'accroît et qu'il est probablement sur le point d'être présent en excès.

Tout ce qui est chaud va accroître Pitta. Une journée de canicule en juillet, un bain chaud, des émotions « chaudes » comme la colère ou la passion sexuelle ont tous trait à cette qualité. Si vous avez des sensations de brûlures quelque part dans le corps (dans l'estomac, les intestins ou le rectum), ou si vous avez des inflammations cutanées, c'est qu'il y a accroissement de Pitta. Pitta n'est pas aussi subtil ou pénétrant que Vata ; il est agressif et tranchant.

Tout ce qui devient lourd augmente Kapha. Prendre du poids, ressentir intérieurement de la lourdeur, une journée lourde ou encore un ciel couvert seront tous causes d'un accroissement de Kapha. Si votre sommeil devient beaucoup plus lourd que d'habitude, ou vous rend groggy plutôt que frais et dispos, il est alors probable qu'un excès de Kapha en soit à l'origine. De tous les doshas, Kapha est le plus stable, le plus proche des formes matérielles.

Selon le point de vue ayurvédique, les structures du corps ont pour fonction d'équilibrer ces vingt-cinq gounas. Chacun d'entre nous doit faire face à un monde où alternent chaud et froid, où l'environnement sera tantôt lourd tantôt léger, tantôt âpre ou harmonieux. Les masses d'air chaud succèdent à des fronts arctiques glacés, les déluges sont suivis de sécheresses, les grandes marées font suite aux marées basses. Le jeu de la nature est le jeu de ces éléments. L'Ayurvéda considère que nous sommes nous-mêmes un système écologique en équilibre, parfaitement assorti à celui qui nous est extérieur : nous aussi nous fluctuons et passons par des contrastes qui nous rendent légers ou lourds, chauds ou froids, stables ou instables, lisses ou rugueux.

Au fur et à mesure que l'on commence à associer tel ou tel gouna à tel ou tel dosha, leur équilibre dynamique se fait plus complexe. La vie devient plus intéressante, mais en même temps, se maintenir en équilibre est un plus grand défi. C'est de cette manière que la nature affine notre personnalité et aiguise nos sens. Par exemple, Pitta est humide et chaud tout à la fois, aussi une atmosphère orageuse et lourde en été va-t-elle constituer pour Pitta un défi plus grand que ne le ferait une chaleur sèche. De façon caractéristique, une personne Pitta pourra plus facilement supporter le désert que les tropiques. Mais tout cela recèle aussi un sens plus profond.

Voici plus de vingt mille ans, des hommes préhistoriques ont traversé l'isthme qui reliait l'Alaska et le nord de l'Asie, pour migrer dans toutes les régions s'étendant du Nord Arctique jusqu'à la Terre de Feu, qui touche presque à l'Antarctique. Les mêmes matrices génétiques ont engendré les Esquimaux (qui se nourrissent presque uniquement de graisse de baleine, de morses et de poissons), les Indiens du Mexique (qui vivent de blé et de haricots) et les Indiens d'Amazonie (qui tirent leur subsistance d'animaux et de plantes poussant dans les forêts tropicales humides). Chez tous ces individus, on trouve un ADN identique, et les mêmes cellules, organes, enzymes et hormones à l'œuvre en eux. Mais chaque peuple s'est accordé à un environnement différent : leur écologie interne a appris à s'adapter à l'écologie extérieure. Ce qui est tout à fait étonnant à propos des Esquimaux, des Indiens du nord du Mexique et des Indiens d'Amazonie, c'est qu'aucune de ces ethnies ne présente de maladies cardiaques à proprement parler.

Ceci représente presque un miracle de l'adaptation naturelle, car ce n'est pas par la *pensée* que ces peuples ont adopté tel ou tel régime particulier : ils mangent ce qui se trouve à portée de leurs mains, et se fient à leur corps pour découvrir le juste équilibre. Jusqu'à une époque très récente, la simple pensée de conseiller un régime à base de graisse de baleine aurait donné des frissons à un diététicien, à cause des taux de cholestérol extraordinairement élevés qu'elle renferme. Mais aujourd'hui, on a mis en évidence le fait que le blanc de baleine contient des acides gras appelés « Oméga-3 », une substance récemment découverte et capable de fluidifier le sang et d'empêcher la formation de dangereux caillots dans les artères coronaires.

Cela révèle au grand jour pourquoi les Esquimaux parviennent à jouir d'un taux de maladies cardiaques équivalant à 3 % seulement de celui des États-Unis. Mais est-ce là la seule explication ? D'autres peuples indigènes apparentés aux Esquimaux ne mangent pas d'acides gras Oméga-3 et sont pourtant tout aussi bien protégés. C'est parce que, bien qu'ils vivent dans des mondes très différents, ces peuples ont su trouver un équilibre de santé, en s'accordant à la nature, aussi bien à l'intérieur qu'à l'extérieur.

Pouvons-nous affirmer la même chose pour ce qui nous concerne ? Il n'existe rien d'intrinsèque à la vie moderne qui nous condamne à succomber à des épidémies de crises cardiaques telles que celles qui sévissent aux États-Unis comme dans presque tout autre pays industrialisé. L'Ayurvéda dirait qu'il nous faut simplement remodeler notre monde intérieur afin que celui-ci puisse mieux correspondre au monde extérieur que nous nous sommes construit.

Le propos ultime des vingt-cinq gounas est d'étendre la nature humaine au-delà des limites du corps. Vu en tant qu'ensemble de cellules, un être humain « s'arrête » à la frontière de sa peau ; considéré comme un ensemble de gounas, il se fond avec la nature dans sa totalité. Par exemple, le dosha Kapha est froid et humide, aussi est-ce pourquoi, par une journée froide et humide de décembre, un déséquilibre de Kapha deviendra beaucoup plus probable. Les gens vont se sentir plus déprimés lors de telles journées, et c'est bien ce qui se passe dans la réalité. Il existe même un syndrome spécifique dont on a beaucoup parlé, et qui consiste en un « trouble affectif saisonnier » que l'on appelle en anglais le « SAD[1] ». Ce trouble affecte certaines personnes en hiver, les rendant extrêmement déprimées.

La cause du « SAD », d'un point de vue occidental, provient d'une carence de lumière solaire sur la glande pinéale, ce qui provoque un accroissement élevé de l'hormone mélatonine. Mais comment la glande pinéale parvient-elle à se rendre compte que l'hiver est là demeure toutefois un mystère, puisque celle-ci est enfouie profondément à l'intérieur du crâne et n'a pas accès à la lumière. L'Ayurvéda utilise un principe plus simple pour expliquer le « SAD » : lorsque Kapha augmente à l'extérieur, il s'accroît aussi à l'intérieur. Certaines personnes, plus vulnérables à un déséquilibre Kapha, vont tomber malades, à cause de cet excès de Kapha qui va les mener à la dépression. Notons cependant que tous, nous allons être également affectés par cet accroissement, étant donné que nous avons tous du Kapha en nous.

Dans l'Ayurvéda, il n'y a pas de mystère : la fluctuation de certains paramètres va toucher chaque personne, que celle-ci soit en bonne santé ou malade. Le défi à relever n'est pas de savoir comment lutter contre la dépression hivernale, mais comment « se couler » dans ce changement de saison. La nature nous propose

1. Seasonal Affective Disorder. Notons également que, en anglais, le mot *sad* signifie triste.

ce défi, et nous donne la faculté d'y faire face. Jour après jour, la nature vous pose la question : « Votre écologie est-elle en équilibre ? » Et chaque jour, il vous faut présenter une réponse. En dernière analyse, le fait d'être en bonne santé ou malade est le verdict de la nature sur notre faculté à rester en équilibre dans le monde, tandis que nous sommes soumis au jeu constant des gounas. L'équilibre est l'adaptabilité face au changement ; l'équilibre parfait est une adaptabilité parfaite face à un changement constant.

Les cinq éléments

Comment l'Ayurvéda s'est-il aperçu que Vata est sec, que Pitta est chaud et que Kapha est lourd ? La réponse est fascinante, car elle révèle une vision profonde et complète sur la nature. Vata, Pitta et Kapha sont les principes fondamentaux du corps. En tant que tels, ils sont abstraits, même s'ils revêtent une forme matérielle sous l'aspect du sang, des os, de la paroi stomacale, des battements cardiaques et de la respiration.

L'idée que tout ce que nous voyons dans la nature – les étoiles, les arbres, les lions, les roses… – est fondamentalement abstrait peut sembler étrange de prime abord. Pourtant, depuis qu'Einstein a établi son fameux théorème $E = mc^2$, qui montre que la matière peut aussi prendre la forme d'énergie, ce caractère abstrait de la nature a commencé peu à peu à devenir acceptable. Inversement, on a découvert en physique que les concepts les plus abstraits avaient une forme concrète. La force de la gravité – l'équivalent occidental du gouna appelé « lourd » – est actuellement vue en termes de particules physiques (les gravitons) qui peuvent être déplacées et entassées comme des briques, du moins en théorie.

En Occident, nous nous sentons à l'aise pour dire que la nature est basée sur deux niveaux d'abstraction, la matière et l'énergie. L'énergie est plus abstraite que la matière selon notre point de vue, mais elle a quand même la propriété de se mouvoir d'un lieu à l'autre, de s'accroître ou de diminuer, et de s'accumuler (tout comme de l'électricité dans une batterie). Selon le point de vue ayurvédique, il existe également deux niveaux d'abstraction, qui eux aussi sont en accord avec les sens, bien que d'une façon légèrement différente. Le premier niveau est constitué par les trois doshas ; le second est composé d'un ensemble de principes que l'on appelle les cinq éléments.

Ces cinq éléments contiennent à la fois de la matière et de l'énergie en eux. Ils sont respectivement, du plus subtil au plus grossier :

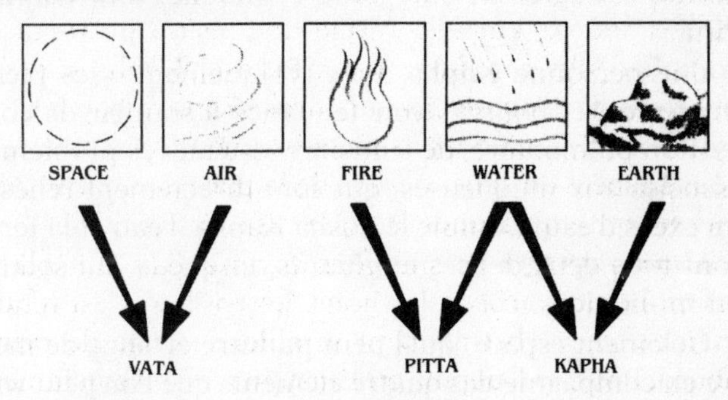

Si ces éléments correspondent bien aux « vrais » éléments de la terre, de l'air, du feu, de l'eau et de l'espace, ils sont en outre également abstraits. Si on demandait à un sage ayurvédique ce que représentent les cinq éléments, il n'indiquerait ni le vent, ni une bûche qui brûle, ni un ruisseau. Les cinq éléments constituent un code grâce auquel sont façonnées les formes d'intelligence qui composent l'esprit de l'homme et le monde qu'il perçoit par l'intermédiaire de son esprit.

En combinant les cinq éléments en différentes paires, on retrouve les trois doshas :

Vata se compose d'air et d'espace.

Pitta se compose de feu et d'eau.

Kapha se compose de terre et d'eau.

Le lien entre un déséquilibre Vata et un temps froid et venteux devient alors plus clair, car Vata est le dosha « aérien » ; aussi trop d'air, sous forme de vent, va-t-il créer trop de Vata. Une personne Vata se plaindra généralement de gaz dans les intestins, ce qui montre, là encore, comment sont reliés Vata et l'air. De même que Vata, l'air est subtil, pénétrant et léger.

Une personne Pitta a généralement chaud, ce qui révèle le feu qui est en elle, et pourra avoir tendance à transpirer, ce qui montre l'eau qui est aussi dans Pitta. Le feu est agressif, énergique et mobile, tout comme Pitta.

Une personne Kapha aura typiquement « les pieds sur terre » et pourra avoir tendance à souffrir de congestion pulmonaire, de sinusites ou d'autres problèmes associés aux muqueuses, qui sont directement reliés à un excès d'eau. Comme le dosha Kapha, l'eau et la terre sont tous deux denses et gluants, visqueux, mi-solides ou mi-liquides.

L'élément espace, qu'il peut paraître étrange de mettre en compagnie des quatre éléments que l'on peut voir et sentir, joue un rôle à part dans le système ayurvédique, car c'est lui qui permet la manifestation du son, qui a besoin d'espace pour voyager. Le son est à la base de toutes choses existantes, selon l'Ayurvéda, non pas le son audible tel que le tonnerre, mais les vibrations plus subtiles qui résonnent dans notre conscience silencieuse. L'Ayurvéda utilise de tels sons pour guérir le corps en faisant fluctuer ses « vibrations » de diverses manières, comme nous le verrons plus loin en détail.

Après quelque temps d'utilisation de ce nouveau code, on s'aperçoit très vite qu'il est complètement naturel. On peut contacter chacun des vingt-cinq gounas par la vue, le toucher, le goût et les autres sens. On ne peut pas en dire autant des enzymes, hormones, neurotransmetteurs et autres éléments de base dont se sert la médecine occidentale. Combien de personnes connaissez-vous qui soient capables de vous dire quelles sont les propriétés fondamentales de l'insuline, par exemple ? Par contre, en l'espace d'une heure, il vous est aisément possible de connaître les qualités de Kapha, le dosha le plus déterminant pour équilibrer l'insuline.

Une approche plus détaillée : les sous-doshas

En vue de présenter un tableau plus complet, il me faut mentionner que chacun des trois doshas se divise en cinq sous-doshas permettant un diagnostic et un traitement plus précis. Tous les sous-doshas ont leur propre siège dans le corps, ce qui peut entraîner des troubles spécifiques si des déséquilibres s'y produisent. Le sous-dosha le plus important de Vata, appelé Prana Vata, est situé dans la partie supérieure de la poitrine et dans la tête, par exemple. Il régit le mouvement de la respiration ainsi que les impulsions nerveuses, et par conséquent a une profonde influence sur toutes les fonctions du corps.

Les trois doshas ont tous un sous-dosha dont le siège est dans le cœur, qui constitue un important carrefour de toute l'activité physique et émotionnelle du corps. De tels détails sont essentiels à connaître pour un médecin ayurvédique ; ils sont facultatifs pour le patient. (Pour une description complète des quinze sous-doshas, on consultera les pages de référence figurant en fin de ce chapitre.) Pour vous montrer comment toutes ces informations sur les doshas s'additionnent, examinons un exemple concret :

Ann Holmes a commencé à souffrir de douleurs menstruelles au début de son adolescence ; celles-ci s'accentuèrent gravement à l'âge adulte. Pendant près d'une semaine chaque mois, elle se trouvait dans l'incapacité de travailler, à cause de crampes, vomissements et diarrhées. Au cours des quelques jours qui précédaient ses règles, elle se mettait à devenir nerveuse et angoissée, pressentant à l'avance ce qui allait se produire ; et, au cours de la semaine qui suivait, elle se sentait épuisée. Au total, elle se trouvait dans l'incapacité de se rendre au travail pendant au moins deux semaines chaque mois.

Elle tenta de résoudre ce problème de multiples et diverses manières. Un médecin lui recommanda de prendre de très fortes doses de vitamines. « Mes règles cessaient alors, tout simplement, se souvient-elle. Je me sentais soulagée de n'avoir plus à subir de douleurs, mais je n'avais pas l'impression qu'il s'agissait là d'une guérison. Lorsque je suis retournée voir mon docteur et lui en ai parlé, il a réduit les vitamines, mais le problème refit alors surface d'une façon presque aussi intense qu'auparavant. »

En l'espace de deux ans, Ann consulta plusieurs autres spécialistes. Un gynécologue lui prescrivit des doses massives d'un calmant dépourvu de substances narcotiques (à base d'aspirine), pour soulager quelque peu ses symptômes. D'autres médecins estimaient qu'elle devait continuer à prendre des remèdes ou à avoir recours à la chirurgie.

« La douleur s'était étendue à tout le bas de mon ventre et de mon dos. Je ne pouvais plus soulever d'objets lourds ou marcher longtemps, mais en même temps, je savais que je ne voulais pas souscrire à une solution qui impliquait une hystérectomie. » Comme il lui avait fallu être hospitalisée dans le passé, Ann estimait préférable d'essayer simplement de s'adapter à sa condition, tout en restant reconnaissante que celle-ci ne la paralyse pas complètement. En 1985, cependant, elle en vint à se décourager au point de penser qu'une opération chirurgicale était sans doute inévitable.

C'est à cette époque-là qu'elle est allée consulter un médecin formé à l'Ayurvéda Maharishi, dont la façon de voir les choses l'impressionna :

« Il ne me parut nullement déconcerté quand je lui ai présenté mon histoire médicale. Il décrivit ma douleur en termes de ce qu'il appelait mes doshas. J'appris que le dosha Vata était prédominant dans ma constitution, et qu'en cas de grave déséquilibre, Vata pouvait aisément provoquer des troubles menstruels. La douleur est en général associée à un déséquilibre Vata. Il me dit aussi qu'il existait un sous-dosha spécifique de Vata qui affecte le bas du dos et du ventre, appelé Apana Vata, et que celui-ci pouvait entraîner une faiblesse musculaire et des douleurs à ces endroits. Tout bien considéré, mes symptômes formaient pour lui un tableau très clair. »

Ann se sentit soulagée d'entendre que sa maladie avait une explication. L'absence d'un tel réconfort avait considérablement accru ses sentiments de confusion et de culpabilité. Le médecin ayurvédique lui suggéra de rééquilibrer Vata afin qu'elle puisse se passer de médicaments. Ceci impliquait un changement de régime, des massages à l'huile quotidiens, en particulier sur la zone de l'abdomen, des bains chauds, du lait chaud le soir, et une vigilance redoublée en ce qui concerne le maintien d'une routine régulière. (Le dosha Vata réagit

Panchakarma : purification physique

rapidement à toutes ces mesures, comme on l'expliquera en détail dans des chapitres ultérieurs.)

Il lui prescrivit également une plante qui pourrait l'aider à pacifier Vata et lui demanda de revenir à la clinique à intervalles réguliers, pour y effectuer un traitement de purification physique que l'on appelle *panchakarma*. Le but du panchakarma est d'évacuer hors du corps les résidus de toxines provenant de déséquilibres antérieurs. Il s'agit là d'une étape essentielle pour quiconque en est arrivé au stade d'une maladie déclarée. À l'exception de cette dernière thérapie, tout ce qui fut demandé à Ann pouvait tout simplement être fait chez elle.

Les résultats du traitement se sont avérés excellents et s'améliorèrent même au fil du temps. « À l'époque où j'ai commencé l'Ayurvéda Maharishi, je prenais vingt cachets de calmants par jour, dosés à 400 mg. En quelques mois, la dose n'était plus que de cinq cachets. Je m'en tins au programme qui m'avait été prescrit et fis un panchakarma deux fois par an. Aujourd'hui, trois ans plus tard, mes règles durent quatre jours au lieu d'une semaine. La douleur et l'inconfort ont diminué au point que je n'ai pas eu besoin de prendre de médicaments dans les dix derniers mois. Retrouver ma confiance a constitué pour moi une absolue transformation. Je me sens redevenue une personne normale et heureuse, et non plus une martyre se demandant d'un mois sur l'autre si elle pourrait en réchapper. »

Description plus détaillée des sous-doshas

Afin de localiser l'origine d'une maladie aussi précisément que possible, un médecin ayurvédique examine, outre les trois doshas, les sous-doshas respectifs. Il en existe quinze, qui correspondent à toutes les parties du corps. Les renseignements suivants ont pour but de vous donner une idée plus exacte de la façon dont les doshas opèrent réellement dans la vie quotidienne.

Vata

Vata est relié au système nerveux et touche donc à toutes les parties du corps, mais chacun des cinq sous-doshas de Vata a une fonction et un siège bien précis. Traditionnellement, l'Ayurvéda les nomme aussi les « vents » du corps, ou dans notre terminologie les impulsions qui circulent le long des nerfs, des muscles, des vaisseaux sanguins, et partout où il y a mouvement dans le corps.

Prana Vata : localisé dans le cerveau, la tête, la poitrine.

Prana Vata est responsable de la perception et des mouvements de toutes sortes. Tout comme le cerveau, où il est situé, Prana Vata vous permet de voir, d'entendre, de toucher, de sentir et de goûter (mais principalement d'entendre et de toucher) ; il active la faculté de penser, de raisonner et de sentir, et donne de la force à toutes les émotions, que celles-ci soient positives ou négatives. S'il est équilibré, il suscitera en vous vivacité, clarté d'esprit, joie et entrain. Il régit également le rythme respiratoire et la déglutition, et on le considère comme « allant vers le haut », d'où son association avec les fonctions supérieures.

Prana Vata est le « leader » des quatre autres sous-doshas et représente l'aspect le plus important du dosha Vata. Puisque Vata gouverne le corps dans son ensemble, on considère Prana Vata comme le plus important de tous les sous-doshas. Préserver sa santé est vital pour toute fonction corporelle.

Le déséquilibre de Prana Vata est lié à l'inquiétude, l'anxiété, l'agitation de l'esprit, l'insomnie, aux troubles neurologiques, au hoquet, aux maux de tête dus à des tensions, à l'asthme et à d'autres troubles respiratoires.

Oudana Vata : localisé dans la gorge et les poumons. Sur le plan physique, ce sous-dosha contrôle le processus de la parole. Par l'intermédiaire du centre de la parole dans le cerveau, il est aussi responsable de la mémoire et du mouvement de la pensée.

Le déséquilibre d'Oudana Vata est lié aux troubles de la parole, aux toux sèches, aux maux de gorge, à l'amygdalite, aux otites et à la fatigue généralisée.

Samana Vata : localisé dans l'estomac et les intestins. Ce sous-dosha contrôle le transit de la nourriture à travers l'appareil digestif ; il est responsable du rythme des contractions péristaltiques.

Le déséquilibre de Samana Vata est lié à une digestion trop lente ou trop rapide, aux gaz, à la diarrhée, aux spasmes d'estomac, à une assimilation impropre des éléments nutritifs, à des tissus émaciés.

Apana Vata : localisé dans le côlon et le bas-ventre. Ce sous-dosha qui est « dirigé vers le bas » est responsable de l'élimination des déchets et, en dehors de l'appareil digestif, est associé à la fonction sexuelle et aux menstruations. L'un de ses sièges, le côlon, est considéré comme le siège principal de Vata, lieu où les premiers signes d'un déséquilibre Vata apparaîtront vraisemblablement.

Le déséquilibre d'Apana Vata est associé à la constipation, à la diarrhée, aux gaz, aux crampes intestinales, aux coliques, aux troubles génito-urinaires et menstruels, au gonflement de la prostate, à divers troubles d'ordre sexuel et aux douleurs affectant le bas du dos, spasmes musculaires y compris.

Vyana Vata : localisé dans tout le corps via le système nerveux, la peau et le système circulatoire.

Ce sous-dosha régit la circulation dans ses divers aspects, mais plus particulièrement le rythme cardiaque, la dilatation et la constriction des vaisseaux sanguins, ainsi que la circulation périphérique. La pression artérielle est régulée par Vyana Vata, qui est aussi responsable de la transpiration, des bâillements et de la sensation du toucher.

Le déséquilibre de Vyana Vata est associé à l'hypertension, à une mauvaise circulation, à des battements cardiaques irréguliers et à des troubles nerveux dus au stress.

Pitta

Pitta est responsable du métabolisme et est associé à la chaleur du corps, ainsi qu'à la digestion en général. Une vision aiguë et une pensée claire sont également des fonctions dues à Pitta. Il existe cinq sous-doshas de Pitta, situés en divers endroits du corps.

Pachaka Pitta : localisé dans l'estomac et l'intestin grêle.

Le siège de Pitta est l'intestin grêle, ce qui fait de lui un sous-dosha important. Pachaka Pitta joue un rôle vital pour digérer la nourriture et séparer les éléments nutritifs des déchets. Il régule aussi le « feu » de la digestion, en l'activant ou le ralentissant, en le rendant efficace ou faible. Il se peut que l'apparition de mauvaises odeurs au cours des éliminations naturelles ou une incapacité à extraire les éléments nutritifs des aliments soient dues à un déséquilibre de ce sous-dosha.

Le déséquilibre de Pachaka Pitta est lié à des brûlures gastriques, des aigreurs d'estomac, des ulcères et à une digestion irrégulière (soit trop faible, soit hyperactive).

Ranjaka Pitta : localisé dans les globules rouges du sang, le foie et la rate.

Les processus complexes qui sont impliqués dans la production de globules rouges sains, l'équilibre de la chimie sanguine et la répartition des éléments nutritifs dans le sang sont régis par ce sous-dosha. La présence de toxines dans le corps, due à l'ingestion de nourriture, d'air et d'eau impurs, d'alcool ou de cigarettes, est considérée comme une cause primaire d'un déséquilibre Pitta, déclenché au niveau de Ranjaka Pitta.

Le déséquilibre de Ranjaka Pitta est lié à la jaunisse, à l'anémie, à divers troubles sanguins, aux inflammations cutanées et à la colère et l'hostilité.

Sadhaka Pitta : localisé dans le cœur.

Outre le contrôle de la fonction physique cardiaque, Sadhaka Pitta est, selon l'expression populaire, à la source du contentement « venant du cœur » ; il est également associé à une bonne mémoire. Si vous manquez de « cœur » face aux défis et aux décisions importantes à prendre, ce sous-dosha est sans doute faible.

Le déséquilibre de Sadhaka Pitta est lié aux maladies cardiaques, aux pertes de mémoire, aux troubles émotionnels (tristesse, colère, chagrin) et à l'indécision.

Alochaka Pitta : localisé dans les yeux.

La vue est le sens fondamental relié au dosha Pitta. Alochaka Pitta est le sous-dosha associé à une bonne ou une mauvaise vision, selon son état d'équilibre. Il relie également les yeux aux émotions ; lorsque vous « voyez rouge », ou que vous êtes « aveuglé » par la colère, ou encore que vos yeux jettent des « flammes » de rage, c'est le signe qu'Alochaka Pitta s'est aggravé. S'il est en équilibre, il génère des yeux brillants, clairs, rayonnants de santé. Un regard chaleureux et serein indique un Pitta très sain.

Le déséquilibre d'Alochaka Pitta est associé aux yeux injectés de sang, aux problèmes de la vision et à des troubles oculaires de toutes sortes.

Bhrajaka Pitta : localisé dans l'épiderme.

Outre le dosha Vata, notre sensibilité tactile au monde dépend de Pitta, grâce à ce sous-dosha. Il est tout à fait Pitta d'avoir des irritations, rougeurs et inflammations cutanées. Les personnes de type Pitta vont aisément rougir et révéler leurs émotions par la peau, sous forme de démangeaisons, de boutons et de furoncles, d'acné, si elles sont soumises à des conditions stressantes. Lorsqu'il est équilibré, Bhrajaka Pitta procure un teint rayonnant qui irradie bonheur et vitalité.

Le déséquilibre de Bhrajaka Pitta est associé aux démangeaisons, à l'acné, aux furoncles, aux cancers de la peau et à des troubles cutanés de toutes sortes.

Kapha

Les cinq sous-doshas de Kapha complètent la série des quinze doshas du corps. Les thèmes associés au dosha Kapha sont la structure et la moiteur. Aussi ses sous-doshas seront-ils déterminants pour assurer aux tissus et articulations une texture ferme et une bonne lubrification ; les sens liés à « l'humide » – le goût et l'odorat – sont également régis par Kapha.

Kledaka Kapha : localisé dans l'estomac.

Ce sous-dosha, qui maintient l'humidité de la paroi de l'estomac, est essentiel dans le processus de la digestion. L'estomac est une zone extrêmement importante du Kapha : c'est là en effet que l'excès de ce dosha va apparaître en premier. Dans l'Ayurvéda traditionnel, on a recours aux vomissements pour éliminer le Kapha en excès ; cependant, cette pratique n'est généralement pas appliquée dans l'Ayurvéda Maharishi, car l'effort auquel est soumis le corps est trop important. S'il est en équilibre, Kledaka Kapha permet à la paroi de l'estomac d'être ferme, souple et bien lubrifiée.

Le déséquilibre de Kledaka Kapha est lié à des troubles digestifs (la digestion est habituellement trop lente et lourde).

Avalambaka Kapha : localisé dans le cœur, la poitrine, et le bas du dos.

Le siège de Kapha est dans la poitrine, aussi ce sous-dosha est-il important. Avalambaka Kapha assure de la force à la poitrine, aux poumons et au dos. La résistance physique caractéristique des Kaphas vient de ces régions, ce qui explique pourquoi leur physique se traduit habituellement par des épaules et un torse puissants. S'il est en équilibre, Avalambaka Kapha donne lieu à des muscles bien développés et protège le cœur. S'il se déséquilibre, des troubles vont apparaître : congestions pulmonaires, éternuements, asthme ou insuffisances cardiaques (suivant la gravité du déséquilibre).

Dans ces conditions, les personnes de type Kapha perdent leur énergie coutumière et leur immunité contre la maladie. Le fait de fumer constitue l'une des insultes les plus graves envers ce dosha « délicat ».

Le déséquilibre d'Avalambaka Kapha est associé aux problèmes respiratoires de toutes sortes, à la léthargie et aux douleurs dans le bas du dos.

Bhodaka Kapha : localisé dans la langue.

Ce sous-dosha permet la perception du goût. Au contraire de la médecine occidentale, l'Ayurvéda accorde une grande importance au goût en tant que « guide » de la nutrition ainsi qu'en ce qui concerne les effets des remèdes. Les Kaphas répondent au monde en particulier par le goût, ainsi que par son proche compagnon, l'odorat. Les personnes de constitution Kapha dont le sens du goût est altéré souffrent d'irrésistibles envies de manger. Les papilles gustatives perdent leur sensibilité si l'on mange trop ou trop souvent. Ce sera également le cas si l'on se contente d'un régime qui ne comporte que quelques saveurs seulement. Lorsque le goût est déséquilibré, le corps devient beaucoup plus sensible à d'autres problèmes Kapha, tels qu'obésité, allergies alimentaires, congestions des muqueuses et diabète.

Le déséquilibre de Bhodaka Kapha est associé à la dégradation des papilles gustatives et des glandes salivaires.

Tarpaka Kapha : localisé dans les sinus, la tête et le liquide céphalorachidien.

Le maintien de l'humidité du nez, de la bouche et des yeux va protéger ces organes sensoriels ; quant au maintien du liquide céphalorachidien, il est essentiel pour le système nerveux central. Tout cela se fait sous le contrôle de Tarpaka Kapha, qui devrait être fluide et mobile. Quand il est déséquilibré, ce sous-dosha peut devenir soit obstrué soit trop fluide, entraînant les deux problèmes de sinus caractéristiques des Kaphas.

Le déséquilibre de Tarpaka Kapha est associé aux congestions des sinus, au rhume des foins, aux maux de tête associés aux sinus, à l'affaiblissement du sens de l'odorat à un engourdissement généralisé des sens.

Shleshaka Kapha : localisé dans les articulations.

Au moyen de ce sous-dosha, le seul qui ne soit pas localisé en un seul endroit, Kapha lubrifie chaque articulation du corps. La plupart des déséquilibres Kapha se manifestent généralement dans la poitrine et s'étendent jusqu'à la tête. Une exception principale : les douleurs articulaires, qui peuvent apparaître n'importe où dans le corps. Un excès de Vata dans une articulation va l'assécher et engendrera des symptômes arthritiques ; un excès de Pitta « échauffera » et enflammera l'articulation, engendrant des symptômes de rhumatismes ; un excès de Kapha va rendre les articulations laxes et infiltrées.

Le déséquilibre de Shleshaka Kapha est associé à des articulations laxes, infiltrées ou douloureuses, ainsi qu'à divers troubles articulaires.

4

La matrice de la Nature

Si jamais il devait vous arriver, bloqué dans un aéroport, d'attendre votre avion, profitez-en donc pour observer les réactions des gens autour de vous. Certains vont vous paraître tracassés, s'agitant pour essayer de trouver un autre vol et exprimant par là leur tendance Vata à l'anxiété et à l'impatience. D'autres seront furieux, accusant la compagnie aérienne d'incompétence, et exigeront rageusement que leurs billets soient honorés, exprimant par là leur tendance Pitta à la colère et à la critique. D'autres encore iront s'asseoir à l'écart et refuseront de bouger, exprimant leur tendance Kapha à la résignation et à l'inertie.

Ressentir de l'anxiété, de la colère ou de la résignation est quelque chose de plus profond que d'être simplement sujet à humeur. Chaque personne, ayant une constitution différente, sera persuadée que sa façon de réagir est naturelle : ses doshas colorent la situation et la transforment en une version convaincante de la réalité. Si vous essayez de contraindre un Vata anxieux à agir patiemment, vous allez très vite apprendre à vos dépens ce qu'est réellement la vision d'un Vata sur le monde, et vous ne pourrez plus alors en douter.

Bien entendu, ces stéréotypes ont leurs propres limites. Chacun d'entre nous a du Pitta en lui ; si la pression se fait trop forte, ce Pitta va être excité et tournera à la colère. De même, ressentir de la peur n'est pas l'apanage des seuls Vatas déséquilibrés et s'asseoir sans bouger n'est pas non plus une propriété exclusive des Kaphas. Néanmoins, si vos tendances innées refont ainsi surface à intervalles réguliers, c'est parce que la nature vous a façonné de telle façon. Les doshas fournissent un si grand nombre d'indications que le fait de vouloir réduire votre constitution ayurvédique à un simple profil serait par trop limité : il s'agit d'un tout constitué du « corps-esprit ». L'agitation mentale est Vata tout autant que l'agitation physique ; souffrir de démangeaisons cutanées ou d'irritabilité dans son comportement est tout autant Pitta ; parvenir difficilement à une conclusion ou à se lever aux aurores est tout aussi Kapha.

Considérés globalement, vos doshas expriment votre nature dans sa totalité. Voilà pourquoi l'Ayurvéda utilise le mot sanskrit *prakruti* qui désigne à la fois la nature et comment et de quoi chaque personne est constituée à la naissance. Au lieu de dire : « J'ai une constitution Vata », vous pouvez tout aussi bien dire : « J'ai une prakruti Vata », les deux termes étant interchangeables. Comme j'ai déjà évoqué cette expression dans un chapitre antérieur, je voudrais maintenant montrer comment le respect de votre prakruti constitue le meilleur moyen de parvenir, grâce à un programme quotidien bien adapté, à un équilibre complet.

Sachez respecter votre constitution

Une fois arrivés à l'âge adulte, la plupart d'entre nous connaissons nos tendances profondes, ce qui ne signifie pas que nous sachions y remédier en quoi que ce soit, loin s'en faut. Les gens se plaignent souvent des mêmes maux tout au long de leur vie. À partir du moment où ont été semées les graines de dépression, d'embonpoint, d'insomnie ou d'autres problèmes chroniques, celles-ci semblent germer et grandir en dépit de notre désir de *ne pas* être déprimés, obèses ou insomniaques. Ces problèmes se développent à partir de notre prakruti et, à moins de les déraciner à ce niveau fondamental, ils continueront à exercer et à accroître leur influence, de même que des mauvaises herbes peuvent aller jusqu'à étouffer les fleurs d'un jardin.

Ne raisonnons pas cependant en termes de symptômes. Si chacun se doit de respecter sa prakruti, c'est surtout dans le but d'améliorer sa vie, en s'élevant à un niveau de santé supérieur. C'est là l'une des premières leçons que l'on apprend quand on cherche à savoir comment devenir quelqu'un d'équilibré. Si vous ne parvenez jamais à apprendre cela, les réalités supérieures ne vous seront accessibles et perceptibles qu'en de rares occasions.

Bobby Thomas fut diagnostiqué comme étant un pur Vata, ce qui s'accordait indubitablement d'ailleurs avec son ossature mince et sa personnalité vive et ouverte. Bobby fait partie de ces gens qui sourient à tous ceux qu'ils rencontrent. Cette vivacité, cette promptitude à agir le décidèrent à travailler comme serveur pour pouvoir payer ses études universitaires, mais les exigences incessantes imposées par son travail dans un restaurant bondé déséquilibrèrent gravement son Vata ; aussi se sentait-il agité et malheureux.

Bobby observait les autres serveurs, qui semblaient tant à leur aise dans cette atmosphère, ou du moins ne paraissaient nullement la trouver plus stressante que tout autre travail. « Qu'est-ce qui cloche en moi ? » se demandait Bobby. Il prit la décision de travailler plus dur encore. Mais cette tactique échoua totalement. Il en vint à mal dormir, à perdre l'appétit et à maigrir. En l'espace de quelques mois, il commença à souffrir de divers maux et douleurs qui semblaient n'être dus à aucune cause physique.

Bobby vint consulter au Chopra Center, avec dans l'esprit l'idée qu'il avait besoin de prendre des tranquillisants, que d'ailleurs il aurait sans aucun doute obtenus assez facilement avec tout autre docteur, tant il semblait anxieux et incapable de s'apaiser. Cependant, après un examen attentif, son médecin ayurvédique lui dit : « À en juger par tout ce que vous m'avez dit, il ne semble pas que vous soyez réellement malade. » Bobby parut surpris, voire offensé. Ses symptômes n'étaient-ils pas aussi réels que ceux de n'importe qui d'autre ? Le médecin lui expliqua que ce dont il souffrait était un cas classique d'aggravation de Vata. Dans la médecine occidentale, chacune de ses plaintes aurait été bien proprement répertoriée dans les manuels sous des rubriques comme « insomnie », « anxiété », « douleurs lombaires », et ainsi de suite. Mais si l'on remontait à l'origine de ces signaux de détresse, une seule chose en fait était responsable : un déséquilibre fondamental qui s'exprimait douloureusement de différentes manières.

Heureusement, il est beaucoup plus simple de traiter Vata que d'essayer de traiter cinq ou six symptômes différents. Dans le cas de Bobby, nous n'avions pas besoin de recourir à des médicaments, parce que le diagnostic suffisait par lui-même. Plutôt que de lui prescrire des remèdes qui tendent à masquer le problème sous-jacent, nous lui avons suggéré simplement d'écouter son corps.

Nous lui avons expliqué que sa constitution n'était pas adaptée au travail qu'il faisait. Et nous lui avons suggéré de faire quelque chose qui puisse satisfaire vraiment son Vata au lieu de l'affoler. Quel que soit le travail qu'il déciderait d'entreprendre, Bobby ne serait jamais fait pour s'adapter avec bonheur au bruit, à la foule et à une activité incessante, car son Vata ne pourrait le tolérer.

Qu'est-ce que Vata apprécie bien en fait ? Tout d'abord, un petit plus de paix et de tranquillité. Bobby aurait été sans doute plus heureux à travailler comme chef cuisinier, surveillant la préparation des repas à des tranches horaires où les cuisines du restaurant sont encore relativement calmes. La créativité est un autre aspect qui permet aux Vatas, doués d'imagination, de s'épanouir. Tout travail pouvant satisfaire cette part plus profonde de leur nature s'avérera à long terme bien plus satisfaisant. Là encore, faire la cuisine pourrait être une bonne chose pour Bobby, comme d'ailleurs faire du spectacle ou créer quelque chose, ou toute autre activité où l'expression de soi est mise en valeur. Bobby suivit mon conseil. Dès qu'il eut quitté le restaurant et pris un peu de repos, les principaux symptômes disparurent. Quelques mois plus tard, il avait trouvé un emploi de concepteur graphique et n'est plus revenu nous voir à cause de tel ou tel problème.

Pour vous rendre heureux, rendez vos doshas heureux. Tel est *le* secret pour équilibrer le système corps-esprit tout entier. Si vous voulez respecter votre constitution, il faut que vous conveniez que ses besoins sont bons pour vous. Le fait de dire à Bobby de chercher un nouvel emploi s'alignait sur ce que son corps lui disait déjà. Personne ne peut être heureux ou en bonne santé tout en étant déséquilibré, parce que ce n'est tout simplement pas naturel.

Vous êtes tel que la nature vous a créé

De même que les doshas, votre prakruti a deux facettes. Vous pouvez soit vous considérer comme piégé par elle, soit apprendre grâce à elle et tirer profit de ce que votre organisme essaie de vous dire. Une nature Pitta peut vous prédisposer à l'hostilité, et une nature Vata à des troubles intestinaux, mais rien ne vous force à adopter le style de vie stressant qui va activer les flammes de Pitta ou épuiser Vata, et causer ainsi de tels problèmes. Vivre avec vos doshas est un exemple parfait pouvant illustrer comment trouver la liberté à l'intérieur de vos limites naturelles.

Du fait que vous êtes né avec telle ou telle constitution, celle-ci ne changera pas. Par contre, les doshas fluctuent constamment. Chaque fois que vous regardez une montagne, mangez des « chips », écoutez Mozart ou exprimez telle pensée ou telle action, vos doshas réagissent. Une personne dont le cœur se met à battre très fort fait l'expérience d'une puissante réaction Vata, indépendamment de sa nature de base. *Quelle que soit votre prakruti, essayez d'expérimenter pleinement les trois doshas.* Pour jouir d'une santé totale, chacun a besoin d'éprouver et d'exprimer le meilleur qui puisse être tiré de chacun des doshas ; c'est ce que signifie devenir une personne à part entière.

Parmi les traits psychologiques positifs de chaque dosha, on peut citer les suivants :

Vata – imaginatif, sensible, spontané, bon tonus, allègre
Pitta – intellectuel, confiant, entreprenant, joyeux
Kapha – calme, compatissant, courageux, enclin au pardon, aimant

Chaque fois que l'on rencontre quelqu'un qui incarne l'ensemble de ces qualités, on se sent tout naturellement impressionné. C'est qu'une telle personne a accepté le plus beau des cadeaux de la nature : l'équilibre parfait. Aussi rare soit-il, l'équilibre parfait n'est pas anormal ; chacun a la possibilité de le vivre.

Chaque constitution comporte une vaste gamme de potentialités. Malheureusement, nous avons tous tendance à nous comparer à une norme qui engendre en nous des sentiments d'inadéquation dès que nous ne parvenons pas à vivre selon les standards auxquels chacun se réfère. Une telle conformité ne fait pourtant pas partie des desseins de la nature. Prenez l'exemple suivant :

Peser son juste poids est une affaire délicate. Chacun veut se maintenir à un poids idéal, mais des millions de personnes luttent en vain pour y parvenir. Les critiques montrent que notre société est obsédée par le maintien de la minceur à tout prix ; les femmes en particulier se sentent anxieuses et indignes si leur silhouette ne ressemble pas à celles que l'on trouve dans les pages de *Vogue.* (La mode actuelle des sports prônant la « mise en forme » a ajouté un petit peu plus de muscles à la silhouette féminine « désirable », mais elle a aussi réduit presque à néant le minimum vital de graisse.)

Selon l'Ayurvéda, le problème ne vient pas tant de notre fixation sur ce qu'est une silhouette parfaite, que de notre ignorance des desseins sous-jacents de la nature. Par nature, une femme Vata sera mince tandis qu'une femme Kapha sera forte, voire même grosse. Ce qui donne à chacune son indéniable pouvoir de séduction est enfoui plus profondément. Les Vatas sont charmants, vifs et vibrants : il émane d'eux une allégresse naturelle. Il se peut que les Kaphas n'aient pas reçu, quant à eux, la grâce d'un corps léger et agile, mais ils auront leur beauté propre : sérénité, grands yeux doux, manières gracieuses, silhouette pleine et aux douces rondeurs. Aux yeux d'un vaidya, Kapha est en fait la constitution idéale, car elle irradie autant de santé que de beauté. Les Pittas, qui se rapprochent le plus de nos conceptions actuelles du physique idéal en Occident, outre leur constitution moyenne et leurs proportions harmonieuses, ont aussi une qualité de maîtrise de soi qui les rend attirants pour les autres. Voilà comment chaque dosha aboutit à un idéal qui est de valeur égale aux yeux de la nature, et qui devrait l'être aussi à nos yeux.

Certaines personnes pensent parfois que l'expression « équilibrer les doshas » signifie essayer d'obtenir des proportions égales de Vata, de Pitta et de Kapha. C'est là une idée erronée ; vous ne pouvez pas changer le rapport des doshas qui est le vôtre à la naissance. Ce que vous pouvez faire est de trouver l'équilibre juste pour chacun des doshas en vous. Les doshas fonctionnent suivant une échelle dont chaque extrémité représente un déséquilibre (trop ou trop peu), et le milieu le point d'équilibre :

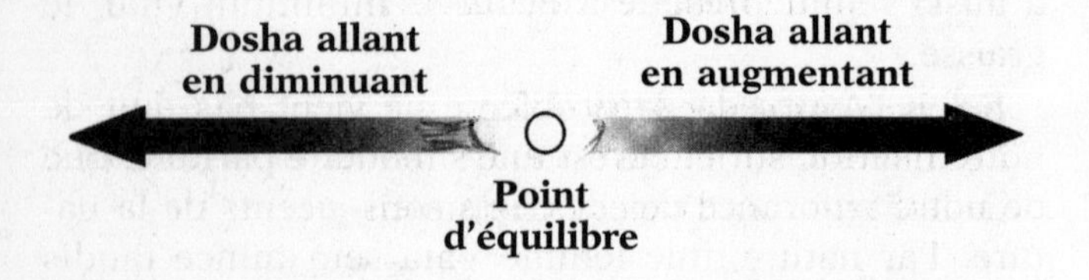

L'Ayurvéda cherche à vous encourager à rester aussi proche que possible du point d'équilibre. Il ne s'agit pas là de quelque chose sur quoi il faut vous concentrer : votre corps pourra maintenir son équilibre en suivant simplement ses processus normaux. Mais parce que les doshas réagissent très facilement à vos habitudes, il vous faudra apprendre à cesser de les orienter vers un déséquilibre.

Il est courant de raisonner surtout en termes d'aggravation d'un dosha plutôt que de diminution, parce que le fait d'être Vata, Pitta ou Kapha vous indique que vous avez déjà un bon taux de ce dosha. Votre objectif ne sera donc pas d'en ajouter davantage (c'est-à-dire d'aggraver le dosha), car cela entraînerait un déséquilibre. Une personne Vata dont le pouvoir digestif est faible pourrait être diagnostiquée comme ayant un Pitta déficient, mais pour des raisons pratiques, il sera en fait soigné pour une aggravation de Vata, cause la plus probable du problème.

Si un dosha se déséquilibre, vous pourrez remarquer les symptômes physiques suivants, tout à fait caractéristiques :

Vata sera déséquilibré dans le cas de douleurs, spasmes, crampes, refroidissements ou tremblements.

Pitta sera déséquilibré dans le cas d'inflammations, de fièvre, de faim et soif excessives, de brûlures gastriques ou de bouffées de chaleur.

Kapha sera déséquilibré dans le cas de congestions, de mucosités, de lourdeur, de rétention de liquides, de léthargie ou d'excès de sommeil.

Ces simples indications peuvent vous aider en cas d'apparition non expliquée de symptômes de maladie (on trouvera en fin de ce chapitre une description plus détaillée de la manière dont on peut détecter les déséquilibres). Il faut insister sur le fait que ces indications ne remplacent pas une formation médicale ; un docteur ayurvédique, à l'instar de son confrère occidental, passe sa vie entière à apprendre à repérer les troubles de toutes sortes. Il se peut que tel ou tel symptôme apparaisse à cause de n'importe quel dosha. Si la constipation est, selon les manuels, le signe d'un déséquilibre Vata, elle peut aussi être due à Pitta ou à Kapha dans certains cas ; cela est également vrai pour tout autre symptôme caractéristique. En cas de maladie grave, votre état nécessitera un avis de professionnel.

Lorsque des symptômes se changent en troubles chroniques, les diagnostics basés sur les constitutions demeurent utiles. Les personnes Vata, Pitta et Kapha auront tendance à être sujettes à des troubles différents, tant sur le plan physique que mental :

Les personnes de constitution Vata seront sujettes à de l'insomnie, à de la constipation chronique, à des crampes d'estomac, à de l'anxiété et de la dépression, à des spasmes ou des crampes musculaires, au syndrome prémenstruel, à des irritations intestinales, à des douleurs chroniques, à de l'hypertension et à de l'arthrite.

Les personnes de constitution Pitta seront sujettes à des éruptions et de l'acné, à des brûlures gastriques et des ulcères d'estomac, à une calvitie précoce et un blanchissement prématuré des cheveux, à une mauvaise vision, à de l'agressivité, à de l'autocritique et à des crises cardiaques liées au stress (comportement de type A).

Les personnes de constitution Kapha seront sujettes à l'obésité, à une congestion des sinus, à des refroidissements de poitrine, à des douleurs articulaires, à l'asthme et/ou aux allergies, à la dépression, au diabète, à un taux de cholestérol élevé et à une apathie chronique le matin.

Ces simples indications suffisent à donner une large vue des choses. Il n'existe pas de relation unique et simple entre telle maladie et telle constitution. Le fait d'être Vata ne signifie pas que la nature vous a condamné à avoir de l'arthrite, et le fait d'être Pitta ou Kapha ne vous en protégera pas nécessairement. La maladie est une affaire individuelle, qui dépend du mode de vie général que l'on adopte. La constitution est utile en tant qu'influence importante, non en tant que cause.

En outre, les troubles majeurs tels que maladies cardiaques et cancers résultent du déséquilibre de plusieurs doshas. Une fois que l'un des doshas est altéré, les autres vont suivre à moins que ne soit restauré l'équilibre. Quoique d'une gravité différente, les rhumes et l'asthme sont reliés en Ayurvéda, parce qu'ils impliquent souvent un déséquilibre de Vata dans un premier temps, suivi ensuite d'une aggravation de Kapha. La connaissance du dosha qui en général mène la danse (à savoir Vata la plupart du temps) vous aidera à corriger le déséquilibre dès que possible. Lorsqu'on voit que quelqu'un est en colère et anxieux en même temps – combinaison typique apparaissant lors de situations très stressantes –, l'on peut rapidement vérifier comment Vata s'est d'abord déséquilibré, avant d'entraîner à sa suite le déséquilibre de Pitta.

Vous remarquerez que quelques-uns des symptômes de déséquilibre des doshas sont mentaux. C'est là un facteur important. *Votre esprit est le premier à détecter des déséquilibres dans votre corps.* De même qu'un corps équilibré rendra l'esprit vif, clair, sensible et heureux, de même une absence d'équilibre causera le déclin de ces qualités. Si tel est le cas, c'est alors le signe que quelque chose ne va pas en ce qui concerne l'un des doshas. Selon les critères admis par notre société, l'on peut très bien être normal sans pour autant être heureux. L'Ayurvéda soutient au contraire que ce n'est pas là le critère de santé de la nature ; si l'on se sent malheureux, c'est signe qu'une action est nécessaire dès maintenant pour éviter des maladies à venir.

La source subtile de la maladie

Nous avons reçu récemment en consultation une femme qui avait subi une mastectomie à la suite d'un cancer du sein ; l'opération avait réussi, et on la considérait comme hors de danger. Cependant, une complication se produisit. Elle retourna voir son chirurgien à plusieurs reprises, se plaignant de douleurs.

« Je ne vois rien », lui dit-il.

« Mais je ressens vraiment une douleur tout le temps », insista-t-elle.

« Du point de vue de la médecine, répondit-il, votre douleur n'existe pas. »

Dans son extrême frustration, cette femme alla voir un ami qui lui conseilla d'aller consulter un médecin formé à l'Ayurvéda Maharishi. Elle vint me voir et je m'aperçus en l'examinant qu'elle était de constitution Kapha, ce qui garantit d'ordinaire un excellent état de santé. Mais les traumatismes auxquels son corps avait été soumis pendant sa maladie avaient entraîné un sérieux déséquilibre du dosha Vata. Son histoire médicale indiquait que, depuis son opération, elle s'était plainte à plusieurs reprises non seulement de douleurs auprès de ses médecins, mais aussi d'une incapacité à bien dormir. Les indications de symptômes Vata étaient très claires, en particulier si l'on considère que toute blessure due à une opération chirurgicale aussi importante aggrave dramatiquement le dosha Vata.

« Qu'est-ce que la douleur ? lui demandai-je. Les médecins ont tendance à chercher des causes physiques grossières derrière toute douleur, alors que d'innombrables patients, tout comme vous, souffrent d'une douleur causée par un déséquilibre de Vata. Tout en étant lié au corps, Vata constitue un élément séparé et plus subtil du système global corps-esprit. »

On lui prescrivit un programme pour rééquilibrer son Vata – chose qui devrait être appliquée pour tout patient venant de subir une opération. Ce programme comportait un régime spécial, du repos et de la méditation. En peu de temps, ses douleurs furent réduites à des limites supportables, son insomnie s'atténua et son incessante anxiété disparut. Un sceptique pourrait arguer qu'une « douleur fantôme » était à l'œuvre dans son cas, phénomène mystérieux que l'on trouve fréquemment chez les amputés. Mais ce qui importe vraiment, en fait, est cette expérience subjective de la douleur, et non pas le nom qu'on lui donne. Avoir recours aux doshas permet d'explorer une nouvelle dimension de la réalité et s'avère extrêmement utile pour faire la lumière sur des maladies qui resteraient inexplicables autrement.

Les ulcères à l'estomac en constituent une bonne illustration. On a pu démontrer récemment qu'une bactérie dénommée *Helicobacter pylori* se trouve associée la plupart du temps à ce type d'affections. Dans plus de 90 % des cas, l'action des antibiotiques contre ce germe se révèle décisive dans leur traitement. Aussi la médecine classique considère-t-elle les ulcères à l'estomac comme une maladie infectieuse.

Cette interprétation des faits serait parfaitement convaincante s'il n'était pas avéré que près de la moitié des habitants de la planète abritent *Helicobacter pylori* dans leurs intestins, alors que seuls 10 à 20 % d'entre eux souffrent d'ulcères à l'estomac. Nous devons donc nous demander pourquoi la plupart des porteurs de cette bactérie ne tombent pas malades. À cette question, la doctrine ayurvédique répond que chaque individu réagit de façon spécifique aux agressions de son environnement, en fonction de ses doshas.

Selon les enseignements de l'Ayurvéda, un patient souffrant d'un ulcère à l'estomac présente un cas typique de déséquilibre du dosha Pitta. En effet, toute pathologie du Pitta révèle un ensemble de symptômes identiques à ceux qui affectent ce type de patients.

Symptômes d'un déséquilibre Pitta

Inflammation des voies digestives

Excès de sécrétions gastriques

Colère, hostilité, tension

Sensation de brûlures dans les voies digestives

Excès d'acidité dans le corps

Cette liste se lit comme s'il s'agissait de jalons semés le long d'un chemin menant à l'ulcère, mais elle sert en fait de guide pour savoir ce qui se passe avant qu'il ne se déclare. Comme les doshas peuvent être perturbés de façon plus ou moins grave, un déséquilibre Pitta ne constitue pas la garantie qu'un ulcère d'estomac soit sur le point d'apparaître. Cependant, les personnes qui ont de fortes natures Pitta souffrent couramment d'ulcères, peut-être parce que la réaction des tempéraments Pittas face au stress affecte les sécrétions acides de l'estomac et affaiblit le système immunitaire. Le remède sera d'abord de prévenir le déséquilibre Pitta en ayant recours à un régime ayurvédique, à des exercices, à la méditation, etc., de façon que les défenses naturelles de l'organisme soient en mesure d'éviter un ulcère.

Notons ici un point qui peut s'avérer délicat : le fait de « participer » à une maladie ne signifie pas en être soi-même la cause. Si vous sortez dans le froid sans chapeau ni manteau, il se peut que vous attrapiez un rhume. Dans le cas où cela se produit, votre comportement étourdi ou négligent aura joué un rôle, même si un bactériologiste a raison de vous affirmer que ce n'est pas vraiment vous qui êtes *cause* de votre rhume, mais un virus. Avec l'Ayurvéda Maharishi cependant, une plus grande responsabilité va être placée sur vos épaules, sur l'aptitude qui sera la vôtre à tirer les enseignements qui s'imposent, en vous basant sur votre propre combinaison de doshas. Je ne suis pas en train de dire que si l'on va au fond des choses, c'est vous qui êtes responsable de votre cancer, de votre infarctus ou de votre sida. Mais je demeure convaincu que vous n'êtes pas séparé de ces maladies ; en réalité, le fait même que nous soyons d'actifs participants est ce qui peut nous épargner d'être d'impuissantes victimes.

Dans l'Ayurvéda Maharishi, nous n'avons pas pour habitude de parler beaucoup des microbes, cette approche étant déjà particulièrement élaborée dans la médecine occidentale. Par contre, ce qui est encore loin d'être compris clairement est le « contrôle de l'hôte », c'est-à-dire de celui qui porte ces virus ou microbes. C'est sur ce point-là que la connaissance de vos propres doshas va pouvoir vraiment porter ses fruits. Si vous vous exposez directement à des virus générateurs de rhumes, le véritable risque d'en attraper un ne sera que d'une chance sur huit environ. Pourquoi ? Parce que c'est votre état intérieur d'équilibre qui va constituer le facteur décisif. C'est la raison pour laquelle maintenir ses doshas en bonne santé fera toute la différence.

Dans les pages qui suivent, vous pourrez trouver une description complète des déséquilibres pour chaque dosha, l'un après l'autre. Puis, dans le chapitre 5, nous explorerons les techniques ayurvédiques permettant de rétablir l'équilibre de la manière la plus agréable et naturelle.

Causes du déséquilibre des doshas

Le dosha qui risque le plus de se déséquilibrer est celui qui sera prédominant dans votre constitution ; ainsi, les Vatas devraient être vigilants de ne pas aggraver leur Vata, les Pittas leur Pitta, etc. Si vous avez une constitution à deux doshas, il se peut que l'un et l'autre puissent causer des problèmes. Pour toutes les constitutions cependant, le dosha le plus actif est toujours Vata. C'est lui qui entraîne la majorité des problèmes à court terme, particulièrement si ceux-ci sont reliés au stress. (Se reporter, dans le chapitre 5, au paragraphe « Comment rétablir l'équilibre », pour plus d'information sur le rôle que joue Vata en tant que « roi » des doshas.)

Les signes caractéristiques du déséquilibre des doshas sont exposés ci-dessous, ainsi que les conditions les plus courantes qui en sont à l'origine.

Le déséquilibre Vata

Par nature, une personne Vata sera gaie, enthousiaste et résistante face aux défis quotidiens de la vie. Si vous êtes du type Vata et avez conservé ces qualités, il est très probable que vous soyez bien équilibré. Il est indéniable, cependant, que les Vatas ne jouissent pas en général de la meilleure santé qui soit. Au cours de leur enfance ou à l'adolescence, ils commencent à avoir divers problèmes : maux et douleurs sans explication apparente, difficultés à dormir de temps à autre, ou tendance prononcée à se sentir inquiets et nerveux.

Au fil du temps, si l'on ne prête pas attention à ces signes précoces, les Vatas vont hanter fréquemment les salles d'attente médicales, ce qui peut expliquer le nombre énorme d'ordonnances médicales prescrivant des somnifères, des tranquillisants et des calmants. Il serait tout à fait justifié de dire que le trouble le plus commun aux États-Unis est l'aggravation de Vata. Le mode de vie américain n'est pas le seul facteur à être en cause ; l'Ayurvéda soutient que le dosha Vata provoque deux fois plus de troubles que Pitta, et Pitta deux fois plus que Kapha. Les personnes typiquement Vata se plaignent de maux de tête, de douleurs dans le dos, d'insomnies, de douleurs menstruelles et d'une sourde angoisse ou dépression, que maints docteurs considèrent comme les symptômes des « bien-portants inquiets ». Il s'agit pourtant de problèmes bien réels et réfractaires, qu'il faut traiter en rééquilibrant Vata.

Pour brosser le tableau des déséquilibres caractéristiques de Vata, d'autres scènes de la vie quotidienne peuvent servir d'illustrations : prenons par exemple l'âge avancé, cette époque de la vie où Vata augmente pour chacun. Un vieillissement mal vécu manifeste les pires signes d'une aggravation Vata : la personne semble se « ratatiner » dans son sac de peau et d'os ; elle n'apprécie plus de s'alimenter et a du mal à digérer sa nourriture ; son esprit divague et elle perd la mémoire ; elle passe de longues nuits solitaires sans pouvoir fermer l'œil. Rien de tout cela n'est causé par Vata, mais par un *déséquilibre* de Vata, et peut donc par conséquent être évité.

Une autre illustration de ces déséquilibres est celle du chagrin. Les gens qui ont dû traverser un deuil grave deviennent indolents et apathiques, refusent de manger et ne trouvent plus de joie à rien dans la vie. C'est comme si le choc de la mort les avait fait mourir, eux aussi. Puisque Vata contrôle le système nerveux, c'est en fait exactement ce qui se produit : le chagrin, un choc inattendu, un long combat épuisant ou une grande peur épuisent le dosha Vata, qui perd alors sa faculté d'enregistrer les perceptions. La première phase de ce processus consiste habituellement à verser des larmes, à manifester un comportement agité, des tremblements, des pensées tous azimuts et de l'insomnie. Si toutefois le stress est suffisamment profond ou traîne un peu trop en longueur, il s'ensuit inéluctablement un « effondrement » de Vata, conduisant à une totale apathie et absence de réaction.

Pourquoi cela s'est-il produit ?

Si vous commencez à vous sentir malade, à la suite d'un déséquilibre Vata, il existe en général une cause première que l'on peut trouver et corriger. Le fait de naître avec une constitution Vata ou d'avoir une forte proportion de ce dosha constitue certainement un puissant facteur de prédisposition. Par contre, il faut tout un enchaînement de circonstances et de comportements pour que ce dosha en arrive véritablement à se déséquilibrer. Parmi les points les plus caractéristiques sur lesquels il vous sera bon de rester vigilants, on peut citer les suivants :

- Soumis récemment à du stress, vous y avez réagi par de l'anxiété.
- Vous vous êtes épuisé physiquement ou avez traversé une période de grand effort mental et de surmenage.
- Vous êtes parvenu à un stade avancé de dépendance à l'alcool ou à des drogues, ou bien vous fumez cigarette sur cigarette.
- Il y a eu un brusque changement dans votre vie, ou un changement de saison.
- Votre régime comporte une grande quantité d'aliments froids, crus ou secs, incluant des boissons glacées ; ou bien vous mangez en abondance de la nourriture amère, épicée ou astringente. (Les saveurs amère et astringente sont contenues principalement dans les salades, les haricots, les pommes de terre et les légumes à feuilles vertes.)
- Vous avez adopté un régime très rigoureux ou avez pris l'habitude de sauter des repas. Le fait de rester à jeun tout en continuant à être actif et d'ignorer les signes de la faim transmis par le corps augmentent Vata.
- Vous n'avez pas dormi ou avez mal dormi plusieurs jours de suite.
- Vous avez fait un voyage récemment.
- Vous ressentez une souffrance sur le plan émotionnel, à cause d'un chagrin, d'une peur ou d'un choc inattendu.
- Le temps est froid, sec et venteux (automne/hiver).

Au cours d'un examen clinique, le médecin ayurvédique va pouvoir identifier un déséquilibre Vata à partir des symptômes suivants :

INDICATIONS MENTALES :

Inquiétude, anxiété	Perte de concentration mentale
Esprit trop actif	Faible pouvoir d'attention
Impatience	Dépression, psychose

INDICATIONS COMPORTEMENTALES :

Insomnie	Agitation
Fatigue	Appétit faible
Inaptitude à se détendre	Impulsivité

INDICATIONS PHYSIQUES :

Constipation	Peau et lèvres gercées
Peau sèche ou rugueuse	Intolérance au froid et au vent
Faible résistance, perte d'énergie	Douleurs articulaires ou arthritiques
Gaz intestinaux, flatulence	Perte de poids, tissus émaciés
Hypertension artérielle	Douleurs aiguës (en particulier nerveuses)
Douleurs dans le bas du dos	Spasmes musculaires, convulsions

Douleurs menstruelles

Syndrome d'irritations intestinales

Il importe de se souvenir que tout dosha peut être cause de tel ou tel symptôme ; ceux indiqués ci-dessus ne sont que les signes les plus courants d'un déséquilibre Vata. Par ailleurs, Vata peut « imiter » les deux autres doshas, aussi est-il souvent suspect même dans le cas où des symptômes caractéristiques ne seraient pas présents.

Le déséquilibre Pitta

Les personnes Pitta sont en équilibre lorsque leur tonus et leur dynamisme naturels ne débordent pas trop ; un caractère doux et joyeux constitue aussi l'une des qualités innées chez les Pittas. Si vous avez une constitution Pitta et si vous ressentez la présence de ces caractéristiques, vous êtes alors probablement équilibré. La santé physique des Pittas est généralement bonne. La base de leur santé est un fort pouvoir de digestion, considéré par l'Ayurvéda comme la clé permettant la formation de tissus sains ainsi que le maintien d'une très bonne immunité.

Les années de maturité – de l'adolescence à la fin de l'âge mûr – constituent une période de la vie où le Pitta augmente chez tout individu. Un jeune homme ou une jeune fille qui souffre d'acné ou de bouffées de chaleur la nuit manifeste un déséquilibre Pitta. Une autre scène très courante illustrant bien une aggravation de Pitta est celle de l'homme qui, arrivé à la trentaine ou à la quarantaine, s'aperçoit un matin au réveil qu'il perd ses cheveux à une vitesse effrayante ou que ceux-ci grisonnent prématurément, ou qui a brusquement besoin de lunettes, ou encore qui devient sujet à un ulcère d'estomac ou victime d'une maladie cardiaque précoce.

Certains de ces maux peuvent provenir de prédispositions, mais les Pittas ont aussi tendance à dévier de leur équilibre en forçant trop leur nature, la poussant jusqu'à l'extrême. Partant du principe qu'ils peuvent manger n'importe quoi, ils violentent leur fort pouvoir de digestion soit en mangeant trop soit en manquant de vigilance à l'égard de la nourriture et de leur régime. Au lieu d'être des « vainqueurs » par nature, ils peuvent se transformer en des impatients forcenés, exigeants et tendus. Le dosha Pitta régit l'intellect et procure aux Pittas un sens de l'ordre. S'ils sont déséquilibrés, ils deviennent obsédés par l'ordre et se transforment en perfectionnistes importuns. Les Pittas ne manifesteront pas de tels traits tant qu'ils ne seront pas gravement en déséquilibre, mais alors il ne sera nullement surprenant de les voir être la proie de brûlures gastriques, d'ulcères, de maladies cardiaques et d'autres troubles associés au stress.

Le dosha Pitta se déséquilibre plus lentement que Vata. On considère qu'il provoque deux fois moins de problèmes que Vata. Les cas où Pitta va se perturber sont fréquemment dus à un déséquilibre antérieur de Vata. La combinaison des deux doshas en excès peut expliquer d'où proviennent ces courants d'anxiété sous-jacents que certaines personnes coléreuses et à l'esprit trop critique essaient désespérément de masquer. Par ailleurs, une aggravation de Vata peut également provoquer de l'hypertension, ce que les médecins vérifient souvent chez leurs patients cardiaques de type A.

Pourquoi cela s'est-il produit ?

Lorsqu'on commence à se sentir malade et que cela provient d'un déséquilibre Pitta, la raison n'est pas due au fait d'être né Pitta, ou encore que sa constitution propre contienne un taux élevé de Pitta. Par nature, Pitta est enclin à la modération, et il faut donc avoir accumulé un excès de stress, de surmenage ou simplement fait preuve de négligence pendant une très longue période, pour en arriver à altérer cet instinct. Si vous avez le sentiment qu'une aggravation de Pitta est à l'œuvre, voyez si elle est due à l'une ou l'autre des causes suivantes, puis essayez d'y remédier :

- Vous avez été soumis au stress et avez eu une réaction de colère réprimée, de frustration et de rancune.
- Vous vous imposez des exigences excessives, ou cherchez à les imposer à autrui, vous vivez constamment sous pression à cause des délais, et ne pouvez supporter de gaspiller du temps.
- Ces derniers temps, vous avez mangé trop de nourriture piquante et épicée, ou d'aliments huileux ou frits ; vous consommez une grande quantité de sel. Votre régime comporte une proportion élevée d'aliments fermentés ou acides, tels que fromage, vinaigre, yaourt ou boissons alcoolisées.
- Vous avez absorbé de l'eau et de la nourriture impures.
- Le temps est chaud et humide (temps estival caractéristique).
- Vous vous sentez épuisé par la chaleur ou avez été exposé à de graves coups de soleil.

Au cours d'un examen clinique, le médecin ayurvédique va pouvoir identifier un déséquilibre Pitta à partir des séries de symptômes suivantes :

INDICATIONS MENTALES :

Colère, hostilité	Irritabilité, impatience
Autocritique	Rancune

INDICATIONS COMPORTEMENTALES :

Sautes d'humeur	Critique d'autrui
Prises de position	Intolérance des retards

Comportement tyrannique

INDICATIONS PHYSIQUES :

Inflammations cutanées, furoncles, éruptions	Bouffées de chaleur

Brûlures d'estomac, acidité

Acné	Ulcères
Soif ou faim excessives	Odeurs corporelles aigres
Mauvaise haleine	Douleurs rectales brûlantes, hémorroïdes
Teint rougeaud, tavelé	Coups de soleil, insolations
Intolérance à la chaleur	Couleur jaune prononcée des matières fécales et de l'urine

Yeux injectés de sang

Il importe de se souvenir que tout dosha peut être cause de tel ou tel symptôme ; ceux indiqués ci-dessus ne sont que les signes les plus courants d'un déséquilibre Pitta.

Le déséquilibre Kapha

Kapha est le plus lent et le plus stable des doshas, ce qui le rend résistant aux déséquilibres. Dès l'enfance et tout au long de leur vie, les Kaphas vont être sereins, calmes, affectueux et enclins au pardon. Si vous êtes Kapha et que ces qualités soient restées intactes en vous, il est alors très probable que vous êtes équilibré. Les troubles associés à Kapha prennent généralement beaucoup de temps avant de se manifester. C'est pourquoi, sans avoir de grand effort à faire, les individus Kapha peuvent espérer demeurer sains, robustes et gais jusqu'à un âge avancé.

La petite enfance et l'enfance sont les périodes Kapha de la vie au cours desquelles ce dosha augmente chez tout le monde. Kapha est relié à la croissance et à la formation d'un corps robuste et sain. Pour imaginer ce à quoi peut ressembler Kapha lorsqu'il est en déséquilibre, songez à un enfant de 6 ans qui souffre d'un mal de gorge chronique et d'un nez qui coule, attrapant rhume sur rhume. Il se peut que des Kaphas en bonne santé conservent cette faiblesse tout au long de leur vie et souffrent fréquemment de sinusites ou d'une sensibilité marquée aux rhumes ou à la grippe dès que le temps devient froid et humide.

Des allergies peuvent également être présentes, ainsi qu'une forte tendance à trop dormir. Les personnes de type Kapha aiment en général traîner au lit et sont lentes à démarrer, mais lorsqu'elles perdent leur équilibre, elles deviennent tellement indolentes le matin qu'elles peuvent en arriver à se demander s'il ne s'agit pas d'une maladie grave, alors qu'en fait le problème réel dans la plupart des cas n'est dû qu'à un excès de Kapha.

À un âge plus avancé, un déséquilibre Kapha peut être illustré par l'image d'un homme qu'un peu trop d'embonpoint va mettre mal à l'aise, parce qu'il ne peut contrôler ni son obésité ni la détresse qu'il en ressent. L'attachement et l'instinct possessif sont aussi d'autres signes de perturbation Kapha, indiquant que le penchant naturel des Kaphas à prendre soin d'autrui (comme le ferait une mère) a été poussé trop loin. Dans les cas où ce dosha se déséquilibre gravement, la personne pourra devenir excessivement calme, introvertie et désespérée ; la tendance Kapha consistant à valoriser le statu quo pourra se transformer en une incapacité rigide à accepter le changement. Sur le plan physique, un homme « bien enveloppé » pourra aboutir à une fin tragique, souffrant de forte hypertension, d'une respiration pénible, d'œdèmes et de défaillances cardiaques.

Les Kaphas ne vont pas consulter le médecin très souvent, car ils sont capables de tolérer de fortes douleurs et ont également l'habitude de très bien se porter. Si un besoin de soins médicaux se fait vraiment sentir chez eux, c'est soit pour des problèmes d'obésité, celle-ci pouvant se manifester dès leur enfance et continuer tout au long de leur vie, soit pour des troubles affectant les sinus et les poumons : maux de tête dus aux sinus, sinusite chronique, rhume des foins, asthme, congestion pulmonaire.

Les médecins s'aperçoivent souvent, en effectuant des examens ou analyses, que seul un infime pourcentage de personnes croyant souffrir d'allergies alimentaires en sont vraiment victimes ; ce qui s'avère plus généralement être le problème, c'est un déséquilibre digestif, dû le plus souvent à Kapha en premier lieu. Des sécrétions excessives peuvent être provoquées par la farine de blé sous forme de pain ou de pâtes, ainsi que par le lait, le beurre, le fromage ou le sucre, tous ces aliments étant des facteurs d'aggravation de ce dosha. Le diabète, qui est peut-être le trouble Kapha le plus dangereux, fait partie des maladies les moins faciles à guérir. Cependant, les diabétiques peuvent mener une vie beaucoup plus confortable et stable s'ils suivent le programme approprié à leur constitution.

Pourquoi cela s'est-il produit ?

Lorsqu'on commence à se sentir malade et que cela provient d'un déséquilibre Kapha, il s'agit généralement d'un rhume ou d'une grippe occasionnels, ou encore d'une maladie ancienne présente dès le jeune âge : allergies, asthme, obésité, etc. Dans les deux cas, les influences ci-dessous seront vraisemblablement présentes, et pourront soit provoquer soit aggraver votre état :

- Un grave problème Kapha, tel que diabète, allergies ou obésité, affecte votre famille.
- Vous avez pris beaucoup de poids et cela vous déprime.
- Votre alimentation comporte de grandes quantités de sucre, de sel, d'aliments lourds, gras ou frits, de produits laitiers (en particulier fromage, lait et glaces).
- Vous avez été soumis à du stress et votre réaction a été l'introversion, un sentiment d'insécurité, ainsi qu'une peur de ne pas être accepté.
- Vous accordez une trop grande importance au fait de posséder, d'accumuler et d'épargner.
- Vous avez une attitude trop dépendante ou au contraire trop protectrice dans vos relations.
- Vous avez fait la grasse matinée (jusqu'à des heures tardives) plusieurs jours de suite.

- Le temps est froid et humide ou neigeux (temps caractéristique de l'hiver et du printemps).

Au cours d'un examen clinique, un médecin ayurvédique va identifier un déséquilibre Kapha à partir des symptômes suivants :

INDICATIONS MENTALES :

Torpeur, inertie mentale	Abrutissement, dépression
Lassitude	Attachement excessif

INDICATIONS COMPORTEMENTALES :

Tendance à remettre les choses au lendemain	Tendance à s'opposer
Inaptitude à accepter le changement	Lenteur des mouvements
Avidité	Possessivité
Sommeil excessif, somnolence	

INDICATIONS PHYSIQUES :

Intolérance au froid et à l'humidité	Taux de cholestérol élevé
Congestion des sinus, nez qui coule	Lourdeurs dans les membres

Rétention de liquides dans les tissus, œdèmes	Rhumes fréquents
Congestion pulmonaire	Tendance à prendre du poids
Pâleur de la peau	Allergies, asthme
Articulations molles ou douloureuses	Toux glaireuse, maux de gorge
Kystes et autres excroissances	Diabète

Il importe de se souvenir que tout dosha peut être cause de tel ou tel symptôme ; ceux indiqués ci-dessus ne sont que les signes les plus courants d'un déséquilibre Kapha.

5

Comment retrouver l'équilibre

Le génie de sculpteur de Michel-Ange résidait dans sa faculté de visualiser, à partir d'un bloc de marbre brut, la statue à son stade terminal. Sa tâche consistait non pas à créer une sculpture, mais à restituer celle qui était déjà présente, emprisonnée dans la pierre. C'est essentiellement ce que vous faites aussi chaque fois que vous revenez à votre propre équilibre. Vous n'êtes pas en train de créer un « nouveau vous-même », vous faites surgir un « vous » caché. Le processus est celui de l'auto-découverte.

Ce « vous » caché qui cherche à émerger est en parfait équilibre. Le découvrir n'est pas une mince affaire : chacun se doit de parvenir à l'équilibre d'une façon qui lui est propre. La plupart des gens n'ont pas la moindre idée de ce qu'ils sont véritablement – ou, au mieux, n'en ont qu'une idée très limitée –, car ils n'ont aucun moyen de connaître leur vraie nature. Celle-ci reste cachée à leurs yeux à cause de leurs déséquilibres, de même que le fond d'un lac sera masqué par de l'eau boueuse. Tout comme la faim et la soif, un instinct nous poussant à trouver l'équilibre est déjà inscrit dans notre corps humain. Par la pratique de l'Ayurvéda Maharishi, nous tentons de rétablir cet équilibre et en même temps de permettre à notre vraie nature de rayonner. Il s'agit là des deux facettes d'un même processus, comme l'illustre le cas suivant.

Selon son propre aveu, Norman, un écrivain ayant juste atteint la soixantaine, n'a pas connu une bonne nuit de sommeil depuis trente ans. L'insomnie dont il souffre est typiquement Vata : dès qu'il se met au lit, son esprit trouve une bonne douzaine de raisons de se faire du souci, et une centaine d'impressions qui se sont accumulées au cours de la journée qui vient de s'écouler tourbillonnent dans sa tête. Il ne peut parvenir à détourner son attention de ces pensées, du tic-tac de la pendule, du robinet qui fuit, ou des bruits qui montent de la rue. En proie à une grande agitation, il tourne et se retourne dans son lit toute la nuit sans qu'il ait jamais l'impression d'avoir dormi plus d'une demi-heure d'une traite.

À l'époque où il vint me consulter, il se sentait très découragé, après avoir essayé toute une panoplie de « remèdes » pour tenter de trouver le sommeil, ceux-ci allant des rasades de whisky aux barbituriques, mais sans résultat durable. Au fil du temps, il lui fallut se résigner et accepter son sort, mais ce n'était le cas qu'en surface : en fait, Norman redoutait le moment de se mettre au lit, repoussant toujours l'échéance aussi tard que possible. Une pile de magazines était entassée à son chevet, qu'il lisait chaque fois qu'il se réveillait. S'il se sentait trop agité pour lire, il arpentait le sol de long en large, allait à la salle de bains, mangeait un petit en-cas à minuit ou téléphonait à ses amis insomniaques pour de longues causeries nocturnes.

« Tout cela vient de ce que je suis Vata, n'est-ce pas ? » se lamenta-t-il, car il s'était familiarisé avec la notion de prakruti en lisant des livres sur l'Ayurvéda Maharishi et en passant un test pour déterminer sa prakruti.

« Il existe bien un déséquilibre Vata, lui dis-je, mais cela ne signifie pas nécessairement que vous soyez de constitution Vata. » Il parut surpris. Un examen minutieux révéla qu'il était surtout Pitta, avec une forte composante Vata. En fait, ce n'est pas son Vata qui le rendait insomniaque, mais l'habitude qu'il avait prise depuis longtemps de déséquilibrer ce dosha, en grande partie en faisant constamment usage de son esprit : Norman travaillait sur ses écrits à toute heure du jour et de la nuit, et n'avait jamais pris sérieusement en considération le fait d'adopter complètement des habitudes de vie régulière. S'il l'avait fait, l'aggravation de son Vata ne se serait pas tant accentuée au fil des années.

Pour l'aider à voir la personne plus saine qui était en lui-même, je me mis à lui exposer la loi de l'équilibre et comment des déséquilibres temporaires peuvent devenir permanents.

Des centaines de thermostasts

Chaque fonction du corps connaît un état fondamental auquel elle désire revenir, tout comme un thermostat cherchera à revenir à un point fixe. En fait, la température du corps opère de manière très semblable au fonctionnement d'un thermostat. Il vous sera possible de l'élever en courant sur 500 mètres ou en prenant un sauna, mais une fois que vous interromprez ces actions, la température de votre corps retournera aux environs de 37 °C. Cette température constitue le point d'équilibre pour le thermostat de votre corps, point fixé par les lois naturelles au cours de l'évolution. Ces lois sont assez souples pour que vous puissiez vous écarter temporairement de cette valeur de 37 °C, mais si vous vous en écartez trop ou trop longtemps, cela entraînera des conséquences désagréables.

L'une des raisons principales pouvant expliquer pourquoi la physiologie humaine est si complexe est que des centaines de thermostats ont été installés en nous, chacun d'eux obéissant à sa propre série de lois naturelles ; il n'existe pas qu'un seul point d'équilibre en nous, mais un grand nombre. Leur coordination est tout à fait miraculeuse. On pourrait penser que le flux sanguin, par exemple, consiste en un bouillon de substances biochimiques, vu le nombre inouï d'hormones, d'éléments nutritifs, et de molécules messagères diverses qui flottent dans ce courant. Mais en réalité, le sang est si parfaitement équilibré que toutes ces molécules iront là où elles seront nécessaires avec une précision remarquable en ce qui concerne le moment et la proportion souhaitables.

De même, le cerveau est capable de garder sans confusion le contrôle sur tous ces thermostats qui s'entremêlent. Un petit morceau minuscule de matière grise, situé à l'avant du cerveau, que l'on appelle l'hypothalamus et qui pèse environ 5 grammes, a pour rôle de maintenir en équilibre un nombre inouï de fonctions diverses, incluant le métabolisme (taux de graisse et d'hydrates de carbone), le sommeil et la veille, l'appétit, la soif, les sécrétions digestives, les niveaux de liquides, la croissance, la température du corps – bref, toutes les opérations automatiques à l'intérieur du corps. Tout ce à quoi vous n'avez pas besoin de penser, c'est votre hypothalamus qui s'en charge (on l'appelle parfois le « cerveau du cerveau »).

Qu'est-ce que cela montre ? Que l'équilibre est fonction de l'intelligence. Bien entendu nous ne sommes pas qu'une série de thermostats, parce qu'un thermostat ne peut se mettre en marche lui-même, alors que *nous*, nous le pouvons. La constitution originelle avec laquelle vous êtes né est votre prakruti, ou votre nature innée. Elle vous sert de guide, mais vous pouvez aussi la manipuler. Supposons que quelqu'un soit né avec une prakruti Pitta-Vata, comme ce fut le cas de Norman. Nous pouvons illustrer cette prakruti par un simple diagramme :

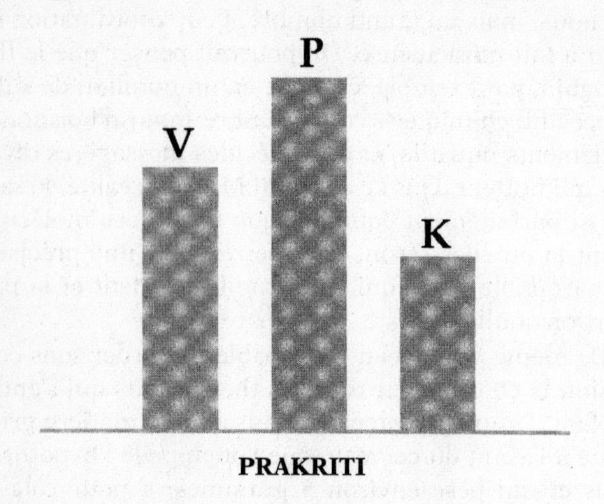

À la naissance, cette base détermine l'équilibre idéal pour les trois doshas pendant la vie entière de la personne. Toutes les centaines de thermostats qui se trouvent dans le corps vont se conformer à ce schéma-maître, de même qu'ils obéissent à votre hypothalamus. Mais il vous est possible de converser avec vos doshas plus facilement qu'avec votre hypothalamus. Ainsi pourrez-vous prévoir que Vata risquera de s'accroître en cas d'influences aggravantes, comme un temps froid, un air sec ou venteux, la peur, la saveur d'aliments épicés, ou le fait de rester éveillé tard la nuit. Ces influences sont comme des mots qui disent au corps : « Plus de Vata ». (Pitta et Kapha ont aussi leurs propres catalyseurs.)

Un bébé venu au monde avec une constitution Pitta-Vata pourra, en grandissant et en devenant adulte, paraître en avoir une toute différente :

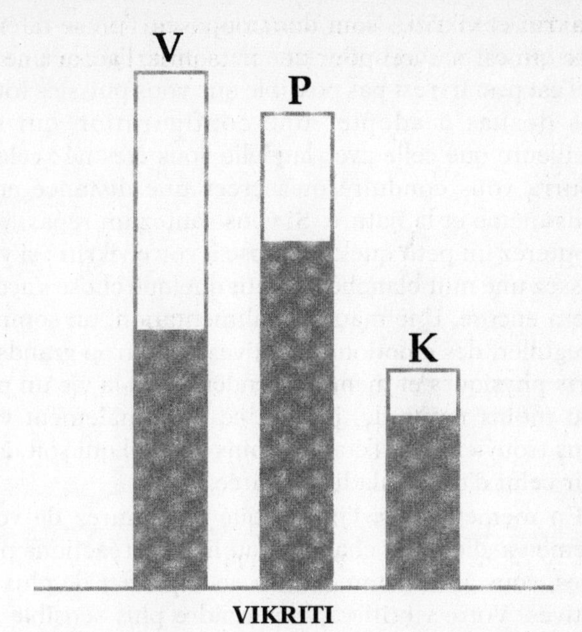

Selon ce diagramme, il apparaît désormais comme un Vata-Pitta, car ses doshas se sont modifiés, prenant des proportions différentes sous l'influence de divers facteurs dans sa vie, incluant l'alimentation, l'exercice, le sommeil et les émotions. Tout ce que vous pensez, dites, faites, éprouvez, sentez ou goûtez va affecter plus ou moins fortement vos doshas. Ceux-ci seront ensuite censés revenir à leur position première, après s'en être écartés, suivant l'instinct d'équilibre qui leur est propre. Mais ici, tout comme dans le cas de Norman, quelque chose a déraillé.

La zone ombrée est surmontée d'une section blanche, indiquant les déséquilibres qui se sont accumulés au fil du temps. On les appelle *vikriti* en Ayurvéda, mot qui signifie « déviation de la nature ». Les deux termes –

prakriti et vikriti – sont donc opposés, l'un se référant à ce qui est naturel pour une personne, l'autre à ce qui ne l'est pas. Il n'est pas possible que vous puissiez forcer vos doshas à adopter une configuration qui soit meilleure que celle avec laquelle vous êtes né ; cela ne pourra vous conduire qu'à créer une distance entre vous-même et la nature. Si vous sautez un repas, vous ajouterez un petit quelque chose à votre vikriti ; si vous passez une nuit blanche, ce petit quelque chose s'accentuera encore. Une mauvaise alimentation, un sommeil irrégulier, des émotions négatives et de trop grands efforts physiques et mentaux rendent tous la vie un petit peu moins naturelle, jusqu'à ce que finalement vous vous trouviez dans l'état le moins naturel qui soit, à savoir celui d'une maladie déclarée.

En même temps, l'image que vous aurez de vous-même va elle aussi changer : au lieu de réactions positives, vous allez commencer à en exprimer de plus négatives. Votre vikriti va vous rendre plus sensible aux stress de toutes sortes. Elle mettra comme un voile sur les émotions plus fines. Combien d'entre nous aujourd'hui sont encore doués de cette aptitude innocente à aimer et à faire confiance, avec laquelle naît tout bébé ? Nous avons inondé nos cellules de toutes ces expériences de rejet, de déception et de doute qui encombrent le passé de chacun d'entre nous. Peut-être avez-vous l'impression en ce moment d'être un angoissé de naissance, ou un insomniaque, un pessimiste ou un râleur à vie, mais c'est parce que vous avez oublié que cela a pris des années avant d'en arriver là.

Dans la vikriti de Norman, le dosha Vata est celui qui est le plus gravement déséquilibré. Cela n'a rien de surprenant, puisque Vata est le dosha qui s'aggrave le plus facilement. Vata a une aversion pour tout ce qui rappellera bruits intenses, foule et inconfort physique ;

voilà pourquoi, lorsque vous montez dans un métro bondé, votre corps ressentira l'expérience comme étant stressante. Plus il vous faudra utiliser ce moyen de transport, plus votre Vata s'aggravera. À la longue, l'idée même de devoir aller au travail va éveiller en vous des sensations désagréables, auxquelles vous vous adapterez peut-être, mais qui ne vous permettront jamais de vous épanouir. C'est ainsi que les doshas essaient de nous guider en nous incitant à adopter de justes habitudes et à abandonner celles qui sont nocives.

« Justes » signifie simplement proches de la nature. Il est juste de donner chaque jour à Vata un moment de paix et de calme absolus, car cela va lui permettre de trouver son point d'équilibre. Il n'est pas juste de violenter Vata en le soumettant à des bruits intenses ou à des bains de foule, parce que cela va le déséquilibrer encore plus. « Mais il faut bien que chacun gagne sa vie », allez-vous peut-être penser lorsque vous monterez demain et le surlendemain dans ce même métro. Pourtant, rien de tel n'inspirera Vata à apprécier cette expérience. Et c'est là l'une des choses les plus précieuses au monde, car votre seul espoir de retrouver un équilibre parfait vient de cet instinct dont est pourvu chaque dosha à résister à de mauvais traitements et à retourner à son point d'équilibre.

Norman reconnut sans peine sa propre situation à travers toutes ces explications. « Dans notre société actuelle, il est très courant de se transformer en un Vata-Pitta antinaturel, lui indiquai-je, étant donné les sources d'aggravation qui nous entourent. Mais la vikriti n'est qu'un masque, une illusion due au stress. En dessous se trouve cette configuration originale idéale, cette combinaison unique de Vata, Pitta et Kapha qui est votre vrai moi. Si vous pouvez la recouvrer, vos symptômes Vata disparaîtront.

Ce qui est remarquable avec l'Ayurvéda, c'est que ce système permet aux gens d'être en bonne santé en les incitant à découvrir le meilleur d'eux-mêmes. »

L'étape suivante consistait à donner à Norman une nouvelle routine à suivre, afin de soulager ses doshas perturbés. Je lui remis une liste de points lui permettant de ramener à l'équilibre l'aggravation Vata, processus que l'on appelle « pacifier un dosha ». (En fin de ce chapitre vous pourrez trouver des recommandations générales indiquant comment pacifier les trois doshas ; de plus amples détails seront donnés à mesure que nous approfondirons la mise en pratique de l'Ayurvéda Maharishi.) Le premier point sur la liste était de s'en tenir fidèlement à des habitudes quotidiennes régulières. Dans le cas de Norman, c'est lui-même qui s'était établi son petit programme ou « rituel » du soir :

« Une heure avant de me coucher, je prends un bain chaud (bain qui sera un peu plus frais l'été). Puis je me masse légèrement le front, les tempes et les pieds avec de l'huile de sésame pendant cinq minutes, et je bois un verre de lait chaud auquel j'aurai mélangé un *rasayana*. » (Les rasayanas sont des composés à base de plantes ; il en existe des centaines en Ayurvéda. Norman a estimé que le rasayana le plus général, l'Amrit Kalash, était très efficace, mais il existe d'autres plantes ayurvédiques bien spécifiques que l'on peut également prendre.)

« Puis je m'assois tranquillement et, pendant vingt minutes, lis de la littérature inspirante ou de la poésie, qui sont les textes qui m'apportent la plus profonde détente. Enfin, j'éteins la lumière et écoute de la musique relaxante jusqu'à ce que je sente le sommeil arriver ; je vais alors immédiatement me mettre au lit. »

Quelque temps plus tard, il m'écrivit :

« Voici quatre mois que je suis fidèlement cette routine, et je m'endors immanquablement sans difficulté ;

mon sommeil dure au moins six heures d'affilée, ce qui, dans mon cas, est suffisant pour que je me sente frais et dispos le lendemain. »

N'est-ce pas là, tout compte fait, un très heureux résultat pour un problème dont des millions de personnes sont constamment la proie, en dépit du fait pourtant qu'un Américain sur cinq, selon les estimations, prend régulièrement des pilules pour dormir ? Par ailleurs, il ne s'agit pas non plus que d'une simple cure contre l'insomnie : ainsi, Norman a pu profiter de bien d'autres avantages depuis que son corps s'est rééquilibré : il ne se plaint plus de rhumes fréquents, ni de douleurs et souffrances mineures. Son inquiétude et son insatisfaction ont disparu, alors qu'elles faisaient presque partie de sa constitution. Dans l'ensemble, il a l'air plus frais, et à ses yeux la vie aussi a repris de la fraîcheur.

Les six étapes de la maladie

Permettre aux malades de retrouver leur propre nature est en fait le but visé par la médecine depuis des milliers d'années ; il ne s'agit pas d'une caractéristique propre à l'Ayurvéda Maharishi. En Occident, cependant, nous nous sommes longtemps laissé fasciner par la médecine « scientifique », qui essayait de ne considérer la maladie que d'un point de vue strictement physique. De nos jours, la médecine occidentale commence à admettre que l'origine de la maladie peut provenir soit du corps soit de l'esprit. Avec l'émergence de la médecine du corps-esprit, il n'est même plus évident que ces deux aspects puissent encore être séparés. Un brusque choc mental, tel que la mort du conjoint, par exemple, peut provoquer des ravages dans le corps, paralysant le système immunitaire et ouvrant la voie à la maladie, ce qui explique en grande partie pourquoi le taux de mortalité est bien plus élevé chez les femmes qui ont perdu leur mari depuis peu, que parmi le reste de la population. Peut-être est-ce également la raison pour laquelle des femmes seules, n'ayant pas l'occasion d'apporter leur soutien affectif à autrui, tendent à avoir un taux plus élevé de cancer du sein.

Ce penchant à s'orienter vers des explications liées au corps-esprit possède à la fois ses bons et ses mauvais côtés. Par exemple, il nous était habituel de dire qu'une pneumonie commence lorsque des bactéries appelées pneumocoques envahissent les poumons et se mettent à proliférer de façon anarchique. Pour la médecine du corps-esprit, toute explication a sa racine à un stade antérieur, au moment où le système immunitaire s'affaiblit à cause d'une influence mentale négative. Mais si une telle explication est en effet plus profonde que de se contenter d'en trouver une purement physique, malheureusement, elle reste aussi bien vague. L'interaction entre l'esprit et le système immunitaire est si insaisissable que les médecins ne peuvent en fait déterminer avec précision le moment critique au cours duquel les pensées négatives vont se mettre à affecter les globules blancs du corps.

Grâce à l'Ayurvéda Maharishi, il nous est possible d'être beaucoup plus précis. Selon les textes anciens, le processus de la maladie comporte six phases ou étapes distinctes. Les trois premières sont invisibles et peuvent être associées soit au corps soit à l'esprit ; les trois dernières vont présenter des symptômes évidents, pouvant être décelés à la fois par le patient et le médecin. Chaque étape représente une perte d'équilibre, mais celle-ci change d'apparence au fur et à mesure que le processus avance :

1. Accumulation : le processus s'enclenche avec l'augmentation d'un ou de plusieurs doshas.

2. Aggravation : le dosha en excès s'accumule au point de commencer à s'étendre au-delà de ses limites normales.

3. Dissémination : le dosha se répand dans l'ensemble du corps.

4. Localisation : le dosha errant s'installe là où il n'a pas lieu d'être.

5. Manifestation : des symptômes physiques émergent au point où le dosha s'est localisé.

6. Perturbation : apparition d'une maladie déclarée.

Pour illustrer ces différentes étapes, prenons le cas de l'accumulation d'un excès de Pitta, peut-être due par exemple au fait que vous êtes d'une constitution Pitta et que vous vous trouvez soumis à un grand stress ou souffrez simplement de l'inconfort causé par un été très chaud. Dès que l'accumulation de cet excès de Pitta atteindra un certain seuil, elle va commencer à se déplacer le long du corps, quittant les endroits où elle est censée demeurer. Peu après, elle parviendra en un point où se trouve de l'*ama* (résidus toxiques) et va alors « se coller » à cet ama.

À ce niveau, nous en sommes au stade terminal des trois premières phases de la maladie. Un médecin occidental ne pourrait encore établir de diagnostic, car aucun trouble n'est apparent selon ses manuels, alors que, selon le point de vue ayurvédique, il est certain que le corps n'est déjà plus en parfaite santé. Si vous avez une conscience aiguë de votre corps, il vous sera possible de ressentir le point initial du déséquilibre d'un dosha. Chacun possède la faculté de reconnaître les changements subtils qui vont constituer les signes précurseurs d'un rhume ou d'une grippe. De même, dans le cas de bien d'autres maladies, le fait de se sentir « patraque » révèle un vague inconfort qu'on ne peut encore bien localiser ou identifier. Cela déconcerte en général le médecin, qui essaie de trouver des symptômes déclarés mais se trouve confronté à une pléiade de vagues douleurs et malaises, à une faiblesse musculaire, une petite fièvre ou simplement à une fatigue qui traîne. Cette sorte de prémonition diffuse ressentie dans le corps se produit même dans le cas d'une crise cardiaque ou d'une attaque subite, qui en fait ne se déclare nullement de façon soudaine. D'ordinaire, la victime aura eu des avertissements de la part de ses doshas, mais n'y aura pas prêté attention.

Une fois qu'un dosha se fixe quelque part, il déclenche en général une quatrième phase au cours de laquelle les premiers symptômes spécifiques d'une maladie commencent à apparaître. Si le Pitta s'est logé dans la peau, vous sentirez peut-être une légère démangeaison ou inflammation. S'il s'est fixé dans l'estomac, vous pourrez ressentir des brûlures ou des maux d'estomac. (En cas d'apparition de symptômes d'une maladie, il ne faudrait pas toutefois s'en prendre simplement au dosha Pitta. N'importe lequel des trois doshas peut se loger n'importe où. Si un excès de Vata se loge dans une articulation – lieu de prédilection pour lui car les articulations ont tôt fait d'absorber de l'ama –, il se pourrait très bien que vous soyez victime d'un accès d'arthrite.) Outre ces signes bien vagues, on ne peut trouver encore aucune autre indication annonciatrice d'une maladie sérieuse en cours de développement.

Parce que l'Ayurvéda Maharishi fonctionne à un niveau du corps beaucoup plus subtil, il devient possible de noter des symptômes demeurant souvent tout à fait mystérieux aux yeux des Occidentaux, tels que douleurs inexplicables, anxiété, dépression, fatigue, etc. La médecine occidentale tend à dire que ces problèmes sont psychosomatiques, c'est-à-dire que leur source est dans la tête du malade. En fait, ils prennent leur origine dans les phases antérieures d'un déséquilibre de dosha. Il demeure aisé de les traiter tant qu'ils sont encore au stade 1, 2 ou 3, car l'on peut, avec efficacité, avoir recours aux régimes, aux plantes, à l'exercice, à une routine quotidienne et à une technique de purification du corps spéciale que l'on appelle *panchakarma* (qui sera évoquée plus loin).

Mais s'il s'agit de traiter une maladie déjà complètement déclarée, les dégâts causés dans les tissus organiques excèdent souvent largement ce que ces traitements peuvent réparer. Il faut alors avoir recours à des thérapies ayurvédiques plus profondes, ou faire appel à la médecine occidentale, mise au point avant tout pour traiter toutes sortes d'états critiques.

Comment peut-on savoir à quel moment va commencer la phase 4 (apparition des tout premiers symptômes) ? Chez la plupart des adultes ayant dépassé 40 ans, on n'a pas besoin de chercher bien loin, puisque ceux-ci ont déjà pu éprouver de vagues douleurs et maux en de multiples reprises. Lorsque le corps a été soumis à un déséquilibre sur le plan du régime, du comportement ou des émotions depuis des années, il va accumuler constamment de l'ama, et l'ama par nature va attirer à lui le premier dosha errant dans les parages. Il n'y a pas de quoi s'alarmer toutefois : ce que votre corps vous dit dans la phase 4, ce n'est pas que vous êtes en grave danger, mais qu'il vous est nécessaire de débarrasser vos tissus des doshas en excès. Une fois cela accompli, Vata, Pitta et Kapha retrouveront leur équilibre naturel. Cette approche fondamentale, qui consiste à « parler » aux doshas par le biais de simples changements dans le régime ou la routine quotidienne, peut aboutir à des résultats remarquables, même dans le cas de maladies graves.

Comment équilibrer vos doshas

Dans les pages qui suivent, j'indique des conseils généraux permettant de rééquilibrer Vata, Pitta et Kapha. Il existe quatre grands domaines de la vie dont il faut s'occuper si l'on veut atteindre l'équilibre et s'y maintenir :

Le régime

L'exercice

La routine quotidienne

La routine saisonnière

Je consacrerai des chapitres séparés à chacun d'entre eux par la suite, dans la 3e partie ; nous nous contenterons pour le moment d'en parler en termes plus généraux, afin que vous ayez une compréhension de base de la façon dont vous pouvez affecter vos doshas, une sorte d'« abécédaire de vie » qui commencerait à partir de votre corps quantique.

Notez d'emblée une mise en garde importante : les points ci-après ne sont donnés *qu'en vue seulement d'une prévention*. Ils ne conviennent pas comme traitements des maladies et ne remplacent pas l'avis d'un médecin. Si vous ressentez tel ou tel symptôme de maladie, le rétablissement de l'équilibre de vos doshas est vital, mais ne constitue pas toute l'histoire. Il est nécessaire que vous subissiez un diagnostic complet, établi par un médecin formé à l'Ayurvéda Maharishi, qui vous conseillera un programme médical tout à fait adapté à votre propre condition.

Pour tous ceux d'entre nous qui sommes en bonne santé, les renseignements qui suivent sont toutefois inestimables et uniques. Si ces points ont pu être rassemblés, c'est grâce à cinq années d'étude des anciens traités ayurvédiques, grâce également à la sagesse des experts ayurvédiques vivant aujourd'hui en Inde, grâce enfin à notre propre expérience de soins donnés à des milliers de patients aux États-Unis.

Considérez les conseils ci-dessous avec beaucoup de circonspection. Il ne s'agit pas de règles rigides auxquelles il faudrait s'astreindre. On peut passer toute sa vie à courir après le but de l'équilibre sans jamais l'atteindre, parce que c'est à chaque instant de chaque jour que les doshas connaissent des fluctuations. Pourtant, l'équilibre est la chose la plus simple au monde. La Nature vous a déjà doté des instincts adéquats pour le trouver ; les principes que nous donnons ci-dessous ne sont là que pour vous aider à découvrir et à aiguiser ces instincts.

Pour la plupart des gens, le régime constitue la tentation la plus forte. Chacun de nous est plus ou moins fanatique à l'égard des aliments qui nous paraissent bons ou mauvais pour nous. Du fait que l'Ayurvéda a énormément de choses à dire sur la nourriture, il serait facile d'utiliser ces connaissances pour venir appuyer nos obsessions vis-à-vis de tel ou tel régime. Mais si vous êtes prêt à adopter le bon angle, vous vous apercevrez que tous ces renseignements inédits ne sont en fait rien d'autre qu'une manière d'éveiller votre corps. L'Ayurvéda Maharishi n'affirme pas que tel aliment est « bon » et tel autre « mauvais ». Au contraire, c'est vous qui allez découvrir ce qui est bon ou non pour vous, en « écoutant » vos propres doshas.

Ainsi ne vous perdez donc pas dans les détails, en essayant par exemple de savoir si votre nourriture est trop chaude ou trop froide, trop lourde ou trop légère, trop grasse ou trop sèche. Chaque fois qu'un dosha fluctue, on pourrait avoir recours à tel ou tel aliment pour éviter au corps de perdre son équilibre. Mais si nous adoptons une telle attitude pour trouver l'équilibre, le processus risque de dégénérer rapidement en une sorte de fanatisme. Ce n'est pas une voie qui pourra conduire à la connaissance de soi. Chaque jour, une nouvelle « conversation » se passe entre vous et votre corps ; les suggestions suivantes indiquent le type de « discours » qu'aimera en général entendre votre constitution propre.

Points généraux pour une vie équilibrée

Pour équilibrer Vata

- Habitudes régulières
- Chaleur
- Calme
- Apport régulier de nourriture
- Attention particulière à porter
- Massage à l'huile de sésame sur l'absorption de liquides *(ablounga)*
- Moins d'excitations stressantes
- Repos suffisant

Parce que Vata est le « roi » des doshas, chacun devra se faire un devoir de veiller en premier lieu à ce qu'il soit bien équilibré ; une fois Vata ramené à l'équilibre, il va entraîner Pitta et Kapha à sa suite.

Le point clé pour équilibrer le dosha Vata est la régularité. Vata est si sensible et prompt à fluctuer qu'il devient facilement la proie d'une stimulation excessive. Les personnes Vata adorent la variété, mais si les choses changent trop, leur enthousiasme se mue en épuisement. C'est la raison pour laquelle tant de Vatas se sentent éreintés et nerveux. La source de leur agitation vient de ce que le dosha Vata ne programme plus les rythmes adéquats dans leur corps. Au lieu de manger, dormir et faire de l'exercice régulièrement, les Vatas, une fois déséquilibrés, vont avaler de la nourriture quand ils pourront trouver un petit moment, vont sauter des repas, faire de l'exercice d'une façon fantaisiste et aller se coucher à des heures indues.

Une telle vie serait mauvaise pour tous les doshas, mais elle est bien pire encore pour Vata. Un bon nombre de personnes Vata persistent pourtant à vivre ainsi. Il est triste de voir qu'elles se sont conditionnées à croire qu'une vie en dents de scie revenait au même qu'une vie stimulante. Le remède est de commencer à reprendre des habitudes mieux équilibrées et à prêter un petit peu plus d'attention à la régularité dans la vie quotidienne.

Si vous êtes sujet à des signes de déséquilibre Vata, les points ci-dessous pourront vous aider à réajuster votre routine quotidienne afin que celle-ci soit plus en accord avec le dosha Vata :

- Accordez-vous beaucoup de repos ; ceci est capital pour tout problème d'origine Vata. Dès que vous sentez que vous forcez trop ou que vous allez trop loin dans telle ou telle activité (y compris l'activité mentale), faites une pause et reposez-vous cinq minutes. Il est également d'une importance vitale d'avoir suffisamment de sommeil chaque nuit ; vous ne devriez pas en arriver à accepter les insomnies avec résignation, même si vous en avez été victime pendant des années. Le meilleur repos, en dehors du sommeil, viendra de la relaxation profonde que procure la méditation. Nous demandons à chaque patient d'apprendre la MT (Méditation transcendantale), car cela lui donne une chance de faire l'expérience de la relaxation profonde. Le dosha qui va en retirer le plus grand avantage est Vata, car, grâce à cette forme de méditation, après seulement quelques minutes de transcendance, il va en ressortir totalement apaisé et rafraîchi. Un autre avantage plus profond encore en découle aussi : la méditation facilite l'intégration du lien entre le corps et l'esprit et celle-ci, à son tour, permet à chacun des cycles naturels du corps de se faire dans sa complétude, de passer doucement et progressivement par un début, un milieu et une fin. Dès que les Vatas se rendent compte que la plénitude est un état permanent au fond d'eux-mêmes, et non une fleur rare après laquelle il faut courir, ils accomplissent un pas énorme vers la découverte de leur véritable nature.

- Restez bien au chaud ; Vata étant un dosha froid, il va bénéficier de la chaleur ; Vata est également sec, aussi assurez-vous que l'atmosphère de votre chambre comporte assez d'humidité. Il est conseillé d'éviter les courants d'air, car Vata est extrêmement sensible aux mouvements d'air.

- Suivez un régime alimentaire qui apaise Vata (voir page 334). Dans votre cas, il sera également important de manger à heures régulières, car le dosha Vata s'aggrave si l'estomac reste à jeun. Les individus Vata dégénèrent vite s'ils se sentent malades ou cessent de manger régulièrement. Ils ont besoin de se nourrir tout au long de la journée, même si leur appétit est plutôt variable d'ordinaire. Faites en sorte de prendre le temps de vous asseoir et de manger trois repas par jour, y compris un petit déjeuner chaud et nourrissant composé d'aliments consistants, tels que des céréales chaudes. Le fait de prendre un petit peu de gingembre frais avant les repas permet de stimuler l'appétit et favorise la digestion.

- Buvez de grandes quantités de liquides *chauds* au cours de la journée, pour éviter de vous déshydrater. Les infusions Vata, que l'on peut se procurer sur commande, constitueront le meilleur choix ; vous pouvez en boire jusqu'à quatre tasses par jour. Évitez toute nourriture et boisson trop froides.

- Massez-vous le corps avec de l'huile de sésame le matin. Cette routine ayurvédique s'appelle *abhyanga* (voir page 320 pour plus de détails).

- Prenez un long bain chaud ou une douche avant de méditer le matin. Une chaleur humide est bonne pour les maux et douleurs des Vatas.

- Évitez le surmenage mental et tout excès de stimulation. La musique forte, les films violents et les longues heures passées devant la télévision, le soir en particulier, sont autant de facteurs puissants d'aggravation de Vata.

- Agrémentez votre environnement pour qu'il soit léger et coloré. Vata réagit bien à la lumière du soleil et aux couleurs gaies. Si vous êtes malade, il sera bon de vous asseoir au soleil derrière une fenêtre fermée. Résistez cependant à la tentation de sortir même un petit moment, jusqu'à ce que vous soyez de nouveau remis sur pied. Allez voir les gens qui vous rendent gais, lisez des livres amusants, regardez des émissions légères et pleines d'humour. Tout ce qui vivifie l'enthousiasme naturel de Vata et réduit son inquiétude sera très utile.

- Ne buvez pas d'alcool pendant la période où vous essayez d'équilibrer Vata, car ce dosha réagit mal aux excitants de toutes sortes, y compris café, thé et nicotine. Toute personne sensible aux déséquilibres Vata devra rester très vigilante à cet égard. L'idéal est de cesser complètement ces habitudes.

- Les Vatas connaissent souvent des périodes de sécheresse du nez en hiver, ce qui peut les conduire à attraper fréquemment des rhumes. Pour compenser cet inconvénient, versez une goutte d'huile de sésame sur le bout d'un doigt et frottez doucement l'intérieur d'une narine, puis de l'autre. Pincez-vous ensuite le nez et inspirez, puis, par petits mouvement rapides, cessez les pressions sur les narines et inspirez de nouveau, afin de permettre à l'huile de sésame de pénétrer dans les cavités nasales ; ne forcez pas cependant et n'essayez pas de déboucher les sinus. Ce traitement est particulièrement calmant par temps froid et sec ; bien des personnes Vata ont pu noter que leur résistance aux rhumes et à la grippe s'est considérablement accrue et, de plus, cela permet en général de tonifier les sinus.

L'opération peut donc être pratiquée par tout le monde, et non pas simplement les Vatas. Ce traitement pourra être répété jusqu'à douze fois par jour. (Si vos sinus sont bouchés, toutefois, vous ne devriez pas trop insister ; l'huile aggravera le dosha Kapha, qui est bien souvent à l'origine des sinusites chroniques.)

Pour équilibrer Pitta

- Modération
- S'exposer à la beauté naturelle
- Fraîcheur
- Équilibre entre repos et activité
- Accent mis sur les loisirs
- Réduire les excitants

Le point clé pour équilibrer Pitta est la modération. Faites en sorte de ne pas trop vous surmener. Entre toutes les constitutions, Pitta est celle qui est dotée le plus naturellement de punch, d'agressivité et d'énergie. Les Pittas sont des gens qui foncent tête baissée dans la vie et qui adorent les défis ; pour eux, plus ceux-ci seront difficiles, mieux ce sera. Mais ce tonus intérieur est souvent la source de leurs troubles. Pitta vous donne une énergie fougueuse ; si vous en abusez, elle vous consumera. Les « fanatiques du boulot » sont en général des Pittas déséquilibrés, surtout si leur caractère est enclin à la colère et à l'impulsivité.

Les personnes Pitta doivent consciemment se refréner dès qu'elles voient certains signes de danger, le plus évident étant la perte de douceur dans leurs émotions et la perte de modération dans leurs appétits. Dans le tempérament Pitta, un amour inné de la beauté est également important. Parmi tous les points mentionnés ci-dessous, le thème principal qui se dégage pour les Pittas est d'« adopter un mode de vie qui suive la règle du juste milieu ».

Si vous êtes sujet à des signes de déséquilibre Pitta, les points ci-dessous pourront vous aider à réajuster votre routine quotidienne afin que celle-ci soit plus en accord avec le dosha Pitta :

- Prenez le temps de décompresser après l'activité : une alternance entre repos et activité est le rythme de base de la vie. À cause de la très grande faculté qu'ils ont à être actifs, les Pittas ont tendance à ignorer l'autre facette du cycle : la nécessité pour eux de trouver un îlot de calme à la fin de leur journée de travail. Aussi sera-t-il conseillé dans votre cas de manger votre dîner paisiblement, de débrancher votre téléphone le soir, et de résister fermement à la tentation d'emporter votre travail à la maison. Pour chacun d'entre nous, cet îlot de calme réside en fait tout au fond de nous ; mais les Pittas, lorsqu'ils sont déséquilibrés, perdent fréquemment cela de vue. La méditation est très utile pour retrouver calme intérieur et équilibre. Elle vous permet également de vous souvenir que le repos est à la source de toute activité dynamique. Le secret des grands coureurs ne réside pas finalement dans leurs jambes ; il demeure dans cette puissance qu'ils accumulent en eux-mêmes au moment où ils prennent leurs marques, avant même de se mettre à courir. Lorsque les Pittas découvrent que le plus grand pouvoir personnel s'obtient sans agressivité, ils accomplissent un pas énorme vers la découverte de leur véritable nature.

- La fraîcheur sous toutes ses formes aide à compenser l'excès d'activité des Pittas. Maintenez la température de votre chambre aux environs de 20 °C pendant que vous dormez, et ne restez pas trop longtemps dans un bain très chaud ; trop de chaleur humide pourrait vous donner des vertiges ou la nausée en cas de déséquilibre Pitta. Si à un moment quelconque vous sentez que vous avez trop chaud, appliquez-vous une compresse fraîche sur le front et la nuque, plutôt que de boire trop d'eau froide. (L'eau glacée, qui éteint le feu digestif, n'est pas du tout recommandée en Ayurvéda.) Les boissons fraîches et sucrées, à condition qu'elles ne soient pas trop amères, seront également bonnes (jus de pomme, jus de raisin, sodas...). Faites en sorte de boire abondamment par temps chaud ou si vous vous sentez malade ; les Pittas ont en effet un penchant à transpirer davantage et à éliminer beaucoup d'eau dans de telles circonstances. Une tisane spéciale, que l'on pourra se procurer sur commande, a été conçue pour pacifier Pitta ; vous pouvez en boire jusqu'à quatre tasses par jour.

- Suivez un régime alimentaire qui apaise Pitta. Il est important de ne pas trop manger, ce que tendent à faire les Pittas qui forceraient trop leur excellent pouvoir de digestion. D'un autre côté, il ne s'agit pas d'avoir faim jusqu'à en éprouver un malaise ; les Pittas souffrent lorsqu'il leur faut sauter des repas. Plutôt que d'en venir à de tels extrêmes, prenez des repas modérés, à heures régulières, trois fois par jour. Si votre digestion est instable, du lait chaud additionné de sucre et de cardamome aidera à ramener Pitta à l'équilibre. Si vous sentez que vous avez constamment un appétit d'ogre et une soif excessive, il vous faut modérer votre digestion, et un régime visant à pacifier Pitta vous y aidera (voir page 342).

- Dans les cas où votre appétit semble insatiable, n'essayez pas de vous forcer brusquement à manger moins, mais diminuez plutôt vos rations progressivement, en commençant par manger des portions de l'ordre des trois quarts de ce que vous mangez normalement. Maintenez cette quantité pendant un jour ou deux, puis réduisez-la, passant à la moitié de votre consommation normale. Une fois parvenu à ce point, vous devriez avoir atteint un seuil de nourriture raisonnable et agréable. Continuez de la sorte jusqu'à ce que vous en arriviez à ressentir une déplaisante sensation de faim ; dans ce cas, il sera bon d'en revenir à la première réduction. Une quantité de nourriture qui tient approximativement dans les paumes des deux mains jointes correspond à l'idéal ayurvédique. (Ce régime a été conçu à l'origine par le sage Charaka, la plus grande autorité des temps antiques en matière d'Ayurvéda.) La saveur d'aliments amers est le meilleur moyen de juguler l'appétit ; aussi pouvez-vous essayer de boire de l'eau gazeuse pétillante (Schweppes) en guise d'apéritif avant les repas ou de manger une salade composée de légumes verts amers, tels que chicorée, endives et laitue (romaine).

- Évitez les stimulants artificiels, qui augmentent tous Pitta. La consommation d'alcool sous toutes ses formes revient à jeter du kérosène sur le feu Pitta (même la levure fermentée qui se trouve dans le pain n'est pas considérée bonne pour équilibrer Pitta). Il n'est nullement nécessaire que vous attisiez le feu de votre « four » digestif en y déversant les inutiles calories de l'alcool. L'inconvénient de la caféine dans le café et le thé est qu'elle aiguise votre énergie, alors qu'il vous faudrait plutôt l'émousser.

- Traditionnellement, l'Ayurvéda considère que les traitements laxatifs *(virechana)* constituent le meilleur moyen de réduire l'excès de Pitta. Cela vient de ce que le fait de vider les intestins pendant un bref moment apaise le « feu digestif ». Vous pouvez essayer de prendre une grande cuillerée d'huile de ricin avant d'aller vous coucher, une fois toutes les quatre ou six semaines (mais pas plus souvent). Normalement, le laxatif vous réveillera deux ou trois fois au cours de la nuit pour aller aux toilettes ; buvez un verre d'eau chaude après chaque élimination pour éviter de vous déshydrater. Le lendemain, le corps va se sentir plutôt détendu et paresseux ; aussi, mangez très peu, ne prenant peut-être que quelques verres de jus de fruits. Si vous mangez de la nourriture solide, évitez tout ce qui est lourd, graisseux, froid ou huileux. Accordez-vous beaucoup de repos. *Toutefois, ne prenez pas de laxatifs si vous avez des douleurs intestinales, des saignements, ou avez été sujet dans le passé à des troubles digestifs.*

- Prenez bien garde de n'absorber que de la nourriture, de l'eau et de l'air purs, car Pitta est particulièrement sensible aux impuretés de toutes sortes. Les conservateurs alimentaires, même si on estime qu'ils sont non toxiques dans l'ensemble, peuvent générer des déséquilibres métaboliques, qui, même s'ils sont légers, peuvent contrecarrer votre but de parvenir à un équilibre parfait.

- Évitez tout effort physique intense ou de vous exposer trop longtemps à la chaleur extérieure. Les Pittas se fatiguent facilement lorsqu'il fait chaud. La pâleur de leur peau – signe que celle-ci supporte mal le soleil – sera d'ordinaire un bon garde-fou pour les inciter à se mettre à l'abri. L'Ayurvéda recommande de ne pas du tout se fatiguer l'été. Commencez par rester dix minutes au soleil puis augmentez progressivement le temps d'exposition jusqu'à une demi-heure, en prenant bien soin de protéger votre peau avec une lotion solaire. Dans votre cas, la matinée et la fin de l'après-midi seront les meilleurs moments pour sortir, plutôt qu'en plein midi.

- Savourez les beautés de la nature aussi souvent que possible ; traditionnellement, l'Ayurvéda recommande aux Pittas de passer du temps à contempler le coucher de soleil, la pleine lune, ou de marcher le long des lacs et des cours d'eau. Tout cela est très apprécié du dosha Pitta. En général, les personnes Pitta ressentent qu'un beau paysage est très propice à l'apaisement ; cela captive bien plus leur attention que le fait de s'asseoir simplement dans la véranda. Évitez de lire des livres ou de regarder des spectacles qui soient violents, choquants ou sujets à controverse, car ces trois influences aggravent fortement Pitta. Réservez-vous chaque jour un temps de loisir qui soit élevant, humoristique et distrayant, car de telles influences facilitent l'adoucissement des angles de Pitta. Elles vous détourneront également de votre tendance à vous impliquer trop dans les buts bien définis que vous vous serez fixés. Les Pittas savent déjà parfaitement bien ce que veut dire « être sérieux » ; aussi, pour leur remonter le moral, ce dont ils auront besoin plus que quiconque est de rire. En maints égards, cela constituera le meilleur antidote conçu par la nature pour remédier aux aggravations de Pitta.

Pour équilibrer Kapha

- Stimulation
- Variété des expériences
- Exercice régulier
- Chaleur, sécheresse
- Contrôle du poids
- Réduire le sucré

Le point clé pour équilibrer Kapha est la stimulation. Par nature, le dosha Kapha est stable et lent, ce qui apporte fiabilité et force. Mais les Kaphas en déséquilibre s'en tiennent trop strictement au statu quo ; ils ont besoin d'être stimulés, et cette stimulation leur sera donnée grâce à des visions et sons neufs, à des rencontres et événements nouveaux. Il en sera de même sur le plan physique : privés d'activité, les Kaphas pourront devenir léthargiques et mous. Ceci est lié directement à leur digestion lente. Comme nous l'avons vu, si la nourriture n'est pas digérée complètement (ou si elle est trop lourde, huileuse ou indigeste en soi), des déchets toxiques appelés « ama » peuvent obstruer le système et finalement causer une maladie. Les personnes Kapha sont particulièrement sujettes à ce problème et doivent s'assurer de maintenir leur feu intérieur en faisant régulièrement de l'exercice et en adoptant un régime varié.

Les Kaphas passeront lentement de l'équilibre au déséquilibre, aussi sera-t-il bon pour eux de veiller à maintenir ce dosha en équilibre. Si vous aggravez Vata aujourd'hui, vous en ressentirez vraisemblablement les effets demain. Mais vous pouvez aussi manger pendant tout un hiver des aliments qui aggravent Kapha et ne pas vous apercevoir de votre erreur avant la venue du printemps : le dosha qui se sera accumulé va alors « fondre » et vous infliger un rhume ou une congestion des sinus, comme on voit cela se produire si souvent au printemps. Si vous vous référez à la liste des vingt-cinq gounas (voir page 93), vous remarquerez que Vata et Kapha n'ont aucune qualité en commun, excepté celle du froid. En conséquence, les individus Kaphas tendront à avoir des besoins exactement inverses à ceux des Vatas. Voilà pourquoi la stratégie Kapha de la stimulation est à l'opposé de la règle Vata du repos. Les Vatas sont comme des lapins, les Kaphas comme des éléphants.

Si vous êtes sujet à des signes de déséquilibre Kapha, les points ci-dessous pourront vous aider à réajuster votre routine quotidienne afin que celle-ci soit plus en accord avec votre dosha dominant :

- Recherchez la variété dans la vie. Les Kaphas ont besoin de faire un effort conscient pour vivre de nouvelles expériences. Ils adorent leur foyer et leur gîte, ce qui les détourne du danger de courir et de s'éparpiller. Mais ils ont un penchant marqué à la stagnation, pouvant les mener à la dépression, fléau qui afflige nombre de Kaphas déséquilibrés. Tout comme pour les autres doshas, la méditation est très utile à cet égard ; elle permet aux Kaphas de découvrir la vivacité sous-jacente à leur nature. Ce qui rend la vie véritablement stimulante n'est pas la diversité extérieure mais l'étincelle d'éveil au fond de nous. En nous concevant, la nature avait pour dessein de nous inciter à accorder un vif intérêt à des idées neuves, à de nouveaux visages et à des créations pleines d'innovation. (L'homme est, dit-on, la seule créature qui est prête à traverser les océans simplement pour voir ce à quoi ressemblent les hommes d'en face.) Après quelque temps seulement de pratique de la méditation, les Kaphas, qui se contentaient jusqu'alors de regarder passer la parade, vont désormais se rendre compte que leur désir réel est en fait d'y participer. Les Kaphas ont tendance à être possessifs dans la vie, à accumuler et épargner tout ce qui se présente sur leur chemin, que ce soit de l'argent, de l'énergie, des promotions sociales ou de l'amour. Lorsqu'ils découvrent qu'ils peuvent lâcher prise et faire usage de leur force robuste comme d'un carburant pour évoluer, ils font un pas énorme dans la direction de leur évolution personnelle. Leur remarquable faculté d'aimer et d'être aimés se renforcera encore deux fois plus.

- Adoptez un régime alimentaire visant à pacifier Kapha ; il importe de ne pas trop manger si vous êtes Kapha, à cause de cette tendance à l'obésité qui est nettement présente chez vous. Une infusion de gingembre chaude prise au cours des repas vous aidera à stimuler les papilles gustatives si elles sont émoussées ; elle permettra aussi à une digestion lente d'être plus efficace, tout comme le ferait une petite cuillerée de graines de fenouil entières, mâchées après les repas. Dans les cas de forte congestion, l'Ayurvéda recommande de préférer les aliments secs et les saveurs astringentes (causant une sensation de « resserrement » des muqueuses). Les biscottes ou biscuits secs, les pommes, les crackers, le curcuma et une large gamme de légumes crus seront bénéfiques pour éviter qu'un excès de

Kapha ne s'accumule et pour tonifier les voies digestives.

- Réduisez le sucré. Kapha est le seul dosha qui soit fortement associé à une saveur : le sucré. Quel que soit le nombre de calories absorbées, les Kaphas vont prendre du poids et s'écarter de l'équilibre si leur régime comporte trop de nourriture sucrée. Le fait d'éviter les glaces, le lait, les desserts sucrés, le pain à base de blé et le beurre (aliments qui sont tous considérés sucrés en Ayurvéda) fera une grande différence pour tout ce qui concerne les problèmes de nez qui coule, de sinus obstrués, d'allergies et de léthargie, problèmes dont souffrent les Kaphas déséquilibrés. À la longue, des excès d'aliments sucrés peuvent favoriser l'apparition du diabète, cette maladie grave propre aux Kaphas. Heureusement, il existe quand même un édulcorant naturel – le miel cru – qui est bénéfique pour Kapha. Une ou deux grandes cuillerées de miel par jour (mais sans plus) facilite l'expulsion d'excès de Kapha hors de l'organisme.

- Restez bien au chaud. Kapha étant un dosha froid, il va bénéficier de la chaleur. Une chaleur sèche est préférable si vous êtes congestionné, trouble fréquent chez les Kaphas. Le fait de diriger une lampe à rayons ultra-violets sur votre poitrine ou d'utiliser un coussin chauffant sous votre dos aura souvent des effets bénéfiques en cas d'excès de Kapha.

- Évitez l'humidité. Kapha est particulièrement sensible aux atmosphères froides et humides. Prenez garde en hiver de ne pas exposer nez, gorge et poumons à l'air froid, si vous vous sentez malade.

- Massez votre corps à sec pour stimuler la circulation. Cette procédure s'appelle le *garshana* (voir page 179) et se fait au moyen de gants spéciaux en soie sauvage (disponibles sur commande). Mieux vaut ne pas utiliser d'huile en cas d'aggravation de Kapha, ce dosha étant déjà lui-même huileux. Se masser vigoureusement tout le corps pendant cinq à dix minutes sera suffisant ; n'allez pas jusqu'au point d'en ressentir de la fatigue. Si vous ne disposez pas de gants, une éponge de luffa (éponge végétale) pourra être utilisée en remplacement.

- Buvez des liquides *chauds* au cours de la journée, mais prenez-en avec modération, Kapha étant déjà humide. Pour fluidifier une congestion et adoucir des maux de gorge, une infusion d'un quart de cuiller à café de gingembre sec et de curcuma s'avérera efficace. On pourra également commander une infusion spéciale, conçue par l'Ayurvéda Maharishi pour pacifier Kapha. Vous pouvez en boire jusqu'à quatre tasses par jour.

- Faites régulièrement de l'exercice, de préférence tous les jours. C'est l'un des meilleurs moyens d'éviter la stagnation et l'accumulation de toxines dans le corps. Comme les Kaphas sont généralement des gens forts et bien musclés, ils tendent à être des athlètes naturels dans leur jeunesse ; mais une fois parvenus à l'âge adulte, la venue des responsabilités rendra la plupart des Kaphas sédentaires. Cela est dommage car, entre toutes les constitutions, ce sont les Kaphas qui vont tirer le meilleur profit de l'exercice ; aussi se devraient-ils de rester actifs à tout âge.

- Faites preuve d'honnêteté vis-à-vis de vous-même lorsque vous tombez malade et que vous avez besoin de récupérer. Les Kaphas ont une excellente résistance et apprécient beaucoup l'activité physique ; leur seuil de tolérance à la douleur est très élevé et ils ne se mettront pas au lit à moins d'être très malades. Si cela est votre cas, souvenez-vous de ne pas vous fatiguer lorsque vous êtes malade au point de devoir garder le lit. C'est qu'en effet vous serez alors probablement deux fois plus malade que la plupart des gens. Les Kaphas peuvent être très mélancoliques, sauf s'ils sentent que l'on prend bien soin d'eux, aussi n'hésitez pas à permettre à vos amis et parents de s'occuper un peu plus de vous lorsque vous n'êtes pas bien.

- La congestion des sinus frontaux est un problème courant chez les Kaphas, qui peut être prévenu grâce à une technique simple : dissolvez un quart de cuiller à café de sel dans une demi-tasse d'eau chaude. Au-dessus d'un évier, versez un petit peu d'eau salée dans le creux d'une main. Fermez la narine gauche, penchez-vous en avant et inspirez vivement l'eau à plusieurs reprises par la narine droite, de telle sorte qu'elle pénètre dans les sinus. Fermez la narine droite et répétez l'opération de l'autre côté. N'inspirez pas profondément car cela ferait passer de l'eau dans vos poumons, et ne forcez pas votre inspiration si vos sinus sont bouchés. Peut-être allez-vous vous mettre à éternuer ou à avoir le nez qui coule, mais c'est bon signe. Recommencez l'opération deux ou trois fois si nécessaire. Ce traitement sera plus efficace après avoir réchauffé les sinus avec une douche chaude. Si vous ressentez une douleur quelconque ou si un diagnostic a révélé que vous aviez une infection des sinus, cessez le traitement immédiatement, celui-ci ayant pour objectif de tonifier les orifices du nez, et non de soigner un état pathologique déclaré.

COMMENT PRATIQUER LE GARSHANA

Ce massage à sec devrait être pratiqué le matin, pendant une durée de trois à quatre minutes, avant de prendre un bain et de vous habiller. Une fois enfilés les gants de soie spéciaux, servez-vous de vos deux mains pour vous masser la peau rapidement et assez vigoureusement. Sur les bras et les jambes, massez en longueur en faisant des mouvements de va-et-vient. Au niveau des articulations, le massage se fera par petits mouvements circulaires : épaules, coudes, poignets, etc. Au début, il suffira de faire de 10 à 20 larges frictions ; au fil du temps, on pourra en augmenter le nombre jusqu'à 40.

1. Commencez par masser la tête, au moyen de vives frictions circulaires et de plus amples lorsque vous atteignez la nuque et les épaules. Alternez ensuite ces deux mouvements lorsque vous descendez le long des bras : massages circulaires à l'articulation de l'épaule, massages en longueur sur le haut du bras, circulaires au niveau du coude, en longueur sur l'avant-bras, circulaires au poignet, en longueur sur la main, et pour finir massages circulaires sur les articulations des doigts.

2. Passez ensuite à la poitrine : massez horizontalement en exerçant d'amples frictions, mais évitez de masser directement les zones situées au-dessus du cœur et de la poitrine.

3. Massez deux fois de suite horizontalement la région de l'estomac, puis en diagonale deux fois également. Tout en maintenant cette alternance de rythme, passez à la partie inférieure de l'abdomen, puis au bas du dos, au fessier et aux cuisses, en portant une attention toute particulière aux endroits où se trouve de la graisse en excès. (Cette phase permet de faciliter la circulation dans ces zones et de libérer les toxines dues à des excès de Kapha et de graisse.)

4. Mettez-vous debout et massez les articulations des hanches en faisant des mouvements circulaires. Descendez ensuite le long des jambes et massez-vous de la même façon que le long des bras : frictions amples sur les os longs de la jambe, circulaires sur les genoux et les chevilles, et terminez par des massages en longueur sur les pieds.

Combiné avec des exercices de yoga, le garshana s'avérera particulièrement utile pour éliminer la cellulite.

II

LE CORPS QUANTIQUE HUMAIN

6

Une médecine quantique pour le corps quantique

Au cours de l'éternel voyage vers la connaissance de soi, les trois doshas constituent des jalons importants pour nous guider vers le monde intérieur, seul lieu où l'intelligence sous tous ses aspects – pensées, émotions, élans, instincts, souhaits et croyances – peut être transformée. Mais les doshas ne sont réellement qu'une halte d'étape à mi-chemin. Au-delà d'eux existent des révélations plus profondes encore. Dans cette 2e partie, j'aimerais accéder à ces plus grandes profondeurs en explorant le corps quantique humain, expression utilisée par l'Ayurvéda Maharishi pour désigner la programmation invisible qui crée, façonne et contrôle notre structure physique.

Dans le chapitre 1, j'ai indiqué quelques-uns des principes fondamentaux qui sous-tendent le corps quantique ; il s'agit d'un réseau d'intelligence, d'un savoir-faire intégré non seulement par le cerveau, mais aussi par les 50 000 à 100 000 milliards de cellules du corps ; ce réseau réagit instantanément à nos moindres pensées et émotions, donnant lieu à ce flux, à ces changements constants qui caractérisent notre nature ; celle-ci ne se localise pas seulement dans l'espace-temps ; elle est bien plus globale, s'étendant dans toutes les directions comme un champ. Il n'est pas possible de voir le corps quantique, parce qu'il est entièrement constitué de très faibles vibrations, d'infimes fluctuations dans le champ ; mais il est possible d'en être conscient car les sens sont en fait profondément reliés au champ quantique, dont l'activité est plus fondamentale que la matière ou l'énergie. Le fait d'être conscient d'un niveau de la nature qui est de 10 à 100 millions de fois plus subtil que l'atome semble si surprenant que je voudrais m'étendre un peu sur cette notion.

L'exploration du monde extérieur

Vous savez déjà que les doshas sont comparables à un appareil de radio grâce auquel les pensées peuvent se transformer en matière. Au premier abord, cela paraît impossible. La matière est solide et stable ; on peut la voir et la toucher, la mesurer et la peser. Les pensées, au contraire, sont fluctuantes et invisibles ; on ne peut ni les voir ni les toucher, et s'il est possible de les mesurer (au moyen d'électroencéphalogrammes, ou EEG), cela reste quelque chose qui est encore très grossier. Comme l'a dit avec esprit un physiologiste, essayer de comprendre le cerveau par le truchement d'un EEG revient à essayer de comprendre les règles du football en posant des électrodes à l'extérieur de la tribune et en écoutant les clameurs de la foule.

Les lectures que l'on peut faire en examinant l'intérieur du crâne sont également tout à fait limitées. Grâce à une technologie ultra-moderne appelée TEP (Tomographie par émission de positrons), il est désormais possible de voir l'image d'une seule émotion ou perception forte au moment même où la personne en fait l'expérience. (Ceci grâce à l'étude des tracés obtenus par radio-isotopes au moment où le cerveau passe par le processus d'avoir une pensée.) Mais ces tracés, pour aussi révélateurs qu'ils soient, ne nous disent pas toutefois quelle sorte de pensée est étudiée : on ne saura pas distinguer l'amour de la haine, ni visualiser la différence entre un esprit sain et un esprit dérangé, et encore bien moins décoder l'incroyable subtilité et la miraculeuse diversité du lien unissant le corps à l'esprit.

La seule façon authentique de pénétrer en ce royaume ne peut se faire que subjectivement, en partant de l'intérieur du corps quantique. C'est là que se produit en effet le « truc » permettant de transformer l'esprit en matière. Si un jour vous êtes pris de frayeur en vous trouvant nez à nez avec un serpent dans les bois, votre cœur va se mettre à battre très fort, votre gorge va s'assécher et vos genoux se transformer en caoutchouc. En un rien de temps, dès le moment où, pris de panique, vous avez fait un bond en arrière, une transformation s'est produite en vous. L'impulsion mentale de votre esprit – complètement abstraite et immatérielle – s'est manifestée sur le plan physique sous forme de molécules d'adrénaline, qui sont très concrètes, tout à fait matérielles. La décision qui rend cela possible se produit subjectivement : c'est *vous* qui choisissez d'envoyer une faible impulsion à votre corps quantique et celui-ci va sans hésitation exécuter l'ordre qui lui est donné. Mais il existe d'autres options que celle de bondir de peur en arrière. Si vous n'étiez pas effrayé par les serpents, le déversement d'adrénaline n'aurait pas lieu ; au contraire, vous pourriez même générer des substances chimiques engendrant la joie, l'intérêt, le frisson de la découverte, ou bien encore vous pourriez avoir une réaction qui soit beaucoup plus neutre dans l'ensemble.

Un tel exemple prépare la voie à l'Ayurvéda Maharishi, qui soutient que c'est de votre esprit que dépend votre contrôle, votre faculté d'avoir *n'importe* quelle réaction désirée. Le grand malheur vient de ce que nous sommes tous « programmés » à l'avance selon des schémas extrêmement rigides ; ainsi, au lieu d'une infinité de réactions, nous ne sommes plus capables d'en éprouver que quelques-unes seulement. Pour cette raison-là, il nous faudra « payer le prix » : le lien corps-esprit va cesser de se faire sans effort et de manière naturelle ; le stress va commencer à s'accumuler et les signaux négatifs émis par l'esprit vont se mettre à endommager les cellules. Selon un ancien dicton indien, « si vous voulez savoir quelles étaient vos pensées d'hier, regardez votre corps d'aujourd'hui. Si vous voulez savoir à quoi ressemblera votre corps de demain, regardez vos pensées d'aujourd'hui ». La plupart d'entre nous aurions bien du mal à appliquer ce test sur nous-mêmes. La véritable médecine dont notre corps a besoin est la médecine de notre conscience.

La médecine quantique

Dès que vous savez qu'il existe, parallèlement au corps physique, un corps quantique qui lui correspond, bien des choses, restées jusqu'alors mystérieuses, vont commencer à s'expliquer. Voici par exemple deux faits assez déconcertants relatifs aux crises cardiaques :

1. Plus qu'à tout autre moment de la semaine, c'est le lundi matin à neuf heures que se produisent la grande majorité des crises cardiaques.

2. Les personnes qui sont le moins susceptibles d'avoir une crise cardiaque sont celles qui disent ressentir un fort degré de satisfaction au travail.

Une fois confronté à ces deux faits, on en vient à soupçonner qu'un aspect de « choix » est bien à l'œuvre ici. Même si les crises cardiaques sont censées frapper au hasard, il semblerait pourtant que quelques-unes d'entre elles au moins soient sous le contrôle des personnes qui en sont victimes. Les gens qui détestent leur travail finissent par le « quitter » un lundi matin en « se donnant » une crise cardiaque, tandis que ceux qui aiment leur travail vont rester fidèles au poste. (Il nous faut laisser de côté la question de savoir pourquoi ceux qui détestent leur travail ne choisissent pas une issue moins dramatique à leurs frustrations.) Pour la médecine conventionnelle, il n'existe pas de mécanisme connu pouvant conduire à une crise cardiaque au moyen de l'esprit. Selon le point de vue de l'Ayurvéda cependant, le cœur porte l'empreinte des impulsions qui emplissent l'esprit, y compris de toutes les déceptions, les peurs et les frustrations qui l'assaillent. Au niveau quantique, l'esprit et le corps ne font qu'un ; par conséquent, il n'est nullement surprenant qu'une insatisfaction profonde, refoulée, enfouie dans l'esprit, en vienne à se manifester sous forme de son équivalent physique : une crise cardiaque.

En vérité, toute insatisfaction *devra* s'exprimer physiquement, car toutes nos pensées se transforment en substances chimiques. Lorsque vous êtes heureux, des particules émises par le cerveau vont voyager dans tout le corps, faisant connaître votre bonheur à chacune de vos cellules. Quand elles enregistrent le message, ces cellules « deviennent heureuses », elles aussi ; c'est-à-dire qu'elles se mettent à fonctionner avec plus d'efficacité en modifiant leurs propres processus chimiques. Par contre, si vous êtes déprimé, l'opposé va se produire aussi. Votre tristesse sera transmise chimiquement à chaque cellule et provoquera par exemple une sensation de douleur au cœur, ainsi qu'un affaiblissement du système immunitaire. Tout ce que nous pensons et faisons prend sa source à l'intérieur du corps quantique pour émerger ensuite à la surface de la vie.

Vous avez probablement déjà entendu parler d'expériences au cours desquelles des sujets sous hypnose parviennent à accroître la sensation de chaleur dans leurs mains, ou à faire apparaître des plaques rouges – voire même des boutons – sur leur peau, simplement à cause d'un pouvoir de suggestion. Ce mécanisme n'est pas propre à l'hypnose. Nous faisons nous-mêmes la même chose à tout moment, seulement nous n'avons pas habituellement de contrôle conscient sur le processus. Il ne fait pas de doute que la victime d'une crise cardiaque serait choquée de découvrir que c'est elle en fait qui s'est « donné » sa crise. Et pourtant, si l'on veut bien dépasser ce que cela implique de sinistre, la nouvelle vraiment excitante à cet égard est que nous disposons tous de pouvoirs énormes, mais qui demeurent non exploités. Au lieu de créer inconsciemment la maladie, il nous est tout à fait possible de créer consciemment la santé.

Étant lui-même médecin, Gerald Rice comprit à quel point il était malade. Après avoir pratiqué la médecine pendant vingt-cinq ans dans des hôpitaux de Boston, un diagnostic lui révéla, à l'âge de 50 ans, qu'il était atteint d'une leucémie chronique, ou cancer des globules blancs. La vie de Gerald se poursuivit dans une angoisse croissante au cours des mois qui suivirent le diagnostic. Obsédé par son état, il se levait la nuit et, assis sur son lit, passait son temps à dévorer les revues médicales. Les articles qu'il lisait dans ces revues étaient très décourageants. Les patients atteints de cette forme particulière de leucémie n'ont en général que quelques années à vivre une fois posé le diagnostic initial.

Mais la maladie de Gerald n'en était qu'à ses prémices. Il ne remarquait aucun symptôme, sinon une fatigue anormale au cours de la journée. Toutefois le compte de ses globules blancs s'élevait bien au-dessus de 40 000, c'est-à-dire à un taux quatre fois supérieur au moins à la normale, qui se situe entre 4 000 et 11 000. Un institut de cancérologie de pointe à New York l'encouragea vivement à essayer de nouvelles formes de chimiothérapie tout à fait d'avant-garde, mais qui comportaient cependant des risques inconnus et ne pouvaient aucunement garantir qu'elles allaient l'aider à vivre plus longtemps. Il décida d'attendre, même si le fait de rester sans traitement l'effrayait. Un certain nombre de cancérologues lui dirent tous la même chose : aussitôt que le compte de ses globules blancs en viendrait à dépasser 50 000, il lui faudrait faire quelque chose. Gerald passait des nuits blanches, obsédé par ce chiffre comme par une frontière qu'il redoutait de franchir.

Comme il avait lu récemment que des cas de cancer avaient eu un heureux développement grâce aux traitements de l'Ayurvéda Maharishi, il s'en remit à nous. Gerald demeurait sur ses gardes et les premières questions qu'il posa trahissaient l'anxiété considérable qu'il éprouvait quant à la question de savoir où il mettait les pieds.

« Quel protocole suivez-vous pour traiter les leucémies chroniques ? » s'enquit-il immédiatement.

« Vous n'êtes pas ici dans une clinique spécialisée dans le traitement du cancer, lui répondis-je. Tous nos patients gravement malades commencent par suivre un traitement identique. »

Cela le choquait, puisque, selon les critères de sa pratique, chaque type de cancer a droit à une approche intensive particulière, étroitement délimitée. Dans l'Ayurvéda Maharishi, nous suivons une logique différente. Notre but est de permettre à chaque patient d'atteindre le niveau d'équilibre parfait qui demeure en lui, indépendamment de la gravité de son état. Le fait même d'expérimenter ce niveau conduit à la guérison, en permettant au corps d'avoir recours à ses propres ressources.

« Dans votre état actuel, ce sont des sentiments de terreur et de panique qui prédominent, lui dis-je. Vous envoyez des signaux de détresse accablants dans votre système immunitaire et, en tant que médecin vous-même, vous savez bien que la réaction immunitaire est extrêmement sensible à de tels messages. » Il lui fallut bien admettre que c'était vrai.

« Ce que nous voulons, c'est ramener votre esprit conscient à un niveau plus sain, en un lieu où cette maladie n'apparaît pas comme quelque chose d'aussi menaçant. Et finalement, nous aimerions que vous trouviez le lieu où votre maladie n'existe même pas. »

Cette dernière remarque le fit se rebiffer. « Mais elle existe bien ; elle *est* réelle. Me demandez-vous d'être aveugle devant cette évidence ? Si je ressens de la panique, c'est cette leucémie elle-même qui m'y contraint », protesta-t-il. Il commençait à s'agiter. Depuis le diagnostic accablant qui l'avait frappé, il avait lutté sans cesse pour tenter de rester complètement maître de lui. L'idée même de changer ses positions rigides et sa terreur était pour lui presque plus effrayante que sa maladie. Je m'empressai de le rassurer. Toutes sortes de traitements médicaux, qu'ils soient ayurvédiques ou occidentaux, seraient toujours là à sa disposition. Je resterais moi-même en contact avec son propre médecin et les plus grands spécialistes de la région de Boston. Mais à défaut d'une approche visant à soigner son être intérieur, je ne considérais pas que tel ou tel traitement médical externe, fondé sur les médicaments ou les rayons, puisse aller assez loin.

En cas de maladie grave, constituant parfois une menace pour la vie, bien des couches de déséquilibre peuvent empêcher l'accès à ces profondeurs où existe la guérison. Chaque couche est comme un masque cachant le « soi » à lui-même – on pourrait passer sa vie entière sans jamais soupçonner l'existence du corps quantique.

À ce niveau le plus profond, la santé parfaite est une réalité qui attend d'être portée à la surface de la vie. Le début de la perfection, disons-nous à nos patients, consiste à se défaire des imperfections. Pour cela, la tradition ayurvédique a transmis de nombreuses techniques, aussi bien physiques que mentales, qu'il revient au médecin d'utiliser.

« Si vous parvenez à percer le masque de la maladie et à contacter votre soi intérieur, ne serait-ce que quelques minutes par jour, vous accomplirez d'immenses pas vers la guérison, lui promis-je. Personne ne peut garantir votre rétablissement, mais cette façon de voir la médecine est valable et aboutit à des résultats. »

Gerald accueillit ces déclarations avec un mélange d'espoir et de scepticisme. Je suis tout à fait conscient de la vulnérabilité que peuvent ressentir des patients dans un tel état. Ils sont à la merci de graves crises d'anxiété et de culpabilité. Ils se demandent secrètement s'ils ont vraiment mérité de devoir subir une telle maladie et comment ils ont pu la créer sans le savoir ; ils s'accusent de n'avoir pas suivi un meilleur régime, de n'être pas assez souvent allés consulter un médecin, ou de n'avoir pas adopté un mode de vie plus sain en général ; d'un côté ils s'en prennent au sort et de l'autre l'implorent de leur accorder la grâce.

Parmi toutes ces formes d'angoisse, aucune n'est nécessaire et, par conséquent, il ne sert à rien d'essayer de les aborder directement. La vérité toute simple est que lorsqu'une maladie se déclare, elle entraîne avec elle une réalité maladive, et plus notre maladie sera grave, plus notre vision de la réalité va vraisemblablement se déformer. Toute personne qui devient la proie d'une maladie vraiment dévastatrice va être dominée par la peur. Cela ne rend pas cette maladie inévitable, cependant. La peur est le décor que vous voyez lorsque vous êtes dans une réalité maladive. Si vous changez cette réalité, qui a pris naissance à l'intérieur de vous-même, le décor va changer, lui aussi.

« Demain vous pourrez commencer les traitements, dis-je à Gerald à la suite de l'entretien et d'une première auscultation. On ne vous demande pas d'y croire, mais simplement d'en faire l'expérience. »

Il s'assit tranquillement. « Je suis prêt à tout essayer », dit-il finalement à voix basse. Il se rendit immédiatement à la clinique ayurvédique Maharishi qui se trouve à Lancaster, dans le Massachusetts, à environ 80 kilomètres à l'ouest de Boston. Vu tout ce qu'il avait subi jusqu'ici, il n'y eut rien de surprenant à s'apercevoir que le premier test sanguin fait sur Gerald cet après-midi-là était sinistre. Le compte de ses globules blancs avait grimpé à 52 000, dépassant de loin ce qu'on lui avait indiqué comme point de non-retour.

Il se passa alors plusieurs choses. Dès son arrivée à la clinique de Lancaster, Gerald fut « immergé » dans des routines visant à équilibrer les doshas, semblables à celles que nous avons décrites dans le chapitre 5. Le diagnostic révéla qu'il était de constitution Pitta et on le mit donc à un régime permettant de pacifier Pitta. Le régime de Gerald comportait notamment des salades, des fruits, du riz, du pain et des aliments froids, pauvres en graisses et en sel, avec une prépondérance mise sur la saveur sucrée, tout cela étant connu pour aider à calmer Pitta.

Il apprit la méditation le lendemain matin à la clinique et se mit à méditer deux fois par jour, juste avant le petit déjeuner et le dîner. En tant que médecin, Gerald était surpris par l'environnement. La clinique de Lancaster est insérée dans un manoir majestueux de style géorgien, comportant soixante-cinq pièces, et situé au milieu de plusieurs hectares de bois de la Nouvelle-Angleterre ; c'est un lieu qui n'a, à proprement parler, rien de « médical ». Le bâtiment, construit au tournant du siècle par une famille de banquiers très en vue à Boston, qui en avait fait sa résidence secondaire pour y passer le printemps, donne à première vue l'impression d'être un « foyer ». Aucun aspect sinistre dans l'atmosphère, aucune odeur d'antiseptique, aucun bloc d'urgence muni d'écrans faisant entendre constamment des bip sonores dans une lumière froide.

L'Ayurvéda insiste sur l'importance d'un environnement naturel, beau de préférence, pour se rétablir. Les cinq sens transmettent constamment des signaux à votre corps quantique, et chaque signal, métabolisé par votre organisme, va s'ajouter à votre collection de visions, de sons, d'odeurs, etc. Si ce que les sens voient, entendent, touchent et sentent vous rappelle la maladie, alors quelque chose de malsain va s'imprégner en vous. Comment pourriez-vous renouveler votre réalité si vous continuez sans cesse à vous rappeler subtilement l'ancienne ?

Gerald aimait beaucoup ses longues promenades matinales, mais il était également très intrigué : « Je ne vois rien de médical ici », protestait-il de temps en temps. Je lui demandai simplement de continuer son traitement.

La thérapie la plus vigoureuse à laquelle il fut soumis est appelée *panchakarma* (d'un mot sanskrit signifiant « les cinq actions » ou « les cinq traitements ») ; elle consiste en une routine intensive visant à purifier le corps des toxines que la maladie et un régime impropre y ont déposées. En médecine occidentale, nous savons que des débris fibreux, décolorés, sont constamment en train de s'accumuler dans chaque cellule du corps. On pense que ces déchets jouent un rôle actif, poussant l'ADN à commettre des erreurs (cause de la plupart des cancers) ; de façon presque indubitable, ces déchets nuisent à la fonction cellulaire, entraînent un vieillissement plus rapide et finalement tuent nos cellules. Ce que l'on ne comprend pas encore tout à fait bien, c'est comment ces débris pénètrent dans les cellules. L'Ayurvéda dit qu'il s'agit de déchets que les doshas déséquilibrés laissent derrière eux, comme une sorte de preuve visible montrant qu'un processus invisible s'est détraqué.

Les sages ayurvédiques ont mis tous ces résidus toxiques dans le même sac, les rangeant sous le terme *ama*, une substance qu'ils percevaient comme étant nauséabonde, collante, nocive, et devant être évacuée du corps aussi complètement que possible. Certaines méthodes de purification peuvent être pratiquées chez soi (comme nous le verrons plus loin), mais le panchakarma complet étant un traitement médical, il implique un diagnostic précis ainsi que des méthodes enseignées par des vaidyas aux techniciens ayurvédiques, et qui nécessitent un personnel important.

Le panchakarma ne débarrasse pas les cellules des déchets physiques, mais on estime qu'il élimine les doshas en excès, ainsi que l'ama qui « se colle » à eux, en se servant des propres canaux d'évacuation du corps (glandes de sudation, conduit urinaire, intestins, etc.). Du point de vue du patient, les massages quotidiens et les bains d'huile sont extrêmement agréables et très décontractants ; du point de vue quantique, les canaux qui émettent des signaux de guérison à nos cellules sont en train d'être nettoyés et réparés. Le panchakarma, je le répète, n'est pas un traitement contre le cancer. Il est administré à tous les patients afin qu'ils puissent retrouver leur équilibre.

Au bout d'un jour ou deux, Gerald sentit toute la fatigue accumulée s'écouler hors de son organisme, comme si des années d'épuisement étaient en train de s'évacuer. Lui qui d'habitude était plein d'entrain et de motivation, il s'aperçut avec désespoir combien il avait besoin de longues heures de repos et de sommeil. Quand il le mentionna, je lui répondis que laisser partir la fatigue revenait à laisser partir le stress. La fatigue est comme l'« ombre » de vieux stress accumulés dans le système nerveux. Étant médecin, Gerald n'ignorait pas ce qu'était le stress, mais sa formation médicale l'empêchait de croire que le stress puisse être la cause d'une leucémie.

Je lui expliquai que les cellules conservent l'empreinte du stress et finissent par perdre leur capacité à fonctionner parfaitement. Les échanges d'information s'interrompent, un peu comme dans le cas de circuits électriques endommagés. L'intelligence globale de la cellule s'affaiblit et le résultat final est la maladie. Dans son cas, elle avait pris la forme d'une leucémie, mais elle aurait pu se manifester sous des milliers de pathologies différentes. L'important est qu'un même traitement peut s'appliquer dans tous les cas : il s'agit de rétablir l'intelligence propre au corps.

Une semaine après son arrivée, Gerald était prêt à rentrer chez lui, persuadé qu'il n'avait fait l'objet d'aucun traitement médical. Lors d'un entretien final, on lui présenta les résultats d'un test sanguin pris le matin même. Selon le rapport du laboratoire, le nombre de ses globules blancs avait baissé de plus de 40 %, passant de 52 000 à 28 000. Il en resta bouche bée : il s'agissait d'une amélioration considérable. Si Gerald s'était tourné vers une chimiothérapie conventionnelle, une baisse de 10 000 unités aurait été considérée comme un succès.

Sans avoir eu à subir le moindre effet secondaire, il se sentait dans une forme qu'il n'avait plus connue depuis des années, et non pas simplement depuis le moment où le diagnostic de leucémie avait été posé. Un autre symptôme grave de sa maladie avait complètement disparu : l'abondance anormale d'embryons de globules blancs produits par la moelle osseuse des patients atteints de leucémie. Le frottis sanguin prélevé le premier jour avait révélé un grand nombre de ces globules anormaux. À présent, il n'en restait plus aucun.

« Il s'agit peut-être d'un coup de chance. Vous ne croyez pas ? » demanda-t-il. Et il ajouta : « Le test sanguin est peut-être faux. » Mais il savait bien que ce genre de tests pratiqués couramment ont toutes les chances d'être corrects. Lui-même se fiait à eux chaque jour lors de ses propres consultations.

La puissance de la conscience

Je crois profondément que le secret du rétablissement de Gerald était lié à un changement dans sa conscience. Il venait d'apprendre que la maîtrise de soi s'acquiert plus grâce à un lâcher-prise que par les tentatives cherchant à contrôler le corps de force. La période de contrôle qui suivit confirma ce point d'une manière remarquable : après avoir quitté la clinique, Gerald se jeta tête baissée dans son travail, se soumettant de nouveau à un stress intense. Aussi, trois mois plus tard, lors d'un nouveau séjour à la clinique, le compte de ses globules blancs avait-il remonté en flèche, dépassant les 45 000. Gerald replongea dans la dépression, mais les traitements ayurvédiques parvinrent à réduire rapidement ce nombre. Se sentant immensément soulagé et reconnaissant, il rentra chez lui, pour sombrer dans son vieux mode de vie plus furieusement encore qu'auparavant. Aussi ne fut-il pas surprenant de voir que son compte de globules blancs avait remonté une troisième fois.

Lorsqu'il revint pour une autre semaine de traitement, je lui dis une chose à laquelle il ne s'attendait pas : « Vous souffrez beaucoup chaque fois que vous rentrez chez vous, n'est-ce pas ? »

« Que voulez-vous dire ? demanda-t-il, sur ses gardes. Il est vrai que je suis malade. »

« Je veux dire en dehors de votre maladie. »

Il resta silencieux. Un point semblait en effet très révélateur : sa leucémie avait été diagnostiquée tout juste quatre mois après la mort de sa femme, victime d'une crise cardiaque alors qu'elle avait dans les 55 ans. La femme de Gerald lui manquait terriblement. En outre, lorsqu'il rentrait chez lui le soir, il avait avec sa fille divorcée des relations conflictuelles, celle-ci ayant emménagé chez son père pour s'occuper de lui.

Ce qu'il lui fallait reconnaître, c'est que son état de santé dépendait de son état de conscience. Son esprit affectait profondément son corps. « Imaginez votre conscience comme s'il s'agissait d'une corde de violon. La corde peut faire entendre toutes sortes de notes, aiguës ou graves, suivant l'endroit où vous placez votre doigt. Pour le moment, vous êtes en train de jouer toutes sortes de fausses notes. Votre compte de globules blancs, mais aussi vos changements d'humeur, vos attentes angoissées, votre douleur et votre chagrin sont autant de notes jouées à partir d'une même position.

« Pour la médecine conventionnelle, seules les notes comptent. On passe un temps énorme à tuer les globules blancs anormaux.

Mais il vous suffirait de changer de position sur la corde. Vous seriez alors en train de créer une nouvelle réalité, faite entièrement de notes nouvelles. N'est-ce pas ce que nous avons fait jusqu'ici ? Réfléchissez-y. »

Gerald reconnut qu'il se sentait mieux au fil des jours qu'il passait à la clinique, et moins bien au fil des jours qu'il passait à la maison. Puis il ajouta : « Mais vous ne voulez tout de même pas dire que se sentir bien fait régresser la leucémie, n'est-ce pas ? »

« Si se sentir bien fait partie de la guérison, eh bien si, c'est ce que je veux dire. Il ne s'agit pas tant de vos humeurs. Il va de soi que vos humeurs vont changer au cours d'une maladie grave : d'un moment à l'autre vous pouvez vous sentir heureux ou découragé, plein d'espoir ou désespéré. Ce qui est sous-jacent à ces changements d'humeur imprévisibles, c'est le niveau quantique de votre conscience, et c'est lui qui vient d'être perturbé. Les changements à ce niveau de conscience entraînent nécessairement des changements d'humeur ; si votre conscience profonde se transforme, vos humeurs vont suivre tout comme une girouette en plein vent. On devrait s'attendre également à voir de semblables indications dans votre corps, et votre compte de globules blancs qui fluctue en est une bonne illustration. Une mutation de la conscience est tout à fait capitale. En tant que médecin, vous ne pouvez pas ne voir qu'une seule face des choses, en vous cantonnant à reconnaître que les émotions négatives perturbent bien le système immunitaire. Car si tel est le cas, alors il doit être tout aussi vrai que les états positifs de la conscience vont pouvoir vous aider à vous rétablir. »

Gerald admit que cela semblait raisonnable. Face à cette formation médicale conventionnelle qui l'avait conduit au scepticisme à l'égard de toute sorte de domination de « l'esprit sur la matière » dans le processus de guérison, il lui fallait mettre en regard sa propre expérience éclatante et indéniable. Notre conversation eut lieu voici plusieurs mois. Depuis, Gerald a continué à bénéficier de l'approche évoquée ici, mais il lui a fallu du temps pour rompre complètement avec ses vieux schémas. Nous pensons que le tournant a été pris cependant. Il semble qu'il soit bien moins en proie à des conflits aujourd'hui. L'une de ces croyances les plus ancrées, lutter pour la vie avec chaque atome de son être, cède du terrain. D'ores et déjà, il a commencé à accepter la possibilité d'une très profonde vérité ayurvédique : laissez simplement s'en aller les imperfections, et la perfection jaillira d'elle-même.

7

Ouvrir les canaux de guérison

Retrouver le contact avec le corps quantique est le but le plus important de l'Ayurvéda Maharishi. Nous qualifions ce processus de « guérison quantique ». Telles que la médecine moderne les comprend, les facultés de guérison du corps sont presque infinies, mais celles de la guérison quantique, elles, sont *réellement* infinies. Le flux d'intelligence qui émerge du corps quantique peut être canalisé d'innombrables manières en vue de tel ou tel résultat dans le corps physique, y compris la guérison de maladies graves pouvant porter atteinte à la vie même, et le renversement du processus de vieillissement.

Tous ces aspects vont être exposés en détail dans les pages qui suivent, au fur et à mesure que nous évoquerons les principales techniques de guérison de l'Ayurvéda Maharishi. Nous utilisons toutes ces techniques médicales dans nos cliniques, mais la plupart d'entre elles ont aussi des versions à « faire chez soi », et il vous sera possible de les apprendre grâce à ce livre ou à quelques heures d'instruction données par un médecin formé à l'Ayurvéda Maharishi. Il faut comprendre l'expression « techniques de guérison » dans son acception la plus vaste, car celles-ci s'adressent à tous ceux qui désirent s'approcher de la santé parfaite, et non seulement à ceux qui sont malades. Les huit techniques que l'on va considérer sont :

Le panchakarma	La marma thérapie
La méditation transcendantale	La technique de « Bliss »
Le son primordial	L'aromathérapie
Le diagnostic par le pouls	La thérapie par la musique du Gandharva

Le panchakarma – purification du corps

Les impuretés physiques jouent un rôle important, car elles cachent notre nature parfaite, comme de la poussière sur un miroir. Mais ces impuretés se situent à une bien plus grande profondeur que la poussière, et leurs effets n'affectent pas seulement le plan physique : la psychologie tout entière dépend de notre condition physique. Ce qui fait la valeur du panchakarma, c'est qu'il propose un traitement systématique pour déloger puis évacuer les toxines hors de chaque cellule, au moyen des mêmes organes d'élimination utilisés naturellement par le corps : les glandes sudoripares, les vaisseaux sanguins, les voies urinaires et les intestins.

Les traités anciens recommandent hautement le panchakarma en tant que traitement saisonnier, car il permet de se maintenir en équilibre d'une année sur l'autre. Malgré des critères d'hygiène élevés visant à permettre aux gens d'être en bonne santé la plupart du temps, les Américains ne parviennent pas en général à un âge avancé sans maladie. En fait, seulement moins d'un tiers des personnes âgées ne présentent pas de symptômes de cancer, de maladies cardiaques, d'arthrite, de diabète, d'ostéoporose ou d'autres troubles de dégénérescence inhérents à la vieillesse. Il manque à toutes ces maladies une cause spécifique : aux yeux d'un médecin occidental, ce sont des troubles complexes qui s'accumulent au fil d'une vie, un peu comme une boule de neige qui amasse en roulant de minuscules flocons de neige. Aucun flocon n'est lui-même la cause de la boule de neige, et pourtant chacun d'eux contribue à ce que cette boule devienne de plus en plus grosse. Dans le cas du corps, ces flocons correspondent à de minuscules petits morceaux d'ama et il serait complètement illusoire de croire que nous pourrions être parfaitement équilibrés sans nous être débarrassés d'eux aussi vite qu'ils se sont accumulés.

Les différentes étapes du panchakarma

Bien que sa traduction littérale soit « les cinq actions », le panchakarma implique en réalité une série d'étapes adaptées à chaque constitution, qui exige un contrôle au cours des soins administrés sur une période d'environ une semaine. Il aura fallu à peu près cinq ans pour mettre au clair ces procédures et les adapter afin qu'elles soient utilisables en Occident. Tout comme d'autres aspects de l'Ayurvéda traditionnel, le panchakarma a été gêné par la grande confusion et les diverses manières de le pratiquer qui règnent en Inde. Dans l'Ayurvéda Maharishi, le panchakarma procède comme suit :

> ***Oléation (sneehana).*** Le patient prend du ghî (beurre clarifié) plusieurs matins de suite pour rendre les doshas plus fluides et minimiser l'action digestive. (Selon la terminologie ayurvédique, on « éteint » provisoirement l'*agni,* le feu digestif.)

Laxatif (virechana). Un laxatif est administré pour nettoyer l'appareil digestif, ce qui abaisse le Pitta et réduit encore l'agni.

Massage à l'huile (abhyanga). Des techniciens accomplissent un abhyanga sur tout le corps, semblable à celui que l'on peut faire quotidiennement chez soi, mais qui dure à peu près deux fois plus longtemps et qui est beaucoup plus profond. L'huile est additionnée de plantes en fonction des constitutions. Le massage se fait avec plus de force afin de détacher les doshas en excès et de les diriger vers les organes d'élimination. Il existe également un traitement parallèle que l'on appelle *shirodhara,* au cours duquel de l'huile de sésame chaude, additionnée de plantes, va s'écouler en filet sur le front, ayant pour effet de détendre profondément le système nerveux et d'équilibrer Prana Vata, le sous-dosha de Vata qui exerce un contrôle majeur sur le cerveau.

Saunas (swedana). De la vapeur d'eau additionnée de plantes ouvre les pores et commence à débarrasser le corps des impuretés par les glandes sudoripares.

Lavement (basti). Des lavements médicaux, dont l'Ayurvéda recense plus d'une centaine, sont utilisés pour diverses raisons bien spécifiques ; en général, on pratique ce traitement pour évacuer les doshas de l'appareil digestif, une fois ceux-ci rendus fluides.

Traitement nasal (nasya). Des huiles médicinales ou des mélanges à base de plantes sont inspirés par le nez pour dégager les conduits des sinus, éliminer les mucosités en excès et réduire l'excès de Kapha qui tend à s'accumuler dans la tête. Les deux études de cas suivantes donneront une meilleure idée de la façon dont ces traitements peuvent être mis en œuvre.

Daniel Frazier, un entrepreneur ayant presque atteint la cinquantaine, s'est mis à souffrir de douleurs récurrentes dans le bas du dos voici une dizaine d'années. Comme cela arrive souvent, ses médecins avaient eu des difficultés à repérer la cause de ses douleurs ; bien que celles-ci soient terriblement réelles pour lui, les radiographies ne révélaient rien d'anormal. Après être allé consulter un certain nombre de spécialistes, il dut se résigner à vivre avec des douleurs dont on ne réussissait pas à déterminer la cause. Lorsqu'une attaque se déclenchait, il restait chez lui, cloué au lit, et prenait des décontractants musculaires jusqu'à ce que ça passe.

Un médecin formé à l'Ayurvéda examina Daniel et lui indiqua que sa douleur semblait due à un déséquilibre d'Apana Vata, le sous-dosha de Vata qui régit le bas du dos et l'appareil digestif. Il lui prescrivit une routine apaisant Vata. Vers la fin du traitement, ses douleurs avaient complètement disparu pour la première fois en dix ans. Depuis lors, Daniel n'a pas eu du tout à souffrir de douleurs, ou seulement très peu ; par sécurité, il a pris l'habitude de revenir à intervalles réguliers faire d'autres panchakarmas, afin d'éviter toute rechute possible.

Cheryl De Luca a traversé une période critique à l'adolescence, commençant à souffrir d'acné vers l'âge de 17 ans, chose courante à cet âge-là ; mais ce qui était bien moins commun, c'est qu'elle en a souffert jusqu'à l'âge de 31 ans. Heureusement ses éruptions cutanées étaient relativement peu profondes et ne risquaient pas de la défigurer de façon permanente. Néanmoins, l'idée de passer sa vie à souffrir d'acné chronique lui était difficile à supporter et l'avait rendue très introvertie. Comme cela arrive souvent, les remèdes habituels s'étaient révélés peu efficaces ; de même, le fait de cesser de manger du chocolat, des tomates, des aliments frits ou d'autres mets tout aussi suspects n'avait eu que peu d'effets.

Quand Cheryl eut entre 20 et 30 ans, son dermatologue lui prescrivit de la tétracycline, un antibiotique largement utilisé dans les cas d'acné persistant à un âge adulte. Elle présenta des effets secondaires mineurs temporaires, en particulier des nausées et une hypersensibilité au soleil. C'était, selon son médecin, le prix à payer pour garder le contrôle sur sa maladie. D'un autre côté pourtant, Cheryl était ennuyée à l'idée de devoir prendre indéfiniment des antibiotiques chaque jour. Lorsqu'elle se présenta pour une consultation dans une clinique ayurvédique Maharishi, son état fut diagnostiqué comme un déséquilibre Pitta. (L'un des cinq sous-doshas de Pitta, Bhrajaka Pitta, donne à la peau un aspect lustré lorsqu'il est en équilibre, mais est souvent responsable de troubles cutanés s'il est perturbé.)

Le traitement fut très simple. On administra à Cheryl un régime pacifiant Pitta et on lui enseigna la routine ayurvédique quotidienne. Elle fit un panchakarma d'une semaine à la clinique de Fairfield, dans l'Iowa. Son acné commença à régresser, puis disparut entièrement dans les six mois qui suivirent. Aujourd'hui, elle n'en souffre plus du tout et n'a pas eu à reprendre de remèdes depuis un an.

Où et quand faire un panchakarma ?

En Inde, de nos jours, seuls les personnes fortunées et quelques fidèles de la tradition ayurvédique peuvent se permettre un traitement saisonnier de panchakarma. Les textes anciens, cependant, indiquent clairement que tout le monde a besoin du panchakarma. Trois fois par an serait le mieux, idéalement à la venue du printemps, de l'automne et de l'hiver. Il est également recommandé de faire des cures en résidence, car le corps peut se reposer davantage si vous n'avez pas besoin d'aller à la clinique et d'en revenir chaque jour. Néanmoins, une cure conduite « de jour » se révèle également efficace. Si l'on est en bonne santé, on devrait essayer de faire au minimum une semaine de panchakarma chaque année. Ceux qui sont malades ne devraient faire un panchakarma « externe » qu'après avis d'un médecin formé à l'Ayurvéda Maharishi. En outre, à moins que cela ne soit recommandé par un médecin, on ne pratique pas le panchakarma sur des enfants âgés de moins de 12 ans.

La méditation, une technique pour « aller au-delà »

Les impuretés physiques des cellules ont leur équivalent dans l'esprit : peur, colère, avidité, impulsivité, doute et autres émotions négatives. Si elles opèrent au niveau quantique, celles-ci peuvent se révéler aussi nocives pour nous que toute autre toxine chimique. Comme nous l'avons vu, le lien entre le corps et l'esprit transforme les attitudes négatives en toxines chimiques, qu'on nomme parfois les « hormones de stress », et qui jouent un rôle dans nombre de maladies. L'Ayurvéda Maharishi associe toutes les tendances négatives sous l'étiquette d'« ama mental ». Il convient d'en purger l'esprit. Comment s'y prendre ?

Il n'est pas possible de purifier l'esprit par la pensée elle-même. Un esprit en colère ne peut maîtriser sa propre colère ; la peur ne peut dominer la peur. Une technique spéciale est indispensable pour aller au-delà du domaine qui est sous l'emprise de la peur, de la colère ou de toute autre forme d'ama mental. Cette technique est la méditation. Correctement enseignée et pratiquée, la méditation permet à une personne de se détacher de tout l'ama de ses pensées et de ses émotions. Au Chopra Center, nous préconisons la méditation du son primordial, ou MSP. Il s'agit d'une méthode simple et naturelle pour atteindre ce but.

Encore jeune médecin, dans les années 1970, je fus attiré par la méditation pour deux raisons, l'une personnelle, l'autre professionnelle. La raison personnelle était l'espoir de connaître une maturation intérieure, d'atteindre un état d'accroissement de la conscience permettant un développement mental et spirituel. La raison professionnelle venait des nombreuses recherches effectuées alors sur la méditation. Elles montraient qu'il s'agissait d'un processus bien « réel », autrement dit que la méditation produisait des bienfaits tangibles.

Méditer ne consiste pas à contraindre l'esprit au silence. Il s'agit de percevoir un silence préexistant. Soucis, regrets, désirs, fantasmes, espoirs déçus et rêves indistincts forment une sorte de fond sonore dans nos têtes. Sans arrêt se poursuit une conversation intérieure qui monopolise notre capacité d'attention. Voilà des milliers d'années, les maîtres de l'Ayurvéda concluaient déjà que nous sommes tous victimes de notre mémoire.

Mais au-delà de l'écran que constitue ce dialogue intérieur ininterrompu, il est quelque chose de complètement différent : le silence d'un esprit pour lequel le passé n'existe pas. Grâce à la méditation, nous cherchons à nous rendre conscient de ce silence. En quoi est-ce si important ? Le silence est en réalité la source de tout bonheur. Inspiration, compassion, sympathie, tendresse, amour naissent du silence. Il s'agit là d'émotions délicates que l'informe rumeur intérieure menace à tout instant d'éteindre. Une fois découvert le silence intérieur, il devient possible de rester insensible au flot d'images suscitées par l'angoisse, la colère ou la douleur.

À ceux qui voudraient faire leur profit de tous les bénéfices spirituels qu'il est permis d'attendre de la méditation, je recommanderais de se mettre en quête d'un professeur qualifié se réclamant d'une tradition qu'ils respectent. Mais il est parfaitement possible à chacun d'acquérir rapidement certaines pratiques de méditation permettant d'accéder au silence intérieur. Il s'agit de procédés physiologiques de base fondés sur le silence naturel qui existe au sein du système corps-esprit quand il est détendu.

Pour commencer, asseyez-vous tranquillement, les mains posées sur les genoux. Les yeux fermés, respirez doucement et sans contrainte. Laissez votre attention se porter sur votre respiration, sur l'air qui emplit vos narines puis descend jusque dans vos poumons. Respirez normalement, sans essayer d'inspirer profondément ni de retenir votre souffle. À chaque expiration, suivez en pensée le trajet de l'air chassé de vos poumons avant d'être expulsé par le nez.

N'essayez pas de vous contraindre. L'air circule en vous sans accroc et votre attention le suit sans effort, comme elle se porterait sur des feuillages que le vent soulève. À mesure que votre respiration s'apaise, ralentissez légèrement vos inspirations. Encore une fois, ne cherchez pas à vous contraindre. Si vous sentez que votre respiration devient plus légère, laissez-vous aller. Si vous vous sentez un peu essoufflé, ne vous inquiétez pas. Cela signifie que vous avez besoin d'un peu plus d'air et que votre tension intérieure se relâche. À moins que vous contrôliez de trop près votre souffle. Revenez à un rythme qui permette à votre corps de se sentir bien.

Une fois trouvé le rythme idéal, le moment est venu de recourir au mantra « so hum » : prononcez mentalement la syllabe « so » à chaque inspiration, et la syllabe « hum » à chaque expiration.

Poursuivez l'exercice pendant deux à cinq minutes, les yeux toujours fermés, l'attention dirigée sur une circulation du souffle facile et naturelle, tout en accompagnant mentalement votre respiration de « so hum ».

Qu'arrive-t-il au cours de cet exercice ? Vous l'avez probablement remarqué : rien qu'en fixant votre attention sur votre respiration, vous parvenez à vous détendre. Peu à peu, le silence se fait dans votre tête. Si c'est bien ce que vous avez ressenti, vous avez sans doute fait l'expérience d'instants de silence complet – sans le remarquer, puisque je ne vous avais pas demandé de vous tenir sur vos gardes. Si vous aviez délibérément recherché le silence, vous n'auriez pas pu l'atteindre. J'imagine que pendant de brefs instants vous avez même perdu la notion du temps, ce qui constitue une bonne indication : vous êtes passé tout près du but. La plupart des gens ont l'impression de pensées beaucoup plus indistinctes qu'à l'ordinaire, ce qui est également bon signe.

Après avoir quelque peu pratiqué la méditation, vous aurez l'impression de retrouver une énergie juvénile. Ce regain de vitalité émane des profondeurs du système nerveux. Il signale un changement très important et équivaut à une véritable source de jouvence.

Bien que la méditation soit restée longtemps revêtue d'un halo mystique, elle est en réalité fondée sur le processus on ne peut plus expérimental et non mystique qui consiste à établir le silence dans l'esprit. Il s'agit là d'une des voies de guérison les plus sûres.

L'esprit se guérit lui-même

La vie de Matt changea profondément dans sa dernière année de lycée, quand ses parents commencèrent à s'engager dans un âpre divorce. Au cours de ses études, il avait toujours été en tête de classe, capable d'obtenir des « A » en ne faisant qu'un minimum d'efforts ; la qualité de son dossier académique lui avait valu une bourse complète pour étudier au M.I.T. Ses parents l'avaient toujours aimé à la folie. Leur décision de divorcer fut quelque chose de difficile à accepter pour tous les membres de la famille ; Matt se souvient encore d'avoir entendu, alors qu'il était couché, les violentes querelles de ses parents de l'autre côté de la cloison.

Comme ces disputes ne cessaient pas, Matt se mit à souffrir de maux de tête. Au lieu de la clarté et de la concentration habituelles chez lui, il se rendit compte qu'il tombait dans des périodes de dépression. Une fois à la fac, le fait d'être séparé de son foyer empira encore les symptômes. Ses maux de tête se firent terriblement intenses, lui causant des douleurs aiguës, des vertiges et des vomissements. Sa dépression devint plus profonde et, avant la fin du premier semestre, il dut abandonner ses études. C'est tout juste s'il parvenait à se concentrer suffisamment pour pouvoir lire un journal ou écouter de la musique.

Matt emménagea avec son père, un avocat réputé qui éprouvait une amère déception à cause de ce qui arrivait à son fils. Il engagea Matt en tant qu'employé dans son entreprise et l'envoya consulter des psychiatres, qui essayèrent la thérapie « du divan », ainsi que des antidépresseurs. Mais rien ne marchait très bien ou très longtemps. Le traitement médical qu'il suivit pour remédier à ses maux de tête resta également sans résultat. Quand il eut 21 ans, Matt se sentait si déprimé qu'il lui fallait constamment lutter contre l'idée de suicide.

C'est vers cette époque qu'il entendit parler de la méditation grâce à un ami. Son médecin reconnut que la méditation pouvait être une aide et lui conseilla de l'essayer. Matt apprit que la méditation est une technique purement mécanique que l'on pratique pendant vingt minutes matin et soir. Il suffit de s'asseoir tranquillement sur une chaise, les yeux fermés, et d'utiliser un mot spécial, reçu au cours d'une instruction, que l'on appelle un *mantra*, sélectionné non pour sa signification mais strictement pour le son qui lui est propre. Ce son lui-même attire l'esprit et le conduit, naturellement et sans effort, vers un niveau de plus en plus subtil du processus de la pensée.

À mesure que le mantra va et vient dans la conscience, il se met à rechercher des niveaux plus subtils encore de la pensée, jusqu'à ce que finalement toute pensée soit laissée derrière. Nous disons alors que l'esprit a transcendé. Parce qu'il n'est plus absorbé dans des pensées d'aucune sorte, l'esprit est exposé au niveau le plus profond de sa propre nature : la pure conscience. Le silence de la conscience pure procure une extrême fraîcheur à l'esprit, qui trouve de plus en plus facile de ne pas s'accrocher à des vieux schémas de pensée ; les habitudes rigides de pensées et de sentiments vont commencer à s'évanouir de leur plein gré. Quand cela se produit, l'esprit est en fait en train d'apprendre à se guérir lui-même.

Lorsque Matt médita les premières fois, il se mit à remarquer un net changement dans son état mental. De petits îlots de clarté se mettaient à émerger dans sa conscience, sur lesquels il se sentait complètement éveillé, dépourvu de torpeur ou de dépression, et imprégné de bonheur. Avec le temps, ces îlots grossirent de plus en plus ; Matt ne vivait plus que pour retrouver ces moments-là. En effet, ces îlots de clarté n'apparaissaient que lors de ses méditations. Pendant son activité, sa dépression revenait de plein fouet. Au bout de quelques mois, il vint me consulter.

« Ce dont vous faites l'expérience, lui dis-je, ce sont des niveaux de conscience différents. Votre dépression se situe à un niveau, vos maux de tête à un autre, vos îlots de clarté à un autre encore. La méditation vous conduira de plus en plus profondément à l'intérieur de vous-même, jusqu'à ce que vous puissiez atteindre une zone non affectée par la maladie. Ce lieu est une part très réelle de vous-même.

« En pratiquant régulièrement votre méditation, ces moments de clarté vont s'étendre et devenir la norme. Pour le moment, vous êtes encore tributaire de certains schémas dans votre conscience, et votre corps le sait. Parce que votre attention a été complètement "capturée" par votre dépression, vous trouvez qu'il est difficile, voire même impossible, de vous concentrer sur autre chose.

« Mais, comme vous vous en êtes vous-même rendu compte, vous pouvez lâcher prise. La méditation est une sorte de lâcher-prise, qui vous permet simplement d'*être*.

Et chaque fois que vous laisserez cela se produire, votre attention s'envolera toujours vers ce niveau silencieux, paisible et non-changeant que nous appelons simplement le soi. Le soi est la demeure profonde de l'esprit ; par le simple fait d'y retourner, vous allez imprégner votre esprit de cette même paix et de ce même silence. »

Je traçai pour lui le diagramme suivant :

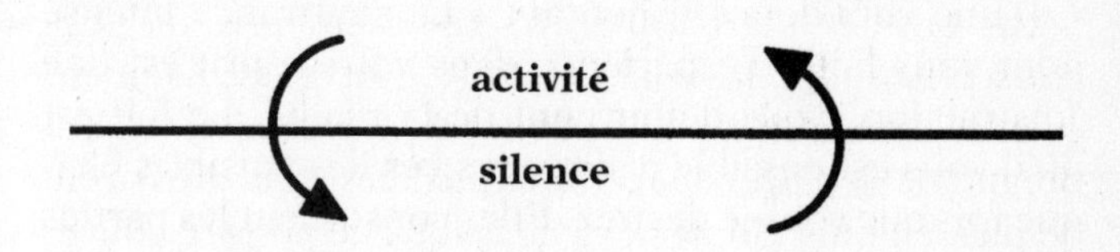

« Lorsqu'on pratique la technique pour transcender, on mène l'esprit de l'activité vers le silence. Au bout de quelques secondes ou minutes, l'esprit va naturellement remonter, de même qu'un bouchon réémerge à la surface de l'eau. Qu'est-ce qui le fait remonter ? Les mêmes impulsions qui nous guident chaque jour : nos désirs. Un faible désir crée une petite vague d'activité à l'intérieur du silence, cette vaguelette s'étend, et cela aboutit finalement à une pensée complètement exprimée.

« Cependant, cette pensée n'est pas la même qu'auparavant. Elle va être imprégnée de bonheur et de fraîcheur, simplement parce que vous serez allé la chercher à un niveau plus profond de vous-même. »

Matt précisa qu'un nouveau phénomène avait commencé à se produire récemment. Quand il ressentait un moment de clarté, des vers poétiques surgissaient soudain dans son esprit. Ceux-ci formaient un poème complet, qui ne lui venait non pas mot à mot ni selon le processus ordinaire de la pensée, mais émergeait tout simplement.

« C'est bon signe, lui dis-je. Au fur et à mesure que vous vous rapprochez de votre propre centre créatif, tout votre mode de pensée se transforme. Au lieu d'apparaître sous forme de fragments morcelés, les choses émergent comme un tout. Au lieu d'être confronté à des conflits troublants, il n'y a plus de conflit. Le soi est comme un paysage différent, un décor neuf auquel l'esprit doit s'intégrer. Aussi longtemps que vous séjournerez dans ce paysage, l'expérience que vous aurez de vous-même sera complètement neuve. »

D'une voix douce, j'ajoutai : « La souffrance intense dont vous faites l'expérience dans votre esprit est une "distraction" vous détournant de la réalité. Le fait est qu'il vous est possible d'aller vers ces îles paisibles chaque fois que vous le désirez. Elles constituent les parties permanentes de vous-même ; si vous pouviez y vivre en permanence, la dépression ne pourrait plus vous perturber en aucune façon. Ce que la méditation vous enseigne, c'est que la réalité – prise au sens d'une totalité – exerce une puissante attraction. Elle essaie de vous rappeler chez vous. Mais n'avez-vous pas déjà commencé à accorder votre confiance à ce processus ? »

Matt reconnut que oui, ajoutant que ses maux de tête avaient considérablement diminué, et qu'il commençait à entrevoir la possibilité de consacrer son attention au rêve de toute sa vie : devenir écrivain.

« Cette confiance en vous est bon signe également, lui dis-je. Vous êtes en train de vous souvenir de vous-même. Trouver son soi véritable est un processus très profond, une exploration qui ne cesse jamais. Votre corps est à l'écoute de signaux plus sains maintenant, et aussi longtemps que vous continuerez à ramener votre esprit à sa source, ces signaux irradieront de plus en plus de santé. Vous avez accompli un grand pas ; votre rétablissement complet n'est plus qu'une question de temps. »

La méditation en tant que remède

Si cette histoire à propos d'un patient est encourageante, l'application de la méditation ne s'arrête pas là : elle s'avère également hautement prometteuse pour soulager des troubles à une échelle plus vaste. L'une des meilleures illustrations à cet égard est celle de l'hypertension, cet infâme « tueur silencieux » dont presque aucun symptôme n'est apparent et qui pourtant est cause de la grande majorité des crises cardiaques et infarctus.

Un bon tiers des adultes américains sont à la limite de l'hypertension ; on estime que 30 millions d'entre eux en ont été avertis par leur médecin et ne suivent pourtant aucun traitement. Ces cas qui frisent l'hypertension réagissent extrêmement bien à la méditation, comme l'a d'abord montré une première étude menée en 1974 à la faculté de médecine de Harvard. On a effectué des mesures 1 200 fois sur 22 patients souffrant d'hypertension, avant aussi bien qu'après leur instruction à la méditation. Sur une période comprise entre un mois et cinq ans, les moyennes baissèrent de 15/9,4 à 14,1/8,8. Cela suffisait pour ramener le chiffre du bas (pression diastolique) d'un seuil-limite à une valeur acceptable ; en outre, même si le chiffre du haut (pression systolique) n'avait pas encore décru suffisamment – 12 ou 13 de tension serait considéré comme normal –, il indiquait néanmoins une amélioration significative. Ces résultats, réitérés par la suite dans bien d'autres études, étaient obtenus indépendamment du fait que les patients prennent ou non des médicaments contre l'hypertension.

Peut-être allez-vous penser que le fait de réduire un taux d'hypertension somme toute déjà assez faible ne constitue pas un bien grand accomplissement ; pourtant, même une toute petite augmentation de la tension artérielle est considérée comme extrêmement dangereuse à la longue. La moitié des cas de mortalité liés à l'hypertension ont lieu dans cette frange située juste à la frontière. Les compagnies d'assurances se servent de la tension artérielle comme du facteur le plus significatif quant à l'espérance de vie. Un homme d'âge moyen ayant une tension normale (12/8) est censé vivre seize années de plus que quelqu'un souffrant d'hypertension modérée (15/10). Par la simple pratique de la méditation, la plupart des gens de moins de 40 ans pourraient être assurés de retomber et de demeurer au-dessous du seuil frisant l'hypertension, qui est de l'ordre de 13/9.

Méditer peut aussi faire baisser des taux de cholestérol anormalement élevés. Le cholestérol est un facteur de risque majeur dans les crises cardiaques, car sa présence en excès dans le sang est directement liée aux dépôts de plaques graisseux qui obstruent les artères du cœur. À première vue, il semble incroyable que l'esprit puisse contrôler le cholestérol du sérum. Celui-ci est déterminé par les interactions complexes entre divers facteurs, concernant tous le plan physique : le régime, l'âge, l'hérédité, l'efficacité de la digestion et la fonction du foie jouent tous un rôle important. En 1979, en Israël, deux chercheurs, M.J. Cooper et M.M. Aygen, ont sélectionné vingt-trois patients souffrant de taux élevés de cholestérol –, douze avaient appris la méditation et la pratiquaient depuis onze mois, tandis que les onze autres n'avaient pas appris la technique.

À la fin de cette période, une nette diminution du taux de cholestérol apparut dans le cas du groupe qui méditait, passant en moyenne de 25,5 à 22,5 (une mesure de 22 est considérée moyenne pour les adultes aux États-Unis). Chez les non-méditants, on n'a pas relevé de réduction significative. Les sujets avaient été sélectionnés de telle sorte que les conditions d'âge, de régime, de poids et d'exercice n'entrent pas en jeu. Des réductions semblables furent obtenues dans une étude parallèle faite par la même équipe, révélant cette fois que le cholestérol pouvait être également réduit chez les gens qui avaient un taux de cholestérol normal.

Ces découvertes suggèrent que le système « corps-esprit » tout entier peut être influencé par une seule technique mentale. En fait, les résultats encourageants obtenus pour l'hypertension et le cholestérol se sont étendus récemment à bien d'autres maladies. En 1987, le docteur David Orme-Johnson, un chercheur en psychologie à l'Université, a examiné l'état de santé de deux mille méditants. Tous les sujets sélectionnés par Orme-Johnson avaient souscrit un contrat d'assurance-maladie réservé aux méditants. Pour pouvoir être qualifiée, chaque personne devait signer un papier attestant qu'elle pratiquait régulièrement la M.T., et donner également son accord pour se soumettre périodiquement à des vérifications, afin de s'assurer qu'elles méditaient bien correctement. Ce contrat avait été établi par une compagnie d'assurances nationale très connue, qui englobait des centaines d'autres compagnies. Il n'y avait aucune stipulation relative au régime ou au mode de vie.

Orme-Johnson voulait comparer la fréquence des consultations faites par un méditant-type, avec celle du citoyen ordinaire. Il s'avéra que la différence fut tout à fait étonnante : les méditants avaient eu besoin de consulter un médecin pour des soins externes :

46,8 % moins souvent dans le cas d'enfants (de 0 à 19 ans).

54,7 % moins souvent dans le cas de jeunes adultes (de 19 à 39 ans).

73,7 % moins souvent dans le cas d'adultes plus âgés (40 ans et au-delà).

Cela représente une amélioration saisissante sur le plan de la santé, révélant qu'apparemment un méditant d'âge moyen, par exemple, n'a besoin de consulter son médecin qu'une fois sur quatre par rapport à un sujet moyen. Le fait que ce soient les personnes plus âgées qui en ont bénéficié le plus est également très significatif. En ce qui concerne des maladies plus spécifiques, l'étude a pu montrer que les crises cardiaques et le cancer – les deux causes principales de la mortalité aux États-Unis – se trouvaient réduits à des seuils demeurant bien au-dessous de la normale. Ainsi, les méditants étaient hospitalisés :

87,3 % moins souvent pour des maladies cardiaques.

55,4 % moins souvent pour des tumeurs bénignes et malignes de toutes sortes.

Personne n'a jamais pu, par les techniques de prévention conventionnelles, observer de telles réductions. Si un remède pour abaisser le taux de cholestérol pouvait réduire les crises cardiaques de 50 %, il ferait les gros titres des journaux dans le monde entier (mais, de toute évidence, cela ne s'est jamais produit). Et cela serait encore deux fois plus vrai pour les chiffres concernant le cancer. Toute réduction dans ce domaine constituerait un progrès majeur. Après cinquante ans de recherche massivement subventionnée, le taux moyen de cancers aux États-Unis demeure inchangé, et la durée de survie des patients cancéreux n'est pas prolongée de façon significative. (Ces données portent sur l'ensemble des patients ; certains individus peuvent bien entendu s'en sortir mieux que ce qu'indiquent les statistiques, et dans certains types de cancers, comme la leucémie chez l'enfant et le cancer du sein localisé, la médecine a accompli de grands progrès.)

Pour s'assurer du bien-fondé de ses découvertes, Orme-Johnson compara les résultats qu'il avait obtenus à ceux de 600 000 membres de la même compagnie d'assurance-maladie. Il examina toutes les demandes de remboursement enregistrées sur une période de cinq ans, de 1980 à 1985, afin d'être sûr qu'il ne s'agissait pas seulement d'un écart à court terme. Finalement, il s'avéra qu'un méditant moyen, qu'il s'agisse d'un enfant, d'un jeune adulte ou d'une personne âgée, est allé consulté un médecin deux fois moins souvent qu'un Américain moyen.

Apprendre à méditer

La méditation constitue une technique subtile et très spécifique. Le mieux est de l'acquérir en suivant l'enseignement d'un maître qualifié. L'apprendre convenablement à partir d'un livre est loin d'être évident. Au Chopra Center, nous avons formé plus de cinq cents professeurs capables d'enseigner la méditation du son primordial. Apprendre à méditer auprès de l'un de ces maîtres permet d'assimiler tous les aspects de la technique tout en l'adaptant à ses besoins personnels.

Je vous recommande de vous initier pour commencer à la technique de méditation du souffle. Quand vous aurez réussi à faire le silence dans votre esprit, et que vous en aurez tiré un certain profit, mettez-vous en quête d'un professeur qualifié afin d'être certain de pratiquer convenablement la méditation. Vous trouverez dans l'Appendice A les indications nécessaires pour entrer en contact avec un professeur capable d'enseigner la méditation du son primordial.

Les sons qui guérissent – les vibrations naturelles les plus subtiles

Le monde physique est en mesure de procurer une grande variété de vibrations susceptibles de nous rappeler notre nature essentielle. Tout son favorable à la paix et à l'élévation de l'esprit peut être considéré comme un son qui guérit. Selon l'Ayurvéda, ces sons subtils n'ont rien de fortuit. Toute la nature en est constituée. Dans le calme complet de l'univers à l'état quantique, les sons primordiaux naissent, forment des structures, puis avec le temps s'épanouissent pour devenir matière, énergie, et toute l'infinie variété de ce qui est composé de matière et d'énergie : étoiles, arbres, rochers et êtres humains. Les cris des oiseaux, les bourdonnements des abeilles, les vagues qui se brisent sur le sable, une brise d'été qui soulève les feuillages : chacun de ces sons est bénéfique. Passez du temps dans la nature et prêtez l'oreille à tous les sons bénéfiques qui vous entourent. Si vous vivez dans une grande ville, sans pouvoir profiter régulièrement d'un environnement sonore naturel, recréez chez vous la nature grâce à des enregistrements des sons de la forêt vierge, de l'océan ou de chutes d'eau. La théorie qui sous-tend le traitement par le son primordial postule que l'esprit peut accéder à nouveau au niveau quantique, puis introduire à ce stade certains sons qui ont pu se distordre quelque part le long du circuit, générant ainsi dans le corps une influence profondément bénéfique. Se connecter de façon régulière à ces sons bénéfiques constitue une bonne façon de se soigner.

La réalité quantique

Du fait qu'il s'agit d'un concept qui reste étranger aux gens enracinés dans la réalité matérielle, comme nous le sommes tous, nous allons passer un moment à considérer le son primordial plus en détail. Les physiciens occidentaux admettent déjà qu'au niveau le plus profond du monde naturel se trouve le champ quantique. Le quantum se définit comme la plus petite unité de lumière, d'électricité ou de toute autre énergie pouvant exister. (Le mot *quantum* vient du latin et signifie « combien ? ») La réalité quantique met au défi nos conceptions courantes, notre bon sens. Il n'existe aucune matière solide en elle, par exemple. L'atome était habituellement considéré comme étant la plus petite particule de matière dans la création. Le terme *atome* vient en fait du grec et veut dire « qui ne peut être divisé ». Pourtant, si on l'examine de très près, on s'aperçoit qu'un atome est composé de petits morceaux de matière encore plus minuscules, qui tournoient à la vitesse de la lumière dans un immense espace vide, tellement vide qu'il rivalise avec le vide de l'espace intergalactique : l'intervalle existant entre deux électrons est proportionnellement plus grand que celui séparant la terre du soleil.

Si l'on se concentre sur ces petits morceaux de matière subatomique, on s'aperçoit qu'ils ne sont pas matériels du tout mais que ce sont plutôt de simples vibrations d'énergie qui ont revêtu une apparence de solidité. Cette découverte – la prise de conscience que la matière n'est qu'une fluctuation d'énergie revêtant une autre forme – a constitué le « carburant » qui a alimenté la révolution quantique menée par Einstein et ses collègues au début du XXe siècle. Au lieu de pouvoir s'appuyer sur des particules solides se déplaçant comme des boules de billard sur une table, les physiciens furent confrontés à des vibrations fantomatiques qui apparaissaient substantielles un instant et abstraites l'instant suivant.

La révolution quantique rendait inévitable un changement de notre vision du monde. La physique quantique montra que l'infinie variété des objets que nous voyons autour de nous – étoiles, galaxies, montagnes, arbres, papillons, ou amibes – est reliée à des champs quantiques infinis, éternels, illimités, comme un morceau de tissu dont les mailles seraient constituées par toute la création. Les objets qui semblent séparés et distincts de nous sont en fait tous cousus dans la trame de cette vaste étoffe. Les angles aigus d'un objet quel qu'il soit, comme par exemple une chaise ou une table, sont une illusion qui nous est imposée par les limites de notre vision. Si nous avions des yeux accordés au monde quantique, nous verrions ces angles s'effacer et finalement se dissoudre, pour céder la place à des champs quantiques illimités. La découverte de ce niveau quantique de la nature a débouché sur des applications concrètes : elle nous a fourni les rayons X, les transistors, les supraconducteurs et les lasers, tout cela restant inconcevable avant que la science n'explore plus profondément la texture de la création.

De nos jours, on pense qu'il existe un seul superchamp, appelé champ unifié, constituant la réalité ultime qui sous-tend toute la nature. De même que les feuilles d'un arbre sont reliées à des tiges, les tiges à des branches, et les branches à un seul tronc principal, l'entière multiplicité de la nature converge en un seul champ englobant tout. Puisque nous faisons nous-mêmes partie de la nature, nous devons nécessairement faire partie du champ unifié, qui est en nous et autour de nous tout le temps.

Il vous est possible de faire l'expérience de ce champ tout englobant dans votre esprit, grâce à la méditation. Un méditant décrit son expérience en ces termes :

> Je sens que les frontières de l'esprit sont repoussées, comme le pourtour d'un cercle qui irait en s'élargissant jusqu'à ce que le cercle ait disparu et que seul l'infini demeure. C'est un sentiment de grande liberté, mais aussi de naturel, bien plus réel et naturel que d'être confiné en un petit espace.

Il s'agit à coup sûr d'un changement de conscience radical, qui conduit l'esprit à saisir une vérité nouvelle et profonde, à savoir qu'un être humain est bien plus qu'une simple enveloppe de chair et de sang localisée dans le temps et l'espace. Si vous vous tournez vers la physique, vous trouverez que dans le monde de nos sens, les électrons, les quarks et autres particules élémentaires semblent eux aussi être localisés dans le temps et l'espace. Mais dès que vous franchissez le seuil quantique, chaque particule constitue la crête d'une vague qui s'étend à l'infini dans toutes les directions à travers l'espace-temps. Ce qui veut dire que vous ne pouvez pas vous voir avec exactitude tant que vous ne devenez pas conscient de vos deux identités en même temps.

Ce même méditant poursuit ainsi :

> Parfois le sentiment de l'infini est si fort que j'en perds la sensation du corps ou de la matière, ceux-ci se fondant dans une conscience infinie, illimitée, un continuum de conscience éternel, non changeant.

Il est hautement improbable que cette description ne soit simplement qu'une illusion subjective. Il existe d'innombrables autres témoignages qui lui sont semblables et ont été rapportés dans toutes les traditions spirituelles de l'homme, aussi bien en Orient qu'en Occident.

Le son en tant que remède

Une question évidente se pose : comment sommes-nous reliés au champ unifié ? La réponse est : par des « fils » invisibles, composés de fines vibrations que l'Ayurvéda Maharishi appelle sons primordiaux. Cette vision des choses est également plausible du point de vue d'un physicien moderne. Il est évident que si deux électrons restent unis dans un atome d'hélium malgré l'immense vide qui les sépare, c'est parce qu'un lien invisible mais extrêmement puissant est présent. Ce lien doit aussi comporter un élément d'intelligence conceptuelle en lui, puisque chaque atome de l'univers est parfait et demeure parfait pour toujours.

Les sages de l'Ayurvéda ont affirmé qu'ils avaient pu, sous la forme de sons surgissant dans leur conscience, détecter ces liens qui opèrent comme la « colle » de l'univers. Après les avoir entendus, ces sages ont également pu les reproduire et les transmettre à d'autres. Un son primordial peut être articulé ou chanté à voix haute ; mais il est plus puissant encore si on le pratique à l'intérieur de soi, mentalement. La preuve que le son primordial existe bien réside dans ses applications. Si le corps est fondamentalement un tout formé d'éléments « collés » ensemble grâce à des sons, comme l'affirment ces sages, la présence d'une maladie sera alors le signe que certains de ces sons ont dû se désaccorder.

Ce n'est pas avant d'avoir atteint l'âge de 75 ans qu'Agnès Reiner connut des troubles au niveau du cœur. Elle se mit à souffrir de douleurs sourdes à la poitrine que l'on diagnostiqua comme de l'angine de poitrine. Agnès n'avait pas besoin de faire de grands efforts pour qu'une crise apparaisse ; celle-ci pouvait se produire alors qu'elle était tranquillement assise, ou pouvait même la réveiller au beau milieu de la nuit.

Dans le journal qu'elle tenait, elle a consigné soixante épisodes d'angine entre janvier et mai, soit environ une attaque tous les trois jours. Certaines crises étaient légères et passaient après deux ou trois minutes, d'autres étaient bien plus sérieuses : pendant dix minutes, une douleur irradiait à partir du centre de sa poitrine, causant des palpitations et l'affaiblissant. « Je n'ai pas vécu jusqu'à cet âge pour me faire du tourment à propos de mes problèmes », disait-elle à ses amis. Néanmoins, cette expérience l'effrayait.

Quand Agnès alla consulter son cardiologue, les examens ne révélèrent aucune sclérose grave de ses artères coronaires. Comme chez la plupart des gens âgés, ses artères s'étaient quelque peu durcies, mais on ne voyait pas de grandes plaques d'amas graisseux risquant de priver le muscle cardiaque d'oxygène. Toutefois, il existe une deuxième sorte d'angine, due aux spasmes des vaisseaux coronaires, et c'est de cela dont souffrait Agnès. L'étroitesse de ses artères suffisait pour qu'une forme de stress léger, pouvant même passer inaperçu, puisse les resserrer et provoquer une attaque d'angine de poitrine.

« Nous ne connaissons rien sur ce sujet, lui dit son médecin. Simplement, ne faites pas d'effort à partir de maintenant. »

« Quand on a 75 ans, répondit vivement Agnès, tout ce qu'on fait, vous savez, c'est de ne pas s'en faire ! »

Elle commença à prendre un médicament classique pour soulager ses artères. Mais elle tenait à tout faire pour essayer d'éviter un traitement médical à long terme. Au début du mois de juin, sur le conseil de son fils, Agnès vint consulter chez nous. Après avoir établi un bilan de santé complet, nous lui avons appris la méditation tout en l'engageant à écouter chaque jour les sons de la nature.

Nous lui avons également enseigné à chanter à voix haute le son associé au cœur. Selon le Tantra, une tradition spirituelle proche parente de l'Ayurvéda, nous possédons tous sept centres d'énergie désignés sous le nom de chakras. Ces chakras peuvent être définis comme autant de points de jonction entre l'esprit et la matière.

Le premier chakra, situé à la base de la colonne vertébrale, est associé aux fonctions vitales. Le deuxième, localisé dans les organes de la reproduction, commande la créativité. Le troisième, situé au niveau du plexus solaire, détermine le pouvoir personnel. Le quatrième, logé dans le cœur, est capital pour nos relations avec nos semblables. Le cinquième, au niveau de la poitrine, se trouve lié à notre capacité d'expression. Le sixième se situe entre les deux yeux (on l'appelle le « troisième œil ») ; il est le centre du discernement et de l'intuition. Le septième chakra, enfin, est localisé au sommet du crâne ; il est censé s'ouvrir quand nous faisons l'expérience de certains états de conscience supérieurs.

À chaque chakra se trouve associé un mantra. Selon la tradition tantrique, prononcer le mantra dans le chakra correspondant, avec toute la concentration requise, peut permettre de libérer l'énergie emprisonnée dans une zone précise du corps. Les mantras correspondant aux sept centres énergétiques sont les suivants :

Chakra	*Localisation*	*Mantra*
1er	Base de la colonne vertébrale	Lam
2e	Appareil génital	Vam
3e	Plexus solaire	Ram
4e	Cœur	Yum
5e	Poitrine	Hum
6e	Troisième œil	Sham
7e	Crâne	Om

Nous avons encouragé Agnès à psalmodier le mantra du cœur plusieurs fois par jour. Deux mois plus tard, Agnès m'écrivit une lettre radieuse qui commençait par : « Je n'ai plus de douleurs ! » Ses attaques avaient cessé une semaine après qu'elle avait commencé à chanter le mantra du cœur et n'avaient plus reparu. Sa joie et son soulagement transparaissaient dans sa lettre. Aujourd'hui, elle se sent à l'aise dans son activité – alors que la plupart des personnes souffrant d'angines de poitrine sont obligées de faire très attention à ne pas faire d'effort, même léger. L'été dernier, elle n'a pas hésité à faire hardiment un nouveau pas en s'inscrivant comme étudiante à plein temps à l'université. Elle m'a fait savoir avec fierté qu'elle se trouve être la doyenne des étudiants de première année dans toute l'histoire de sa faculté.

Comment la tradition de l'Ayurvéda explique-t-elle les effets de la technique des sons ? Il est impossible d'analyser intellectuellement toutes les vibrations qui exercent une influence sur notre vie. L'oscillation des atomes qui composent vos cellules, les battements de votre cœur, le mouvement des planètes – tout cela agit sur votre vie d'une façon subtile mais profonde. Selon l'Ayurvéda, il arrive que toutes ces vibrations ne soient plus synchronisées. Le défaut d'harmonie qui en résulte est à l'origine de la maladie.

Dans ce cas, l'Ayurvéda nous invite à appliquer un son primordial spécifiquement choisi, sorte de moule ou de gabarit susceptible de rectifier les cellules modifiées en les replaçant dans la bonne séquence, non par des moyens physiques, mais en réparant la séquence du son au cœur de chaque cellule. Dans le cas d'un trouble comme l'angine de poitrine, nous savons que le cerveau envoie des signaux spécifiques contractant les artères par l'intermédiaire de molécules-messagers qui stimulent les cellules nerveuses et musculaires dans les couches moyennes des vaisseaux sanguins. Les spasmes dont souffrait Agnès étaient causés par une sorte de message inadéquat. Certains médicaments tirent avantage de ce fait en inhibant les messagers chimiques du cerveau, de telle sorte que leur message ne sera jamais transmis. Mais c'est l'esprit qui constitue la source réelle de ces molécules. Si l'on agissait directement sur le processus de la pensée pour corriger les impulsions cérébrales, le traitement serait à la fois plus efficace et plus doux. Tel est l'objectif de la technique des sons.

Le degré de guérison atteint grâce au son peut varier d'un individu à l'autre. L'ayant maintenant prescrit pendant des années, j'ai pu être le témoin de centaines de cas dans lesquels des patients souffrant de maladies cardiaques, de cancers, de scléroses en plaque, et même de SIDA, ont déclaré ressentir un soulagement de leurs douleurs, de leur anxiété, et de divers autres symptômes fâcheux. Ces témoignages n'ont pas encore fait l'objet d'études statistiques fondées sur les paramètres adéquats nécessaires en vue d'une validation scientifique. On ne peut donc pas les mettre en avant comme preuves de l'efficacité de cette technique mentale ; si l'on doit s'en tenir aux critères de la médecine scientifique, il reste encore un long chemin à parcourir avant qu'on en arrive à des preuves irréfutables.

Mais par ailleurs, l'approche qui est celle de l'Ayurvéda Maharishi s'enracine dans des milliers d'années d'expérience, et le fait d'en tirer parti pourra être complémentaire aux bienfaits procurés par les traitements médicaux conventionnels.

La visualisation : comment mettre à profit l'attention et l'intention

Diriger son attention vers une zone du corps qui a besoin d'être soignée en y mettant une intention particulière constitue une technique thérapeutique efficace. L'Ayurvéda dit : « Tout ce vers quoi nous dirigeons notre attention dans notre vie devient plus fort. » Si vous passez deux heures par jour dans une salle de musculation pour prendre soin de votre silhouette, vos muscles vont se développer, mais vous risquez de voir baisser vos notes à l'école. Si vous passez toutes vos soirées et vos week-ends au bureau, vos affaires prospéreront peut-être, mais vos relations familiales en pâtiront à coup sûr.

L'Ayurvéda enseigne qu'il est possible d'utiliser son attention pour activer dans l'organisme des processus de guérison. Se concentrer délibérément sur tel organe qui pose un problème peut produire des résultats.

Selon un autre principe de l'Ayurvéda, « l'intention possède un pouvoir illimité ». Autrement dit, il est capital de se faire une idée claire du but que l'on se propose, pas nécessairement du détail de l'opération. Pour jouer au base-ball, par exemple, il n'est pas indispensable d'analyser le travail de chaque muscle. L'intention de frapper la balle suffit, le cerveau passe automatiquement les dizaines de millions d'ordres nécessaires pour que l'acte devienne effectif. Votre foie, les tissus de l'organisme, la circulation sanguine, le cycle de la respiration contribuent au métabolisme et à la transformation du glucose en énergie sans qu'il soit nécessaire qu'un contrôle conscient de votre part ne s'exerce. Si vous deviez accorder votre attention aux détails, vous ne pourriez jamais agir.

Ces principes permettent de stimuler les défenses naturelles du corps, quand bien même vous seriez hors d'état de mesurer l'influence qu'il est possible d'exercer sur eux. Réveiller les facultés internes de guérison nécessite d'autres démarches que celles qui sont utilisées pour passer à l'acte. Si vous désirez lever la main, votre cerveau doit envoyer un ordre à certains muscles par l'intermédiaire des nerfs de la colonne vertébrale pour qu'ils se contractent ou se détendent. Si vous voulez faire baisser votre tension artérielle ou stimuler vos défenses immunitaires, il vous faut mettre en œuvre une approche plus subtile qui met en relation attention et intention.

Pour vérifier que vous êtes bel et bien en mesure d'exercer une influence que vous n'auriez pas soupçonnée sur certaines des fonctions de votre organisme, essayez de pratiquer l'exercice de visualisation ci-dessous.

La technique de visualisation

Restez assis quelques instants, les yeux fermés. Dirigez ensuite votre attention vers votre cœur et passez en revue tout ce envers quoi vous ressentez de la gratitude.

Tentez maintenant de vous libérer de tout motif de tous les reproches, de tous les regrets et de toute hostilité que vous pouvez garder au cœur ou à l'esprit. Plus tard, si vous le voulez, vous pourrez vous remettre en mémoire tous ces motifs de reproches. Oubliez-les pour le temps de cette méditation.

Répétez maintenant, pendant quelques instants, la phrase : « Que ta volonté soit faite. » Pensez que vous vous adressez à une conscience universelle, que vous la conceviez comme un dieu, un esprit ou sous n'importe quelle autre forme. Répétez comme vous feriez d'un mantra : « Que ta volonté soit faite. »

Tentez d'apaiser votre dialogue intérieur et laissez votre attention se reporter sur votre corps. Si vous détectez une zone de tension, faites en sorte qu'une détente intervienne à cet endroit.

Puis reportez votre attention sur votre respiration. Pour commencer, soyez tenté simplement de vous rendre conscient de votre rythme respiratoire. Puis tentez de le ralentir.

Dirigez ensuite votre attention sur votre cœur, essayez d'écouter et de sentir ses pulsations. Tentez de ralentir votre rythme cardiaque. Reportez maintenant votre attention sur vos mains. Essayez de sentir vos pulsations cardiaques dans vos mains. Tentez de faire affluer le sang au niveau de vos mains et d'en augmenter la chaleur.

Reportez maintenant votre attention sur vos yeux. Essayez de ressentir les pulsations de votre cœur dans vos yeux, puis sur votre visage.

Puis laissez votre attention errer librement à travers tout votre corps. Soyez sensible à sa chaleur, aux sensations de picotement, à l'écho des pulsations de votre cœur en n'importe quel point de votre corps. Tentez en particulier de percevoir pulsations et chaleur dans la zone que vous désirez renforcer ou soigner.

Maintenant, en dirigeant attention et intention vers la zone que vous désirez soigner, répétez comme un mantra, pendant plusieurs minutes, ces deux mots : « Guérison et transformation. »

Reportez votre attention vers votre cœur, désormais sans intention. Tentez simplement de rester attentif à votre rythme cardiaque. Puis dirigez votre attention vers votre poitrine. Après quelques instants, ouvrez les yeux pour conclure la méditation.

Cet exercice a d'abord pour effet d'augmenter la chaleur du corps et de faire affluer le sang aux endroits qui nécessitent des soins, puis il permet d'y introduire l'intention de guérir. Il s'agit d'une technique de méditation efficace, à condition de se souvenir de toute la séquence et de commencer par se purger de toutes les mauvaises pensées. Pratiquez cette méditation aussi souvent que possible. Progressivement, vous deviendrez capable de ressentir chaleur et pulsations en n'importe quel endroit de votre corps et de mobiliser par attention et intention l'énergie bénéfique disponible.

La marma thérapie – stimulation des points de jonction entre le corps et l'esprit

Parce que l'intelligence est présente dans chaque cellule, l'esprit et le corps se rejoignent partout, et non pas seulement dans le cerveau. En fait, dès que vous lui retirez son masque physique, vous vous apercevez qu'une cellule n'est rien d'autre qu'un point de jonction entre la matière et la conscience, un lieu où le corps quantique et le monde extérieur s'entrecroisent. Certains de ces points de jonction sont cependant plus essentiels que d'autres. L'Ayurvéda Maharishi a recours à certains points extrêmement sensibles localisés sur la peau. Il en existe 107, que l'on appelle *marmas.* Bien qu'invisibles à l'œil nu, les marmas sont accessibles grâce au sens du toucher et sont considérés vitaux pour le maintien de l'équilibre dans le corps entier. Une technique de massage appelée « marma thérapie » permet de stimuler ces points ; elle est dispensée dans nos cliniques et peut, une fois apprise, être pratiquée chez soi.

Les anciens traités de chirurgie ayurvédique mettent en garde le médecin de ne jamais entailler les marmas, tous répertoriés avec précision selon leur lieu et leur fonction. Ceux-ci sont similaires – mais non exactement semblables – aux méridiens répertoriés par l'acuponcture chinoise ; la marma thérapie est antérieure à l'approche chinoise et vraisemblablement son ancêtre direct. Éviter d'endommager les marmas est une sage précaution. Bien qu'ils ne correspondent pas habituellement aux principaux vaisseaux sanguins ou nerfs, les marmas sont cependant tout aussi vitaux, car ce sont eux qui indiquent par où le flux d'intelligence interne s'écoule et révèlent les points de sensibilité et de conscience maximales.

La stimulation des marmas

Grâce à la stimulation des marmas, le lien entre la conscience et la physiologie peut être vivifié. Il existe diverses méthodes pour stimuler un marma. L'une d'elles consiste à faire de confortables mouvements de yoga, comme ceux indiqués dans la 3e partie (voir la rubrique « Exercices »). Alors que vous placez votre corps dans une posture de yoga, vous étirez avec douceur certains points de marmas spécifiques. Le fait de verser de l'huile sur le front, selon une méthode que l'on pratique dans le panchakarina (appelée *shirodhara*), procurera aussi un profond soulagement, car l'huile chaude s'écoule directement sur un point de marma majeur situé au centre du front. De même, le massage quotidien à l'huile *(abhyanga),* exposé en détail plus loin (voir la rubrique « routine quotidienne »), va affecter tous les marmas situés sur la peau. Ce contact est immédiatement enregistré par tout le système nerveux. Ainsi, les points de marmas vous permettront donc de « parler » directement au dosha Vata et de le maintenir en équilibre.

Du fait que les marmas ne sont pas localisés seulement à la surface mais pénètrent en profondeur dans l'organisme, on peut aussi les stimuler mentalement. La M.T. active tous les marmas, mais particulièrement les trois « grands marmas » *(Mahamarma)* situés dans la région de la tête, du cœur et dans la partie inférieure de l'abdomen. Comme ceux-ci ne sont pas situés à la surface de la peau, ils doivent être stimulés en allant directement au niveau du corps quantique ; parmi les différents marmas, ce seront ceux que l'on devra stimuler en premier lieu, car ils exercent une forte influence sur les marmas secondaires.

La marma thérapie clinique

Le Chopra Center propose une marma thérapie spéciale, comportant des instructions pour pratiquer le traitement chez soi. Les points de marma sont identifiés pour chacun des trois doshas et stimulés grâce aux huiles essentielles appropriées. Pour établir le diagnostic d'un patient, on se base sur ses déséquilibres spécifiques. Supposons qu'un mal de tête chronique soit associé à un déséquilibre de Prana Vata, le sous-dosha de Vata situé dans la tête. Des techniciens qualifiés vont pratiquer, selon un ordre très précis, un massage en douceur sur les points de marmas qui correspondent à Prana Vata, en appliquant une huile aromatisée d'herbes spécifiques. Certains patients trouvent ce traitement extrêmement relaxant et témoignent d'un soulagement de leur souffrance ainsi que d'autres symptômes chroniques, parfois très anciens.

Les marmas chez soi

Du fait que la localisation des marmas nécessite un œil exercé, car leur emplacement diffère légèrement d'une personne à l'autre, la thérapie clinique ne peut être enseignée dans un livre. Toutefois, vous pouvez bénéficier des marmas d'une manière plus générale. Une série de ces points (qui sont parmi les plus importants) se trouve sous les plantes de pieds. Pour les activer, il est recommandé de faire un massage en douceur du pied avec de l'huile de sésame pendant trois à cinq minutes chaque jour. Le moment propice pour accomplir ce massage sera au coucher, parce que l'effet apaisant qui en résulte sur le système nerveux, ainsi que sur le dosha Vata en particulier, fait de ce massage un bon prélude au sommeil.

Par ailleurs, lorsque vous pratiquez votre abhyanga quotidien, portez spécialement votre attention sur les trois marmas importants indiqués dans l'illustration ci-dessous :

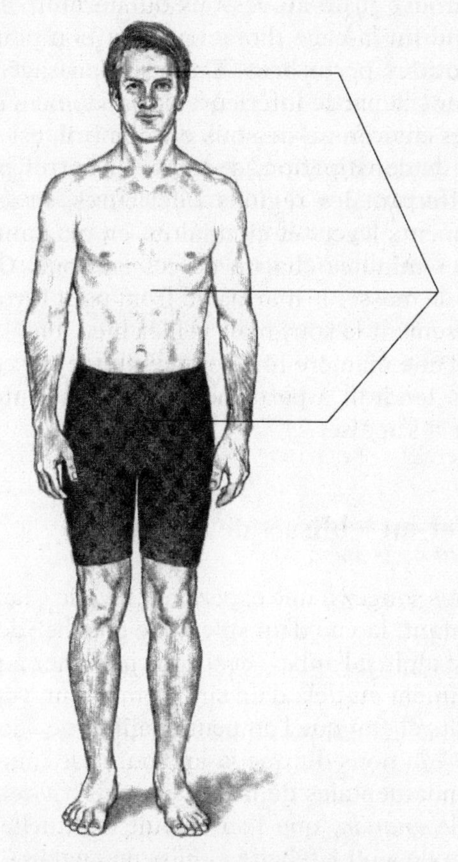

Trois points de marmas importants à masser chez soi.

L'un est situé entre vos sourcils et s'étend jusqu'au milieu du front. Le massage en douceur de cette zone, fait les yeux fermés, est bénéfique en cas d'inquiétude, de maux de tête, de surmenage mental et d'autres troubles Vata affectant les régions supérieures. Le massage du point qui est relié au cœur (dont l'emplacement précis se trouve juste au-dessous du sternum, à l'endroit où prend fin la cage thoracique) est bon pour apaiser les émotions perturbées. Enfin, le massage du point situé dans la partie inférieure de l'abdomen, à dix centimètres environ au-dessous du nombril, est bon dans les cas de constipation, de gaz, et d'autres problèmes Vata affectant les régions inférieures. Procédez par mouvements légers et circulaires, en massant pendant quelques minutes chacun de ces endroits. On pourra choisir de masser le marma du front pour favoriser l'endormissement le soir, mais veillez bien à ne jamais appuyer d'une manière forte ou précipitée sur cette zone, car cela tendrait à perturber votre Vata plutôt que de l'inciter à s'apaiser.

Accéder au « bliss » de la nature

Si vous songez à une expérience de joie – la naissance d'un enfant, la vue d'un splendide coucher de soleil ou d'un lac alpin à l'aube – et si vous parvenez à prolonger ce sentiment au-delà d'un simple moment, vous arrivez à un nouvel état que l'on peut qualifier de « joie pure ». L'Ayurvéda nous dit que la joie pure est l'une des qualités fondamentales de la vie. En sanskrit cette qualité s'appelle *ananda,* que l'on traduit habituellement par « béatitude » ou « félicité » (*bliss* en anglais).

À la suite de la très forte popularité des enseignements orientaux en Occident, les gens en sont venus à employer le mot *bliss* pour exprimer toutes sortes d'émotions positives. Pour être plus précis, la béatitude est une notion trop abstraite pour être expérimentée en elle-même. Par analogie, comment pourriez-vous faire l'expérience de l'intelligence ? Or, tout comme l'intelligence, la béatitude est une abstraction. Elle existe dans le corps quantique sous sa forme pure et ne vient émerger à la surface que lors de conditions appropriées. On ne peut ni voir ni toucher les milliers de processus du cerveau et du corps qui doivent tous être coordonnés pour pouvoir engendrer la béatitude, mais on peut faire l'expérience d'un sentiment bien particulier – la joie pure – et cette expérience est la preuve que la béatitude existe bien.

Selon les sages de l'Ayurvéda, toutes nos joies émanent de la joie pure. Elle constitue cette lumière vive que nous ne pouvons voir directement mais seulement par réfléchissement dans des joies de moindre intensité. Ces lumières moins intenses ne pourraient exister sans la « grande ». Même dans notre société occidentale, où l'on assimile aisément l'argent, la beauté physique et le succès au bonheur, chacun connaît des moments inattendus où la vie semble absolument parfaite et emplie de joie. S'il vous était possible de vivre dans cet état de joie pure à tout instant, vous auriez en votre possession l'essence tangible de la santé parfaite.

Se mettre en accord avec les dons de la nature

La nature constitue une source inépuisable d'énergie et de richesses qui exercent des effets bénéfiques à la fois sur le corps et sur l'esprit. Il convient d'accueillir ces dons avec nos cinq sens :

- Marchez pieds nus sur la terre pendant quelques minutes chaque jour. Dirigez votre attention sur vos pieds et sur le sol, avec l'intention d'absorber la nourriture offerte par la terre.

- Promenez-vous le long des cours d'eau. Soyez réceptif aux influx apaisants et harmonieux qui émanent de l'eau.
- Laissez-vous pénétrer par la lumière et la chaleur du soleil. Soyez reconnaissant envers son énergie réconfortante, source de toute vie sur terre.
- Fréquentez des lieux où la végétation est abondante et profitez-en pour respirer à fond les parfums que dégagent les plantes. Les meilleurs moments pour recueillir l'énergie vitale des plantes se situe juste avant l'aube et aussitôt après le coucher du soleil.
- N'oubliez pas de profiter de la nuit pour contempler les étoiles. Laissez votre esprit errer dans les cieux et laissez le cosmos pénétrer votre esprit.

Le caractère naturel de la béatitude

Chaque dosha exprime une saveur différente de joie ; si nous nous trouvions dans un état de parfait équilibre, il nous serait possible de faire l'expérience de toutes ces saveurs à la fois :

Vata – stimulante, allègre, vive, enjouée, optimiste, flexible

Pitta – heureuse, joyeuse, chevaleresque, agréable, claire d'esprit

Kapha – stable, forte, apte au pardon, courageuse, généreuse, affectueuse, sereine

Dans la plupart des cas, Vata est le « leader » des autres doshas. C'est par l'intermédiaire du système nerveux qu'il transmet la joie, provoquant des changements dans les cellules de tout le corps. Mais si les trois doshas ne sont pas en équilibre, votre physiologie ne sera pas capable de maintenir la joie pure pendant des durées prolongées. L'un des principaux buts de l'Ayurvéda Maharishi est de corriger cela en nettoyant les fenêtres de la perception intérieure. Dans l'état de veille ordinaire, la perception que nous avons de nous-mêmes est en général mal préparée à réaliser combien la joie existe en nous.

Du fait que la psychologie conventionnelle se concentre tellement sur les états anormaux, sur les névroses et les psychoses, elle n'a que très peu à dire sur les effets de la joie, et la médecine interne, quant à elle, n'en dit rien du tout. Certes, les moments d'extase ont été maintes fois exaltés – par des poètes, des personnalités religieuses et même des gens ordinaires –, mais le lien avec les états supérieurs de santé n'avait pas été mis en évidence jusqu'au moment où le psychologue Abraham Maslow a commencé à se mettre, dans les années 50 et 60, à étudier un groupe de personnes aux accomplissements remarquables, à propos desquelles il disait qu'elles s'étaient « réalisées elles-mêmes ». De tels individus, s'aperçut rapidement Maslow, menaient des vies personnelles extrêmement diverses et hautement singulières. En apparence, il n'existait aucune ressemblance évidente entre un entrepreneur couronné de succès, un romancier célèbre et un grand chef d'orchestre. Toutefois, au-delà de leurs modes de vie très différents, Maslow découvrit que bon nombre d'entre eux avaient éprouvé ce qu'il appelait des « expériences culminantes », des moments de bien-être et de joie intenses.

Au cours de tels moments privilégiés, ces personnes avaient ressenti une transformation totale de leur réalité personnelle. Des obstacles qui paraissaient énormes dans la vie ordinaire devenaient soudain dérisoires. Le sentiment d'une puissance fabuleuse les inondait. Ils se sentaient profondément calmes et en accord avec la vie.

Les plus remarquables athlètes et hommes d'action témoignent tous de moments où ils dépassent sans effort leurs aptitudes habituelles. Ainsi, selon la championne américaine de basket-ball Patsy Neal : « Il est des moments glorieux qui dépassent toute attente humaine, allant bien au-delà des aptitudes physiques et émotionnelles de l'individu. Quelque chose d'*inexplicable* prend le dessus pour insuffler plus de vie dans le quotidien banal. L'athlète se dépasse elle-même ; elle transcende l'ordinaire – c'est comme si elle *flottait* tout au long de l'expérience, puisant en elle des forces dont elle n'avait pas jusqu'alors été consciente. »

Maslow se rendit compte que de telles expériences culminantes comportaient des vertus hautement thérapeutiques. Ses patients attribuaient les changements majeurs de leur vie à des révélations qui avaient soudain surgi en eux lors de tels moments privilégiés : une confiance et une créativité nouvelles, des solutions inattendues à des dilemmes déroutants, et la certitude qu'aucune peur ne pouvait les atteindre. Dans certains cas même, une dépression de longue date ou des névroses d'angoisse disparurent du jour au lendemain pour ne plus jamais réapparaître.

Maslow était énormément impressionné, et ses recherches de pionnier dépassèrent largement l'éventail d'expériences positives qu'on avait pris l'habitude de considérer « normales » dans le cas de la psyché humaine. Il ne put cependant découvrir le moyen de procurer à quiconque cette expérience culminante, ni en trouver la source. Dépourvu de technique pour transcender, il ne pouvait qu'attendre et espérer ces moments intermittents où le voile se lève et permet à la psyché de voir bien au-delà de l'état de veille ordinaire.

La superfluidité

Récemment, des psychologues cliniciens ont découvert un état sans effort dans lequel plongent souvent des personnes créatives, état qu'on appelle familièrement « le flux ». Pendant ces périodes de « flux », les projets de travail semblent avancer de leur plein gré, et même la concentration la plus profonde n'exige aucun effort. Tant qu'ils sont dans le « flux », ces individus créatifs de tous bords ressentent une sensation de plaisir, comme s'ils avaient pu se hisser bien au-dessus de leurs aptitudes ordinaires. L'inconvénient d'un tel « flux » est qu'il ne peut pas être enseigné à d'autres ou provoqué en soi. On estime que moins de 10 % de personnes ordinaires en font l'expérience, et celles qui la font ne restent dans le « flux » que d'une manière momentanée. Toutefois, cela constituait un progrès par rapport au groupe minuscule de personnes « réalisées », qui représentait, selon les estimations de Maslow, moins de 1 % de la population générale.

Ce n'est que lorsque la science se mit à explorer sérieusement la méditation que le caractère mystérieux de ces phénomènes put être pleinement expliqué. Il s'avère qu'une expérience culminante ou la sensation d'être dans le « flux » des choses indique un état plus profond et soutenu que les chercheurs de la méditation ont qualifié de « superfluidité ». La superfluidité ressemble au « flux » en ce sens que l'effort requis dans l'activité sera moindre, mais dans le cas présent, l'effort est alors réduit à un minimum absolu : dans l'état superfluide, l'action devient complètement automatique, l'acteur se fond dans son acte, le penseur dans ses pensées, l'artiste dans son art.

En voici une description de premier ordre, rapportée par un méditant : « Une sensation douce mais puissante d'équanimité béatifique est, la plupart du temps, présente à la fois dans l'esprit et le corps. Sur le plan physique, l'expérience est celle d'une allégresse extrêmement délicieuse inondant tout le corps. Cette équanimité est si profonde et stable qu'elle se maintient même au beau milieu d'une grande activité – elle fait tampon contre toute perturbation et fait de toute activité quelque chose de simple et d'agréable. »

Le terme *superfluidité* vient d'une catégorie de substances particulières appelées « superfluides » et découvertes en physique voici plus de cinquante ans. Quand l'hélium liquide, par exemple, est porté à une température extrêmement basse, frisant à quelques degrés près le zéro absolu (–273 °C), il acquiert la faculté de s'écouler vers le haut du récipient en grimpant le long de ses parois, ou de passer à travers des trous infiniment minuscules ou presque, et, si on le met en mouvement, il pourra circuler à tout jamais. La raison de cette transformation déconcertante dans le comportement s'explique par le processus de refroidissement lui-même. Lorsque la température est suffisamment basse, les atomes d'hélium cessent de circuler d'une manière incohérente ou fortuite pour s'ordonner presque à la perfection, comme une armée sur le point de se mettre en formation lors d'une parade militaire, après avoir couru dans tous les sens sur le terrain. Les atomes de l'hélium super-refroidi sont si parfaitement ordonnés qu'ils parviennent à un état de superfluidité sans friction. Une propriété semblable s'observe dans le cas de substances super-refroidies, à laquelle on a donné le nom de « supraconductivité », qui est la faculté de maintenir un courant électrique sans friction. La supraconductivité donne aussi l'impression de défier les lois normales de la nature, alors qu'il s'agit en réalité d'une propriété spécifique qui surgit tout à fait naturellement à partir du moment où certaines conditions bien précises sont réunies.

De la même manière, la superfluidité va apparaître dans la conscience une fois que la méditation a « refroidi » le processus de la pensée. L'esprit va découvrir un ordre plus grand à des niveaux plus calmes du processus de la pensée, jusqu'au moment où il s'approche de l'ordre total du silence pur, sans pour autant s'y fondre complètement. En ce point précis, correspondant à la limite quantique de l'esprit, il est toujours possible de penser et d'agir, mais cette fois selon des règles différentes. On fait alors l'expérience d'une expansion sans effort, et d'une sorte de créativité « sans friction » que l'on ne peut découvrir dans l'état de veille ordinaire.

La thérapie par les arômes – l'équilibre grâce au sens de l'odorat

Chacun de vos cinq sens est structuré par une vibration différente du corps quantique. Les vibrations de la lumière venant toucher votre rétine engendrent une réponse tout à fait distincte de celle associée aux vibrations du toucher qui rencontrent vos doigts. Cela explique comment la « soupe d'énergie » de l'univers a pu être répartie en visions, sons, odeurs, saveurs et sensations tactiles bien distincts. Les trois doshas sont également accordés avec précision à la nature. Chacun d'eux va réagir de préférence à l'un ou à plusieurs des cinq sens :

Vata – l'ouïe et le toucher

Pitta – la vue

Kapha – le goût et l'odorat

Ces préférences se voient très aisément chez les gens dont la constitution est dominée par un dosha. Les purs Vatas sont extrêmement sensibles au bruit intense, et leur peau ressent le plus léger contact. Les Pittas, en particulier s'ils sont blonds et ont la peau claire, ne supportent pas la lumière solaire vive, même s'ils n'y sont exposés qu'un bref moment ; ils sont aussi très sensibles à la beauté visuelle. Les Kaphas, qui ont le plus les pieds sur terre, aiment l'atmosphère du foyer et du chez-soi ; pour eux, les saveurs et odeurs de la cuisine sont celles qui vont leur procurer une satisfaction toute particulière.

Comme nous avons tous en nous du Vata, du Pitta et du Kapha, ces préférences restent relatives. Chaque constitution va pouvoir réagir par exemple à une marma thérapie qui utilise le sens du toucher ; elle ne s'appliquera pas qu'aux seuls Vatas. Les anciens traités ayurvédiques nous proposent de longues listes de stimuli sensoriels qui aident à équilibrer les doshas, allant de la contemplation de la pleine lune ou de la marche le long de l'eau (très bénéfiques pour les Pittas), jusqu'à l'écoute du vent dans les arbres (très bénéfique pour les Vatas). Grâce à cette connaissance, un traitement spécial appelé « thérapie par les arômes » a été élaboré, que nos patients trouvent absolument exquis à suivre.

Le vocabulaire des arômes

Chaque dosha peut être équilibré grâce à des arômes qui lui correspondent. La compatibilité se fait à partir des *rasas*, ou saveurs, qui se trouvent dans la nourriture. J'évoquerai longuement les rasas dans la rubrique « Régimes » de la 3e partie. Pour le moment, notez simplement qu'il existe six « goûts » (ou saveurs) en Ayurvéda, dont quatre sont bien connus – sucré, acide, salé, amer –, plus deux qui viennent les compléter : astringent (une saveur sèche, associée aux haricots, aux grenades et au curcuma, qui donne une sensation de « resserrement » dans la bouche) et piquant (épicé). Les aliments doux (ou sucrés) sont censés équilibrer à la fois Vata et Pitta, tout comme le doux parfum d'une rose. Les saveurs acides aggravent Pitta, de même que les odeurs aigres ou nauséabondes en général. Les odeurs humides, terreuses, augmentent Kapha. Les odeurs amères et astringentes aggravent principalement Vata.

Le langage du goût se limite à ces six saveurs : le sucré, l'acide, le salé, l'amer, l'astringent et le piquant. Le nez, par contre, comprend un large vocabulaire de senteurs, pouvant aller jusqu'à environ dix mille odeurs différentes, si votre flair est bien exercé. Les odeurs qui peuvent être détectées par le nez doivent d'abord se « dissoudre » dans la moiteur des parois nasales, avant d'être transmises directement à l'hypothalamus (dans le cerveau) par le biais de cellules olfactives spécifiques. (Ces cellules olfactives sont en réalité des nerfs, les seuls de tout le corps à être exposés à l'air libre, bien qu'ils soient protégés par une mince couche de mucus. Ce sont également les seuls nerfs qui se régénèrent, se renouvelant à peu près une fois toutes les trois semaines.)

Le fait que les odeurs passent directement à l'hypothalamus est très révélateur, car cet organe minuscule est celui qui régit des douzaines de fonctions organiques, y compris la température du corps, la soif, la faim, le taux de sucre dans le sang, la croissance, le sommeil, la veille, l'excitation sexuelle et les émotions comme la colère ou le bonheur. Le fait de sentir quelque chose suffit donc à envoyer un message instantané au « cerveau du cerveau », et de là au corps tout entier.

En même temps, le message d'une odeur passe dans le système limbique du cerveau, qui génère les émotions, et en un endroit appelé hippocampe, une zone du cerveau responsable de la mémoire, ce qui explique pourquoi les odeurs font remonter si clairement des souvenirs du passé. Les odeurs de la cuisine, les fleurs et les parfums déclenchent tous une sensation de « déjà vu ». Les jardins dans lesquels vous vous êtes jadis promené se sont transmués en vous, grâce à l'impression persistante de leurs parfums dans votre cerveau.

Comment utiliser la thérapie par les arômes

Dans l'Ayurvéda Maharishi, on se sert des arômes pour envoyer certains signaux spécifiques permettant d'équilibrer les trois doshas. D'une manière générale :

Vata s'équilibre grâce à un mélange d'arômes chauds, sucrés et amers, comme le basilic, l'orange, le géranium sanguin, le clou de girofle et d'autres épices.

Pitta s'équilibre grâce à un mélange d'arômes sucrés et frais comme le bois de santal, la rose, la menthe, la cannelle et le jasmin.

Kapha, de même que Vata, s'équilibre grâce à un mélange d'arômes chauds, mais avec des harmoniques plus épicés, comme le genévrier, l'eucalyptus, le camphre, le clou de girofle et la marjolaine.

Mettez environ dix gouttes d'huile aromatique dans de l'eau chaude et laissez le léger parfum se diffuser dans la pièce pendant une demi-heure (le temps pourra être étendu à volonté). Des diffuseurs d'arômes spéciaux, chauffés par une bougie, sont disponibles, mais on pourra utiliser avec autant d'efficacité une tasse à thé et un réchaud électrique miniature. Le moment du coucher convient particulièrement bien pour inhaler l'arôme, car les visions et les sons divers de la journée tendent à masquer les odeurs et à inhiber leurs effets. L'arôme aidera bon nombre de personnes à s'endormir et on pourra le laisser se diffuser toute la nuit.

L'aromathérapie au moment du coucher

La thérapie par les arômes comporte également un aspect médical. On donne aux patients dont le diagnostic a révélé des déséquilibres spécifiques des huiles pour le sous-dosha qui s'est perturbé. Il est en fait possible de rétablir l'équilibre grâce aux arômes si vous savez quel sous-dosha vous voulez rééquilibrer et quel arôme l'apaise.

Un jour de février, Betsy Allen attrapa une grave congestion pulmonaire qui la contraignit à garder le lit pendant une semaine, et qui traîna obstinément ensuite. Même une fois remise sur pied et active de nouveau, elle continuait à être affligée d'une toux sèche, survenant par à-coups. Cela dura un mois, puis deux, et comme au troisième mois le problème n'était toujours pas résolu, elle vint nous consulter pour un examen ayurvédique.

Le diagnostic indiqua qu'elle était de constitution Vata-Pitta, avec un déséquilibre Vata localisé dans les parois de ses poumons. C'est un problème qui peut être traité de plusieurs manières. Le médecin auquel elle s'adressa choisit la thérapie par les arômes, lui prescrivant une huile spécifique pour Vata qu'elle devait inhaler la nuit. Betsy revint chez elle, ne sachant trop à quoi s'attendre.

« Je fus incapable d'attendre jusqu'au moment de me coucher, se souvient-elle, parce que ma curiosité avait pris le dessus. Je fis simplement bouillir une tasse d'eau, dans laquelle je versai quelques gouttes de cette huile au goût sucré, et me penchai au-dessus pour la humer. La réaction de mon corps fut très spectaculaire et tout à fait inattendue. C'était comme si chaque cellule, depuis le sommet de ma tête jusqu'aux orteils, émergeait soudain à la vie. Je demeurais simplement là à prendre de grandes inspirations successives – je n'arrivais pas à me rassasier de cette senteur !

« Cette nuit-là, je fis usage de l'arôme de la manière qu'on m'avait indiquée, étendue dans mon lit, et la même énergie vivifiante réapparut. Mon esprit me disait qu'il s'agissait là d'un résultat exorbitant à partir d'une simple *odeur,* mais mon corps était convaincu. Très vite, Betsy cessa de tousser et parvint à s'endormir plus facilement qu'elle n'avait pu le faire depuis des mois entiers.

En dehors de diagnostic précis, l'aromathérapie a des effets très généraux : elle peut, par exemple, apaiser un symptôme ou sembler simplement agréable et relaxante. Nous avons été parfois surpris de voir comment des cas de maux de tête ou de migraines, de douleurs au dos, de démangeaisons cutanées et d'insomnies – qui restaient tenaces malgré les traitements, et ce bien souvent pendant longtemps – ont réagi avec succès aux arômes. Cela rend témoignage à la vérité du principe ayurvédique affirmant que toute chose peut être employée comme remède dès l'instant où l'on connaît suffisamment bien le patient.

Comment apprendre l'aromathérapie

Cette technique n'exige aucune autre instruction que celle de savoir quelle huile aromatique utiliser. Si vous êtes de ceux qui ne peuvent venir passer un examen médical, il vous suffira simplement de suivre votre dosha dominant, qui est en général celui que vous allez essayer de pacifier. Vous pouvez commander par correspondance les huiles Vata, Pitta ou Kapha dans l'un des centres dont la liste se trouve aux pages 386-387 ; des récipients et des diffuseurs d'arômes sont également disponibles.

La thérapie par la musique du Gandharva

Enfant, vous avez sûrement déjà pu ressentir l'influence que la musique exerce sur le corps et l'esprit. La berceuse que votre maman fredonnait chaque soir vous a aidé à vous endormir. Adolescent, les chants que vous repreniez en chœur avec vos camarades vous ont fait goûter à des traditions qui se transmettent de génération en génération. Les refrains de Noël vous ont donné à penser...

Selon l'Ayurvéda, la musique peut recevoir des applications thérapeutiques et contribuer à l'équilibre du corps et de l'esprit. Les patients du Chopra Center écoutent chaque jour des mélodies qui ont la vertu d'équilibrer leurs doshas. La musicothérapie peut ainsi constituer une méthode subtile pour agir sur le plan physiologique. Car la musique n'est pas simplement « apaisante » ou « stimulante ». Pourquoi passons-nous si volontiers du temps à en écouter ? Pour le plaisir, bien sûr, mais tout plaisir transforme le corps d'une façon ou d'une autre. D'ordinaire, nous ne prenons pas notre tension pour voir comment Bach ou Mozart peuvent l'affecter ; pourtant, si vous vouliez faire baisser votre tension, le fait d'écouter de la musique classique douce et lente est considéré comme un très bon remède.

La musique en tant que remède

C'est à New Delhi, lors d'un congrès médical sur les applications cliniques de la musique, que m'apparurent clairement les facultés thérapeutiques de la musique. À un certain moment, une femme-vaidya se leva et annonça que, plutôt que de parler de ce qu'était le Gandharva, elle allait démontrer ce dont il s'agissait.

Elle nous demanda d'écouter pendant quelques minutes des mélodies qu'elle allait chanter, visant spécifiquement à équilibrer Vata. Nous avons fermé les yeux, et de sa voix monta un refrain vibrant aux accents exotiques, tout à fait envoûtant. Cette femme-médecin chanteuse nous demanda ensuite de prendre le pouls de la personne assise à côté de nous. En le faisant, chacun put noter une nette réduction dans les battements du pouls, dont le nombre était inférieur à la norme, s'échelonnant de soixante-dix à quatre-vingts pulsations par minute. Puis elle chanta une mélodie plus rapide basée sur un raga – ou séquence tonale – différent. À nouveau, nous l'écoutâmes pendant quelques minutes, avant de reprendre le pouls de notre voisin. D'une façon uniforme, les battements du pouls avaient grimpé au-dessus de la norme. C'est que nos corps étaient en effet manipulés par le son dans la direction que notre médecin désirait nous voir prendre. Cette technique de base, à laquelle s'ajoutent des douzaines de variations associées à différentes parties du corps, constitue la connaissance médicale du Véda. Le principe qui lui est sous-jacent est le concept de « son équilibré » de vibrations qui apaisent les doshas.

De même qu'avec les saveurs, les couleurs et les odeurs, un dosha va pouvoir s'équilibrer grâce à certains sons et sera au contraire perturbé par d'autres. Jouer vite ou lentement, accorder les instruments un peu plus bas ou un peu plus haut et improviser des figures rythmiques élaborées sont autant de techniques qui vont modifier la réponse de l'auditeur. Les traités de Gandharva mentionnent quels ragas sont appropriés le matin, à midi, le soir et à d'autres moments de la journée. Quand Vata est excité au maximum à cause de la frénésie au travail, vers 4 heures de l'après-midi par exemple, cette musique va nous permettre de passer en douceur vers un mode de fonctionnement plus détendu, pour le début de la soirée.

Lorsqu'elles sont jouées correctement, on estime que les mélodies du Gandharva ont des effets universels. Nos corps répondent par des changements qui reflètent les divers rythmes de la nature. Après tout, il n'y a pas que le pouls qui s'apaise le soir ; chaque plante et chaque animal réagit aussi selon ses propres cycles du soir. La musique védique incarne ces vibrations fondamentales qui palpitent à travers la nature en tout instant.

Mettre en œuvre une musicothérapie

Les programmes prescrits aux patients du Chopra Center comprennent de la musique. Chez soi, il est possible d'utiliser des cassettes ou des disques compacts dont on écoutera des extraits à divers moments de la journée. Si vous éprouvez quelques difficultés à faire le plein d'énergie dès le matin, un peu de musique revigorante peut vous y aider. Si vous parvenez mal à ralentir votre activité mentale durant la nuit, des mélodies apaisantes sont tout indiquées. Nous avons découvert que la musique classique et la musique indienne, aussi bien que certaines créations contemporaines, sont susceptibles de contribuer à restaurer l'équilibre de l'esprit.

De même que le point-charnière situé entre une saison et une autre rend vos doshas particulièrement vulnérables aux déséquilibres (d'où les rhumes au printemps et les allergies à la fin de l'été), votre corps est également sensible aux moments-charnières de la journée. Les fonctions organiques passent toutes par

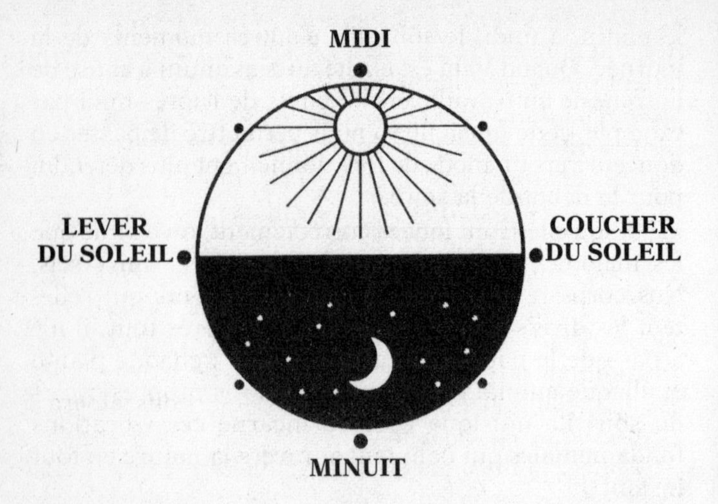

des crêtes à certaines heures, et des creux de vague à d'autres. La musicothérapie permettra de les équilibrer en un va-et-vient constant d'activité, en empêchant les oscillations extrêmes et les transitions rudes. Si vous essayez de vous endormir sans pouvoir y parvenir parce que votre esprit est encore agité par telle ou telle tâche non terminée dans la journée, vous êtes en train d'assister à l'absence d'une transition douce. C'est ce que notre musicothérapie peut corriger.

Vous pourrez bénéficier d'une dizaine de minutes de musicothérapie :

- Pour vous éveiller doucement le matin
- Pour apaiser la digestion après un repas
- Pour vous aider à dormir juste avant l'heure du coucher
- Pendant la période de convalescence si vous êtes malade

La meilleure façon d'écouter de la musique est de rester tranquillement assis les yeux fermés. Laissez votre attention épouser la mélodie. Si votre esprit s'égare, ramenez-le doucement vers la musique. Lorsque vous vous sentez prêt à reprendre votre activité, arrêtez la bande et restez assis en silence une minute ou deux.

Si vous essayez de perdre du poids, l'écoute répétée au cours de la journée de rythmes Kapha aura pour effet de stimuler votre métabolisme. Si vous avez l'estomac irrité, essayez les mélodies apaisantes de la musique Pitta. Chaque fois que vous vous sentez nerveux ou inquiet, laissez-vous aller à écouter, confortablement installé, de la musique Vata qui vous aidera à apaiser le dosha turbulent.

Trouvez la musique qui correspond à votre nature. Il peut s'agir de musique occidentale classique, de ragas traditionnels indiens, de rythmes aborigènes d'Australie ou d'arrangements contemporains. Appliquez-vous à découvrir les vibrations qui vous semblent les plus riches et soyez attentif à l'effet qu'elles produisent sur votre corps. Si vous vous sentez agréablement rafraîchi, léger et vif, c'est que la musique produit son effet.

8

Comment se libérer des toxicomanies

Si on regarde les faits froidement, on s'aperçoit que notre société devient chaque année plus toxicomane. La médecine « haute technologie », les campagnes publiques contre le tabac et une industrie dépensant de nombreux milliards de dollars pour la réhabilitation ne sont toujours pas parvenues à résoudre ce problème social accablant. À chaque fois que des signes encourageants apparaissent, il semble que cela donne lieu à un retour de flamme décourageant. Dans l'ensemble, la consommation de cigarettes a décliné d'environ 15 % par rapport au taux record atteint en 1960, mais plus de 50 millions d'Américains continuent de fumer, et certains groupes précis, en particulier les jeunes filles et les travailleurs adultes masculins, fument en grand nombre. (En conséquence, les cas de cancer du poumon chez les femmes ont doublé dans les années 1980.) On estime que 70 % des fumeurs de cigarettes ayant commencé à fumer entre 13 et 20 ans continueront de le faire pendant quarante ans.

La consommation d'alcool a connu des fluctuations, les boissons fortement alcoolisées cédant du terrain à la consommation de bière et de vin, mais l'alcoolisme lui-même s'est répandu dans des tranches d'âge si jeunes que cela est devenu très alarmant ; de nombreux lycées ont été contraints d'entreprendre des campagnes contre l'alcool dès la classe de sixième. Des programmes de désintoxication d'alcool et de drogues déploient de puissants moyens visant à mettre en garde les élèves contre la toxicomanie, mais ne remportent que de rares succès. Les drogues dures prolifèrent de façon alarmante, et le lien entre les drogues et les crimes violents atteint tous les records aujourd'hui. Là encore, les jeunes sont de plus en plus touchés : la dernière vogue qui fait rage, profondément troublante, est la vente de « crack » (cocaïne de synthèse qui se fume) à des enfants encore d'âge scolaire.

La guérison est ancrée dans la mémoire

L'essence de la guérison quantique tient au fait que la mémoire de la perfection ne peut jamais se perdre, mais seulement être recouverte. Si l'on examine un individu intoxiqué par l'alcool, les cigarettes ou les drogues, on s'aperçoit à l'évidence qu'une grave perte d'équilibre est présente et que les messages clairs de santé émis par le corps quantique sont soit extrêmement déformés soit non existants. Que peut faire l'Ayurvéda pour améliorer cette situation ? En tout premier lieu, nous appréhendons les toxicomanies sous un angle nouveau : celui d'une distorsion de l'intelligence, qui se produit à un niveau très profond chez le toxicomane.

Au lieu d'argumenter sur la question de savoir si l'accoutumance est physique ou mentale, acquise ou héréditaire, nous préférons faire remarquer qu'au niveau quantique, toutes ces influences se fondent. Ce que l'Ayurvéda appelle *smriti*, ou mémoire, régit tous les choix que nous faisons en tant qu'organismes biologiques. Pour qu'une cellule se transforme, il lui faut se référer à la matrice présente à l'intérieur d'elle-même, dans laquelle se sont accumulées toutes ses mémoires, fonctions et tendances. Si cette matrice est distordue, il en résultera alors une cellule distordue.

Walter, un jeune Noir, fut confié à mes soins au milieu des années 1970. Il avait été élevé dans les taudis du sud de Boston, c'est-à-dire essentiellement livré à la rue. Il laissa tomber l'école à 16 ans et s'engagea dans l'armée le jour même de ses 18 ans. Embarqué pour le Viêt-nam, il fut le témoin de combats actifs et s'en tira sans avoir été blessé, mais à son retour chez lui deux ans plus tard, il était devenu héroïnomane, l'héroïne étant couramment utilisée par de nombreux soldats en vue de rendre la guerre moins traumatisante. À la différence de bien d'autres soldats, cependant, Walter ne trouva aucune bonne raison de faire cesser cette habitude à son retour chez lui. Finalement, la police finit par l'épingler, et sur ordre de la loi il fut contraint d'entrer comme patient à l'hôpital local des Anciens Combattants.

Au début, la seule préoccupation des médecins à l'égard de Walter était de le désintoxiquer. À la suite de cela, normalement, il n'aurait reçu que peu d'attention supplémentaire. Mais, au cours de son rétablissement, il se trouva qu'il fut confié à mes soins, étant moi-même alors médecin du personnel dans cet établissement. Il m'apparut clairement que Walter était un cas inhabituel. Malgré sa situation désespérée, il avait gardé confiance et désirait courageusement lutter contre sa mauvaise habitude. Walter fit de rapides progrès au cours du traitement. Un an après sa désintoxication, il occupait un poste stable et parlait avec ardeur de ses rêves et projets futurs.

Mais cet avenir ne se matérialisa jamais. Un jour, la voiture de Walter tomba en panne, le contraignant à prendre le métro pour se rendre au travail, ce qu'il n'avait pas eu à faire depuis plusieurs mois. Il monta dans une rame allant à Dorchester, une ligne désuète et décrépite, équipée de voitures grinçantes. Walter se sentait perturbé par l'intensité du bruit et ne parvenait pas à en faire abstraction. C'était un jour de juillet écrasant de chaleur, et la ventilation était en panne. Au bout de quelques minutes dans ce compartiment étouffant, il trouva le train insupportable et devint extrêmement agité. Lorsqu'il en descendit, il avait perdu complètement la raison. Rien de ce que Walter essaya de faire ne put calmer son agitation. Le lendemain, lorsqu'il fut ramené à l'hôpital, sa toxicomanie à l'héroïne était encore pire qu'auparavant. Cette fois-ci, il n'avait même plus la volonté de guérir.

Voici ce que je lis dans mes notes : « Qu'a-t-il pu se passer dans le cas de cet homme ? Une explication de l'incident du train au niveau chimique ne pouvait suffire. J'avais encore de lui le souvenir d'un homme vêtu de son costume impeccable, ayant pleine confiance dans sa vie nouvelle, mais le jour où il lui fallut remonter dans une rame qu'il avait eu pour habitude d'emprunter au temps de ses problèmes et de sa toxicomanie, le passé revint en force, traîtreusement réanimé par quelque impression enfouie dans sa mémoire, et avec ce passé réapparut son irrésistible envie de drogue. Où avait-elle pu se cacher pendant toute une année avant de refaire surface ? Si les cellules se font et se défont sans cesse dans le corps de chacun d'entre nous, leur disparition ne suffit pas à rompre le charme puissant sous lequel est tenu le toxicomane. L'explication, que la médecine parvient peu à peu à mettre au jour, en est que la mémoire de la cellule est capable de survivre à la cellule elle-même. »

Si tel est le cas, il est alors nécessaire de modifier la matrice en mémoire si l'on veut se débarrasser d'une toxicomanie. Il n'est pas suffisant d'éliminer les toxines physiques présentes dans les cellules, ni de donner des conseils à la personne toxicomane ou d'essayer de lui enseigner différents modes de comportement. Ces étapes ont leur valeur en tant que telles, mais la toxicomanie est en fin de compte enracinée dans la mémoire, et c'est de là qu'il faut la déraciner.

Un traitement radical agissant sans qu'on ait besoin d'intervenir

À l'heure actuelle, les programmes visant à traiter les toxicomanes mettent en œuvre des stratégies basées très largement sur la nécessité de « faire face », et de rester constamment vigilant en vue de se prémunir contre le retour toujours possible d'une habitude toute-puissante. « Un singe est sur votre dos, affirme-t-on au toxico, et il y restera tout au long de votre vie. » La logique sous-jacente à des propos si catégoriques est que l'on estime généralement que des toxicomanes invétérés ne pourront jamais être guéris tant qu'ils ne se seront pas transformés en non-toxicomanes invétérés.

Dans l'Ayurvéda, nous pensons exactement le contraire. La pierre angulaire de notre programme de désintoxication est que le toxicomane va cesser automatiquement son habitude dès qu'on lui offrira une source de satisfaction plus grande. Nous soutenons que la source de la toxicomanie est une recherche de satisfaction. L'alcool, les cigarettes et les drogues peuvent causer des dégâts inouïs, mais ceux qui en font usage en retirent un certain plaisir, ou du moins un soulagement par rapport au stress massif qu'ils ressentiraient autrement. Si les toxicomanes maintiennent leurs habitudes, c'est faute de connaître d'autres moyens pour s'en sortir. Les sentiments de culpabilité, de honte, de remords et d'autocritique qui peuvent les assaillir demeurent largement impuissants à les aider.

Mais si l'on expose leur esprit à une source de satisfaction plus grande, leur tendance naturelle va être alors de se sortir de l'accoutumance, grâce à l'attrait puissant qu'exerce sur eux une satisfaction plus forte. Les preuves de cette nouvelle façon de voir les choses existent déjà depuis près de vingt ans. Si l'on remonte aux années 1970, des recherches faites aux États-Unis et en Europe ont montré à maintes reprises que lorsqu'on enseigne la méditation à des toxicomanes, leur degré d'anxiété décroît, ayant pour effet de diminuer aussi leur consommation d'alcool, de cigarettes et d'autres drogues. Si la dépendance est traitée à un stade précoce, une vaste proportion de sujets cesseront d'avoir recours à des substances toxiques, quelles que soient celles-ci. Il s'agit là d'un point très important, car c'est toujours dans les phases précoces que la plupart des guérisons vont être possibles.

En éliminant les distorsions causées par le stress, la méditation régénère la mémoire de l'équilibre présente dans le système nerveux. La pratique répétée de la méditation, jour après jour, sollicite cette mémoire de manière réitérée, jusqu'au moment où, avec le temps, les cellules vont pouvoir retourner à un état normal, échangeant leurs récepteurs anormaux contre d'autres, plus normaux. Une fois les circuits d'intelligence réparés, les cellules vont choisir automatiquement les signaux du corps favorables à la santé, tout comme elles en avaient jadis accepté automatiquement les signaux distordus. Le cycle qui avait été rompu par la toxicomanie est désormais rétabli.

Les diverses recherches sur la M.T. et la toxicomanie ont permis d'aboutir aux découvertes suivantes :

- En 1972, le physiologiste Robert Keith Wallace et ses collaborateurs ont fait une étude portant sur la consommation de toutes sortes de drogues par 1 860 sujets pratiquant la M.T., en majorité composés d'étudiants. Une fois qu'ils avaient commencé à méditer, le nombre de drogués baissait notoirement dans toutes les catégories (marijuana, narcotiques, barbituriques, hallucinogènes, et amphétamines). Plus les étudiants continuaient de pratiquer la M.T. au fil du temps, moins leur dépendance aux drogues persistait et, au bout de vingt et un mois, la plupart avaient cessé de s'y adonner complètement. La « marijuana » continuait d'être utilisée « très rarement » par 12 % du groupe ; toutes les autres catégories oscillaient entre 1 et 4 %.

- Une étude comparative datant de 1974 sur la marijuana entre des méditants et des non-méditants révéla qu'après un à trois mois de pratique de la M.T., environ la moitié des méditants avaient réduit ou cessé leur usage de drogues ; par comparaison, moins d'un sixième des non-méditants avaient cessé d'avoir recours à la marijuana ou réduit les doses. Ces résultats s'accentuaient encore d'une manière remarquable, à mesure que la pratique de la méditation se prolongeait. Sur 22 méditants concernés, 92 % avaient diminué leur consommation de marijuana et 77 % l'avaient complètement abandonnée. Une étude parallèle relative à la consommation d'alcool donna des résultats semblables.

- Une autre enquête menée dans un lycée et une faculté, portant sur l'usage de drogues par 150 méditants et 110 sujets-témoins, a montré des réductions significatives de marijuana, vin, bière et boissons fortement alcoolisées chez les méditants, alors qu'aucune réduction ne s'était produite dans le cas des non-méditants.

Toutes ces découvertes concernaient des gens qui n'avaient eu aucune implication dans d'autres types de programmes de réhabilitation. Personne ne leur avait demandé d'arrêter, personne ne surveillait leurs progrès ou ne les récompensait en cas d'abstinence. Un autre facteur plus important encore est que personne n'avait été choisi sur la base d'une motivation pour s'arrêter ; bien au contraire, dans l'environnement d'une fac ou d'un lycée, il est courant de voir s'exercer une pression dans l'autre sens, de la part de camarades qui s'adonnent avec excès à l'alcool, aux cigarettes et aux drogues. Ces diminutions survenues spontanément suggèrent simplement qu'en réduisant le stress et l'anxiété et en accroissant le niveau de satisfaction intérieure, il est possible de motiver des toxicomanes à cesser leurs habitudes.

Un test plus strict vérifiant ce principe a été mis en place dans des établissements spécialisés. Un certain nombre de recherches ont été conduites sur la pratique de la méditation parmi les prisonniers, des sujets qui, d'emblée, ne se sentent pas ou peu motivés à laisser tomber leur toxicomanie. Un récapitulatif de cinq de ces recherches a permis de mettre en évidence que les résultats obtenus étaient suffisamment révélateurs pour garantir que la pratique de la M.T. dans les prisons constituait un traitement majeur en cas d'usage de drogues. Une étude faite en Allemagne portait sur 76 drogués qui s'étaient inscrits à un programme de réhabilitation. Après douze mois de méditation, des réductions apparurent dans toutes les catégories de drogues utilisées, y compris l'héroïne, les barbituriques et les amphétamines, toxicomanies qui sont parmi les plus difficiles à éliminer.

Par nature, les études statistiques tendent à être anonymes. Je préfère donc rapporter certaines histoires individuelles, telles que celle par exemple qu'un ancien conseiller social de New York me raconta. Il avait vu une petite jeune fille qui s'était mise à boire avant d'avoir 12 ans et était devenue gravement alcoolique dès l'âge de 15 ans. Elle se révéla extrêmement réfractaire à toute réhabilitation conventionnelle et, en fin de compte, après des mois de frustration, le conseiller dut reconnaître son échec. Alors qu'il la dégageait du programme qu'elle suivait jusqu'alors, il lui fit la remarque : « Pourquoi n'essayeriez-vous pas la méditation ? » Elle montra un certain intérêt, mais le conseiller ne fut pas en mesure de suivre le cas.

Quelques années plus tard, il remarqua une jeune maman séduisante dans un centre commercial de la région. À sa surprise, il se rendit compte qu'il s'agissait de la même fille, mais qui paraissait désormais heureuse et même rayonnante, tenant sa petite fille de 2 ans à la main. Il s'approcha d'elle pour la féliciter.

« Que vous est-il arrivé ? » lui demanda-t-il. La réponse était qu'elle avait commencé la M.T. peu après l'arrêt de l'autre programme de réhabilitation et avait cessé de boire d'elle-même en l'espace de quelques mois. Elle en attribuait le succès à la méditation, qu'elle pratiquait toujours, qui lui avait épargné selon elle de tomber dans une toxicomanie profonde et lui avait probablement sauvé la vie. Le conseiller a depuis lors incorporé la M.T. dans son travail, inspirant bien d'autres toxicomanes à suivre le même chemin.

La toxicomanie et les doshas

Tout cela indique qu'il existe un mécanisme d'autocorrection inhérent chez le toxicomane, qui peut être déclenché simplement en permettant à l'esprit de le contacter. Vous pouvez également voir ce mécanisme à l'œuvre en termes de doshas. Les gens qui fument ou boivent excessivement, ou qui font usage de drogues, se sont conditionnés et écartés du désir naturel du corps, qui vise à atteindre l'équilibre. Au début, leur faculté de garder le contrôle sur ces manies peut demeurer relativement intacte ; dans cette phase, les toxicomanes croient qu'ils peuvent encore contrôler leur mauvaise habitude.

Puis vient une période pouvant durer des mois ou des années, au cours de laquelle les trois doshas s'aggravent de façon chronique. Chaque forme de toxicomanie a sa propre série de symptômes, mais parmi les récidivistes nous nous sommes toujours aperçus que Pitta est profondément aggravé, ce qui donne lieu à des humeurs violentes et irrationnelles, à une peau qui rougit, à une propension anormale à la transpiration et à la soif, et à divers troubles digestifs, entre autres.

Le dosha Vata semble particulièrement crucial, car son déséquilibre entraîne un comportement impulsif. Lorsque Vata est sérieusement aggravé, toute envie de boire ou de fumer une cigarette, ou encore de prendre une dose de drogue, sera reine et il faudra lui obéir. Alors que la maîtrise sur ces envies se met à se dégrader, une énorme culpabilité se développe, car le toxicomane s'identifie à son manque de contrôle de soi. Ne sachant pas qu'il est en train de suivre une injonction provenant de Vata (comme nous le faisons tous, mais sous des formes plus saines), le toxicomane ne voit qu'une chose : toutes les bonnes résolutions qu'il prend pour s'arrêter échouent misérablement.

Essentiellement, c'est le dosha Vata lui-même qui est le vrai drogué. Les phases de cette accoutumance ressemblent à celles qui accompagnent toute détérioration du système nerveux central. Voilà pourquoi un tremblement des mains dû au manque de sommeil, ou la maladie de Parkinson, les maladies mentales et l'alcoolisme apparaîtront tous fondamentalement identiques à un œil non exercé. Vata passera en général par les étapes de déclin suivantes :

Léger déséquilibre : agitation, pensées dispersées ; accroissement de l'inquiétude ; sursautera facilement ; perte de la mémoire et de la concentration ; absence de fraîcheur intérieure

Déséquilibre modéré : insomnie ; perte de la coordination physique ; tremblement des mains ; anxiété, nervosité ; perte de l'appétit ; pensée incohérente ; sensations temporaires de faiblesse physique et de vide.

Grave déséquilibre : insomnie chronique ; perception perturbée (les objets semblent distants et irréels) ; tremblement incontrôlable de la tête et des mains ; perte totale d'appétit ; apathie, perte généralisée de tous désirs ; illusions et hallucinations.

Au terme ultime d'une dépendance aiguë à l'alcool ou à la drogue, Vata est souvent tellement hors de contrôle que les symptômes ne peuvent pratiquement plus se distinguer de ceux d'une maladie mentale. Un alcoolique au dernier degré subissant les affres de la désintoxication (delirium tremens) et un schizophrène sont tous les deux des exemples de Vata perturbé à son point extrême.

Les stades précoces et intermédiaires de la dépendance sont les plus faciles à guérir, parce que le corps peut être guidé pour se rééquilibrer. Le point sensible dans toute toxicomanie est que les mêmes symptômes de détresse sont causés à la fois par l'habitude et par la cessation de l'habitude. Ceci est parfaitement clair si l'on considère le dosha Vata, qui a été conditionné à accepter la présence de la drogue. Dès que l'on retire la nicotine ou l'alcool, Vata essaie de se défaire de son mauvais conditionnement et de revenir à la normale. Cependant, lorsqu'il retourne à l'équilibre – ce qui exige l'élimination de l'excès Vata accumulé –, le corps est alors plus que jamais Vata, d'où les tremblements, l'insomnie, et l'anxiété qui accompagnent le sevrage.

Lorsque le système nerveux est déséquilibré au niveau chimique, Vata n'a plus d'ancrage ; il ne suit plus le cycle quotidien normal de repos et d'activité permettant de stabiliser les centaines d'autres rythmes biologiques qui sont coordonnés chez tout sujet en bonne santé. La pratique régulière de la méditation procure la stabilité d'un repos profond, venant alterner avec l'activité de la vie quotidienne. Voilà pourquoi les gens qui n'en sont encore qu'à un stade précoce d'accoutumance au tabac ou à la drogue se rendent compte qu'ils peuvent se débarrasser de ces habitudes sans le moindre effort.

Comment arrêter de fumer

Dans le cas du tabac, il est bien plus sensé de cajoler votre corps pour faire cesser la dépendance que d'essayer de l'y contraindre par la force. Certaines personnes parviennent à se défaire de cette habitude en arrêtant de fumer « du jour au lendemain », mais un brusque sevrage de nicotine cause beaucoup de stress. Selon une anecdote, Sigmund Freud aurait fumé vingt cigares par jour pendant de nombreuses années, jusqu'au jour où il a commencé à souffrir de palpitations cardiaques. Il tenta d'arrêter de fumer sur les conseils de son médecin, mais les palpitations réapparurent deux fois plus dès qu'il cessa, ce qui eut pour effet de l'inciter à reprendre son habitude. Freud a confié à son biographe qu'essayer de ne pas fumer lui était « une torture insupportable, au-delà de ses forces humaines ».

Avec l'Ayurvéda, nous invitons les fumeurs à continuer de transmettre des signaux au corps quantique, signaux dont le contenu du message est surtout basé sur leur propre souhait d'arrêter de fumer. Ils peuvent être transmis de diverses manières. L'une d'elles consiste à cesser de fumer pendant seulement une journée – bon nombre de gens, sinon la plupart de ceux qui arrêtent avec succès, y parviennent en cessant provisoirement de fumer une bonne douzaine de fois ou plus. Un message plus puissant encore sera envoyé au corps quantique grâce à la pratique de la M.T. Même si vous êtes un grand fumeur, il se peut que vous n'ayez besoin de rien d'autre. Une étude rétrospective faite sur 5 000 méditants a montré que seulement 1 % des hommes et 4 % des femmes persistaient à fumer, même si avant de commencer la méditation, 34 % d'entre eux au moins avaient indiqué qu'ils fumaient de temps à autre.

Il existe divers autres moyens pour vous aider à cesser de fumer. Lorsque des patients viennent nous consulter dans les cliniques ayurvédiques et demandent comment ils peuvent cesser de fumer le plus facilement possible et sans douleur, voici ce que nous leur disons. Trois règles de base sont à prendre en considération :

1. N'essayez pas d'arrêter de fumer – toute détermination obstinée va simplement vous condamner à

l'échec. La nicotine crée une dépendance, de même que la manie consistant à chercher une cigarette. Pour faire cesser ces habitudes, il faut que l'abstinence soit aussi inconsciente que le fait de s'y adonner au départ.

2. Gardez vos cigarettes sur vous – la stratégie qui consiste à jeter ou à mettre ses cigarettes loin de soi paraît sensée, mais ne mène en fait qu'à une envie plus forte encore d'en trouver d'autres, pouvant même aller jusqu'à la panique et la gêne de devoir en emprunter à des amis ou des étrangers.

3. Observez bien les réflexes automatiques qui vous contraignent à allumer une cigarette et cherchez à vous en détacher.

Le troisième point est le point clé et demande un peu plus d'explications. Tous les fumeurs allument automatiquement leur cigarette à partir d'un réflexe conditionné. Pour certains, ce sera lorsqu'ils décrochent le téléphone, pour d'autres lorsqu'ils allument la télé, commencent une conversation ou finissent un repas. Vous connaissez sans doute vos propres manies ; sinon, passez une journée à y être attentif. Ces réflexes sont les signaux Vata qui vous font agir d'une manière impulsive. Si vous ne remarquez pas que vous êtes en train d'allumer une cigarette, c'est parce que en fait votre esprit a sombré dans un « trou » l'espace d'un instant, et que Vata en a profité pour prendre le dessus.

Il vous faut désamorcer ce « pilote automatique ». La façon de le faire est étonnamment simple : fumez consciemment en portant votre attention sur l'acte de fumer. Le moyen qui s'avère être le meilleur et a permis à nombre de nos patients de cesser cette habitude néfaste en peu de temps, consiste en ceci :

- Lorsque vous vous surprenez à allumer une cigarette, faites une petite pause d'une seconde et demandez-vous si vous voulez vraiment cette cigarette.

- Si c'est le cas, sortez et asseyez-vous tranquillement, seul avec vous-même. Fumez la cigarette sans distraction.

- Pendant que vous fumez, portez l'attention sur votre corps. Ressentez la fumée dans vos poumons ; ressentez chacune des sensations dans votre bouche, votre nez, votre gorge, votre estomac ou n'importe quelle autre partie du corps.

- Prenez une feuille de papier ou un petit carnet et inscrivez immédiatement ce que vous avez ressenti et l'heure à laquelle vous avez fumé la cigarette. Notez avec soin chaque cigarette, en indiquant si vous l'avez fumée consciemment ou mécaniquement, et ce que vous avez ressenti.

Ne vous inquiétez pas du nombre de cigarettes que vous fumez ; notez simplement chaque cigarette, même si vous vous apercevez à votre surprise qu'à la fin d'une conversation téléphonique, trois mégots ont atterri à votre insu dans le cendrier. Si vous suivez cette procédure fidèlement, vous allez devenir un fumeur conscient au lieu d'être une « machine à fumer ». Nous avons pu nous rendre compte que de nombreux patients étaient parvenus à réduire leur ration, de deux paquets à quatre ou cinq cigarettes par jour – ces quelques cigarettes reflétant en fait la quantité réelle qu'ils désiraient fumer. Réduire la dose est presque aussi important que de cesser ; cela permet de préparer la voie pour s'arrêter complètement, et de diminuer également les risques sur votre santé, causés directement par cette habitude nocive.

Comment se guérir de la toxicomanie chez soi

Dans le passé, bien des toxicomanes préféraient encore vivre avec leur problème, aussi douloureux fût-il, plutôt que de le révéler à des étrangers. Ce sentiment est tout à fait compréhensible, et je pense que l'on devrait toujours le respecter, à partir du moment où la personne concernée prend aussi des mesures concrètes pour s'en sortir. Le programme complet d'un traitement à faire chez soi devrait inclure :

- L'apprentissage de la méditation
- La désintoxication de l'organisme, soit à la maison, soit sous contrôle médical
- Un régime adapté à sa constitution (en commençant par des aliments qui pacifient Vata, jusqu'à la disparition des signes de déséquilibre Vata)
- Des exercices ayurvédiques réguliers
- Une routine quotidienne de massages à l'huile (abhyanga) pour apaiser le Vata perturbé

En premier lieu, ce que je vous recommanderai si cela vous concerne, c'est de commencer à apprendre la méditation, puis de consulter un médecin formé à l'Ayurvéda pour établir une évaluation physique complète et le diagnostic des déséquilibres. Parlez-lui de votre désir de trouver une solution avec franchise et honnêteté. Il vous indiquera comment désintoxiquer votre corps et équilibrer vos doshas grâce à un régime approprié et à une routine quotidienne. Il est conseillé de retourner le voir ensuite une fois par semaine au début, car la période initiale est la plus stressante pour le corps. Mais, essentiellement, il s'agit d'une autoguérison. Personne ne va vous forcer à suivre le programme ; vous ne subirez ni contrainte ni pression d'aucune sorte.

Veillez bien aussi à prendre le temps chaque matin de faire un abhyanga sur tout le corps ; le soir, un deuxième massage plus court est également recommandé, pratiqué lentement et doucement sur la tête, les épaules et les pieds. Et n'oubliez pas que la règle, lorsque vous abandonnez une habitude quelle qu'elle soit, doit être la régularité. Plus vous serez capable d'être régulier en ce qui concerne tous les aspects de votre journée, mieux et plus vite parviendrez-vous à inciter Vata à revenir à la normale. Vous ne devriez pas essayer de forcer Vata à retrouver l'équilibre, car cela est impossible ; ce que vous voulez, c'est le ramener à l'équilibre en le cajolant et l'apaisant. La période qui devrait être la plus douce dans votre vie est celle où vous êtes en train de rééquilibrer votre corps.

Par ailleurs, quelques autres traitements peuvent compléter le programme :

- La musique

- L'aromathérapie

- Les compléments alimentaires à base de plantes

Écouter de la musique est extrêmement apaisant pour le système nerveux lorsque vous purifiez votre corps. Une séance de quinze minutes est recommandée le matin, et une autre séance le soir avant de vous coucher. Laissez diffuser dans votre chambre les arômes appropriés pour pacifier tel ou tel dosha, car cela vous aidera aussi à vous détendre au moment du coucher. L'emploi de l'Amrit Kalash en tant que complément alimentaire à base de plantes permet de commencer à rétablir le lien entre le corps et l'esprit au niveau de vos cellules et de renforcer les tissus endommagés par les drogues.

Nous avons le sentiment que, dans les cas de toxicomanie, aucun traitement ne pourra réussir à long terme sans compassion ni compréhension. Si vous décidez de faire appel à un conseiller, recherchez d'abord ces qualités chez un psychologue, un prêtre, un pasteur, un médecin, ou simplement un bon ami. Une faiblesse paralysante majeure et courante, dans les thérapies conventionnelles dont on se sert pour la réhabilitation, vient du fait qu'une vigilance constamment requise implique aussi de se trouver constamment en situation de stress. Le « singe » ne veut jamais descendre de votre dos. Nous pensons au contraire que les toxicomanes doivent apprendre à se faire confiance eux-mêmes et à se sentir à l'aise en ce qui concerne leur mode de vie. Ce n'est pas en accroissant la peur et l'anxiété que l'on parviendra à quelque chose de productif, malgré cette croyance très répandue que l'on peut mettre fin à une accoutumance grâce au stress. La logique qui sous-tend notre approche – consistant essentiellement à ne pas intervenir – est que l'on peut s'en remettre en toute confiance à la nature. Le corps d'un toxicomane retournera à l'équilibre s'il est traité correctement.

Si vous êtes gravement dépendant de l'alcool ou des drogues, vous avez peut-être le sentiment d'avoir gâché toute votre vie ; la plupart des toxicomanes ont fait endurer des souffrances aussi bien aux membres de leur famille qu'à eux-mêmes. Le point vital à cet égard est de prendre conscience que *cette négativité n'est pas vous*. Elle est la conséquence de l'ama mental et physique qui s'est accumulé avec le temps. Vous devriez avoir la même attitude envers elle que celle que vous auriez à l'égard de la crasse sur votre peau : lavez-la et n'y pensez plus ! Si d'autres cherchent à vous rappeler à quel point vous avez été destructeur dans le passé, prenez leurs critiques aussi calmement que possible. Le passé est le passé. Vous ne pouvez pas le revivre et vous ne devriez pas essayer de vous le remémorer.

Il est extrêmement important de rechercher, autant que possible, la compagnie de gens sains et normaux. Il vous faudra peut-être choisir de vous inscrire ou non dans un programme de réhabilitation pratiqué en groupe – de nombreux toxicomanes ont le sentiment qu'il s'agit là d'un aspect important pour préparer leur retour à la vie normale –, mais faites tout ce que vous pouvez pour trouver un conseiller positif et compatissant. Pour votre propre bien, évitez tout individu ayant une approche fanatique ou agressive à l'égard des toxicomanies.

Enfin, il est normal d'avoir des rechutes au cours de votre convalescence. Bien entendu, vous ressentirez sans doute de la déception, mais essayez de voir qu'il ne s'agit pas au fond d'un échec personnel. Il faut du temps au corps pour redevenir normal. Si vous ne pouvez résister à un autre petit verre, à une cigarette ou à une pilule, ce sont vos doshas conditionnés qui vous y forcent. Les doshas sont puissants, mais vous êtes bien plus puissant qu'ils ne pourront jamais l'être. Votre soi essentiel n'est pas affecté par la toxicomanie. Il est heureux, libre, au-dessus de tous les problèmes et en paix.

Une fois que vous aurez commencé à toucher ce soi réel qui est le vôtre, tout se mettra à aller mieux. Soyez patient et accordez-vous de refaire surface dans la liberté.

La mesure de votre réussite ne tient pas au nombre de jours que vous aurez passés sans rechuter. Vous devriez plutôt repérer divers signes positifs parmi lesquels on peut mentionner : l'acceptation de vous-même ; le bonheur, les moments de joie et de plaisir ; le retour d'un bon appétit et l'appréciation de la nourriture ; l'amélioration du sommeil et un apaisement dans les rêves ; l'absence de mauvaise haleine ou d'odeurs corporelles, une transpiration moindre ; l'accroissement de la force et de l'endurance physiques ; et la régularité dans les fonctions physiologiques (digestion, respiration, coordination motrice, etc.).

Tous ces aspects finiront par émerger au fil du temps. La grande joie que l'on ressent à se purifier vient de ce que le corps aime se sentir propre. Je ne préconiserai même pas d'employer le terme de « réhabilitation ». Ce que vous êtes en train de faire est de vous nettoyer, audedans comme au-dehors. C'est un processus naturel qui va procurer de plus en plus de résultats à mesure qu'il se poursuit. Les rechutes temporaires ne sont guère plus que des obstacles mineurs, tant que vous garderez la volonté de vous relever et de recommencer. Un monde beau et sain vous attend et s'approche de plus en plus à chaque pas que vous faites.

9

Vieillir est une erreur

Bien que le processus de vieillissement n'épargne personne, on n'a jamais pu prouver qu'il était une nécessité. L'un des grands avantages du corps quantique, c'est qu'il ne vieillit pas, comme le confirme tout le niveau quantique de la nature : les protons et les neutrons ne prennent pas d'âge ; l'électricité ou la gravité non plus. La vie, fondée sur ces particules et forces fondamentales, est étonnamment durable ; votre ADN est resté pratiquement inchangé depuis au moins 600 millions d'années. Un crabe en forme de fer à cheval rampant dans les sables d'antiques fonds marins ne présente aucune similitude apparente avec un dinosaure, ni le dinosaure avec un gorille, mais du point de vue de l'ADN, il ne s'agit là pourtant que d'infimes variations sur un thème unique et constant.

En ce qui concerne les liaisons chimiques de l'ADN, celles-ci ne sont pas plus étroitement « collées » que ne le seraient celles d'une feuille d'arbre ou d'un grain de pollen. On pourrait penser qu'un tel paquet d'atomes assemblés de façon aussi lâche va s'effilocher au fil du temps, comme le ferait une vieille tapisserie croulante. Sans aucun doute, les forces à l'œuvre contre la survie de l'ADN sont immenses : l'usure physique, les mutations destructrices aléatoires, l'invasion par des microbes étrangers et par-dessus tout l'entropie, cette tendance de l'univers physique à se démonter comme une horloge laissée à l'abandon.

L'ADN a survécu à toutes ces forces adverses. Les chaînes de montagnes se sont transformées en collines sous l'effet de l'érosion, tandis que l'ADN a traversé les millénaires sans jamais diminuer, ne serait-ce que d'un millième de millimètre. Cela est dû à la force extrême de la « colle » maintenant l'intégrité du corps quantique. Mais alors, s'il est vrai que l'intelligence interne de l'ADN est d'une puissance telle qu'elle s'est avérée capable de défier le temps et les éléments depuis des âges immémoriaux, le vieillissement ne semble pas du tout naturel. L'Ayurvéda opère à partir de cette hypothèse. Plutôt que de nous arrêter au fait que tout le monde prend de l'âge, nous préférons en arriver directement à la question vraiment importante : « Est-il nécessaire que nous vieillissions ? » Les sages antiques, réputés pour leur immense longévité, avaient attribué le vieillissement à une « erreur de l'intellect » (appelée *pragya aparadh* en sanskrit).

L'erreur consiste à ne s'identifier qu'avec le corps physique. Un prolongement éventuel de la vie exige que nous corrigions cette erreur de l'intellect en nous identifiant plutôt au corps quantique. En menant l'esprit à un niveau de fonctionnement situé au-delà du vieillissement, le corps va commencer à être affecté par cette même qualité. Il va vieillir plus lentement parce que l'esprit lui enjoint de le faire au niveau le plus profond. Il suffit de se voir affranchi du vieillissement pour que cela devienne réalité. C'est un principe étonnamment simple, non encore reconnu de nos jours par le courant dominant de la médecine occidentale, mais néanmoins tout à fait valable, comme nous allons le découvrir.

Vieillir ou guérir

Le processus du vieillissement semble si compliqué qu'il est même difficile de préciser exactement en quoi cela consiste. Une cellule du foie typique accomplit cinq cents fonctions différentes, ce qui lui donne cinq cents manières différentes de fonctionner de travers. Toutes ces possibilités constituent elles-mêmes les diverses façons dont la cellule pourra vieillir. D'autre part, il se peut que le point de vue considérant le vieillissement comme très complexe soit erroné. En dépit des milliers de vagues qui la composent, la marée océanique n'est qu'un phénomène unique, dû à une force unique. La même chose est peut-être vraie en ce qui concerne le vieillissement chez l'être humain, bien que nous l'envisagions généralement sous l'angle de centaines de vagues : maux et douleurs sans lien apparent, apparition de nouvelles rides autour des yeux et de marques plus profondes au coin des lèvres, élévation légère mais inexorable de la tension artérielle, baisse légère de l'ouïe et de la vue, ainsi que d'innombrables autres désagréments mineurs.

L'Ayurvéda nous dit de ne pas nous laisser leurrer par cette mascarade complexe et déprimante. Le vieillissement consiste en *une seule chose* : la perte de l'intelligence. Guérir, comme nous l'avons vu, est la faculté de l'intelligence à se rétablir elle-même. Vieillir est tout l'opposé : l'oubli progressif de la manière de remettre à leur place les choses qui ont été dérangées.

Prenez le cas des cellules d'un nouveau-né : elles sont neuves, pleines de fraîcheur et de vigueur, non affectées par le temps. Si vous les examinez au microscope à côté de cellules d'un adulte âgé, vous verrez un contraste saisissant. Le tissu de la personne âgée est douloureusement laid ; ses cellules semblent délabrées et épuisées.

Il s'agit, après tout, de la vision microscopique de ce qu'est un corps vieilli. Elle révèle des taches sombres ici et là, aux endroits où des détritus se sont accumulés, et où le tissu souple est devenu fibreux.

Ce changement terrible semble être la conséquence de l'usure ; or, comme nous l'avons déjà mentionné, l'ADN, qui contrôle toutes les fonctions de la cellule, est virtuellement invulnérable à l'usure. Aussi sommes-nous conduits à conclure qu'une certaine sorte de dégradation invisible est à l'œuvre. Par exemple, une artère va apparaître au début de sa vie parfaitement lisse, brillante et blanche, comme un morceau de tube chirurgical tout frais sorti d'usine. Mais ce tube est en réalité constitué d'un ensemble de cellules qui se sont groupées pour assumer la tâche de former une artère, au bout d'un certain nombre de séquences nécessaires précises. Avant de gagner son avant-poste spécialisé, chaque cellule aurait tout aussi bien pu faire partie du cerveau, du cœur ou de l'estomac – toutes ces possibilités étaient ouvertes, parce que chaque cellule contient le même ADN.

Pourtant, c'est l'évolution qui a dicté à ces cellules particulières de n'assumer qu'une tâche bien spécifique, celle de former une artère. Tout aussi spécialisée soit-elle, cette tâche n'est pas simple. Un tube de caoutchouc, ayant pour fonction de laisser s'écouler des liquides, demeurera inerte. Vos artères, par contre, réagissent à tout ce qui arrive, et leurs réponses doivent être à la fois actives et intelligentes. Dans les manuels de biologie, on a l'impression qu'une cellule se divise de nombreuses fois jusqu'au moment où elle va mourir (après environ une cinquantaine de divisions). Mais ce n'est là qu'une vue terriblement simplifiée des choses, voire même erronée. Une cellule fait des expériences. Elle se souvient de ce qui lui arrive. Elle est capable de perdre ses facultés si les informations faisant partie de sa connaissance innée sont perdues ou déformées. De même, en maintenant l'intégralité de son intelligence, une cellule pourrait très bien se renouveler constamment sans jamais dégénérer. La différence entre la vie et la mort pour une cellule réside dans sa *smriti*, ou mémoire. Si l'on adopte la perspective la plus longue, on s'aperçoit que si la cellule pouvait avoir une mémoire parfaite, cela la conduirait à l'immortalité, car il ne peut y avoir de mort tant que le renouvellement se poursuit sans failles ni erreurs.

La science n'a jamais prouvé que l'ADN soit limité dans son aptitude à maintenir le bon fonctionnement d'une cellule. Chacune de vos artères contient le même ADN ayant façonné les artères des hommes de l'« âge de pierre » voici cinquante mille ans. Si l'ADN a été capable de fabriquer des artères parfaites pendant cinq cents siècles – alors que chacune comporte des millions de cellules fonctionnant parfaitement –, il n'y a pas de raison intrinsèque pour que *votre* ADN vienne saboter le travail après soixante ans de vie.

Mais ce sabotage a bien lieu, et cela en bien moins de soixante années. Dès l'âge de 12 ans, l'artère va changer nettement d'apparence. Des irrégularités vont commencer à émerger sous forme de dépôts graisseux jaunâtres. Au niveau microscopique, on s'aperçoit que l'apparition de ces irrégularités est la conséquence de petites failles minuscules, presque invisibles, à l'intérieur de la paroi artérielle. Tout biologiste qui examinera une cellule provenant d'une telle artère pourra voir des signes de vieillissement indiscutables. Au cours des cinq décades suivantes, ces signes deviendront évidents même aux yeux d'un profane. Si vous assistiez à une opération à cœur ouvert et que vous touchiez un morceau de vieille aorte (l'artère principale envoyant le sang au cœur), vous auriez l'impression de tenir un tuyau rigide (souvent aussi dur qu'un os, si l'artériosclérose est à un stade avancé). À l'intérieur, vous verriez cette aorte criblée d'amas graisseux appelés « plaques ». Vous n'auriez aucune difficulté à comprendre qu'une terrible erreur a dû se produire quelque part.

Comment parvenir alors à combler le fossé entre une réalité (l'immortalité de l'ADN) et l'autre (la longévité fragile de l'être humain) ? En fait, ces deux réalités sont très proches. Il n'y a pas de distance physique entre nous et notre ADN. C'est seulement dans le domaine non physique de la connaissance qu'existe un fossé.

Comme je l'ai longuement et clairement expliqué jusqu'ici, l'Ayurvéda n'envisage pas la cellule en tant que « paquet » physique de molécules, mais la considère en tant que « paquet » de connaissance. Comme l'indique l'illustration ci-dessous, la connaissance est dynamique. Elle n'est pas empaquetée d'une façon inerte, mais sous une forme vivante, résultant du jeu constant entre trois éléments.

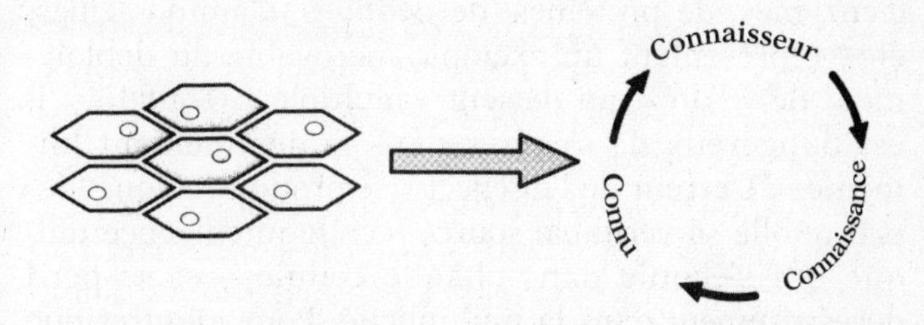

Pour que la connaissance soit vivante, il faut qu'il y ait le connaisseur, l'objet à connaître, et un processus de connaissance pour relier les deux. Les termes védiques correspondant à cette triade fondamentale sont *rishi* (connaisseur), *devata* (processus de connaissance) et *chhandas* (objet de connaissance) ; considérés ensemble, ils forment la totalité de la connaissance, ou *Samhita*, l'état non divisé de la pure conscience. L'esprit humain est donc ainsi une création de « trois-en-un ». Un corps humain exige les mêmes éléments simples, répétés un nombre de fois incalculables à différents niveaux de la physiologie. Vous êtes un connaisseur, votre corps est l'objet que vous formez avec votre connaissance, et les millions de fonctions cellulaires qui ont lieu à l'intérieur de vous forment le processus de connaissance. En outre, à une autre échelle, l'ADN est également un « connaisseur », qui structure sa connaissance sous forme de particules biochimiques. À un troisième niveau, un globule rouge est un « connaisseur », qui sait comment fixer des atomes d'oxygène pour les transporter à toutes les autres cellules du corps.

Ce modèle d'intelligence à trois éléments nous permet de voir comment une chose unique – notre intelligence interne – se diversifie en combinaisons infinies. Vos 50 000 à 100 000 milliards de cellules, dont la cohésion est assurée grâce à un ensemble de centaines d'enzymes, de protéines, de peptides, d'amino-acides, etc., représentent un exemple incroyable du déploiement de « l'un » qui devient « multiple ». Toutefois, il est dangereux de s'égarer dans le déploiement lui-même. « L'erreur de l'intellect » se produit lorsque l'esprit oublie sa véritable source – cette intelligence unique qui s'écoule dans chaque cellule – et se perd désespérément dans la multiplicité. Pour montrer que ceci n'est pas qu'un simple point philosophique, tournons-nous vers quelques expériences pionnières prouvant qu'il existe bien une solution étonnamment simple au problème du vieillissement.

En 1978 une équipe de chercheurs fit une découverte étonnante : la méditation permet de retarder ou même de renverser le processus de vieillissement. La recherche était dirigée par le Dr R. Keith Wallace, un physiologiste. Wallace fit une étude sur 84 méditants dont l'âge moyen était de 53 ans. Il sépara les sujets en deux groupes selon l'ancienneté de leur pratique de la méditation. Un groupe avait médité depuis au moins cinq ans, l'autre depuis moins de cinq ans.

L'âge chronologique n'est qu'une façon de mesurer le processus de vieillissement, et ne peut en aucun cas être très précis, puisque les gens connaissent de grandes variations dans la manière dont le corps se transforme avec le temps. Les physiologistes s'en réfèrent donc à un autre mode de mesure, appelé l'âge biologique, qui teste le degré réel de vieillissement dans les cellules d'une personne. L'âge chronologique ne correspond à l'âge biologique que dans la jeunesse. Deux personnes saines de 20 ans vont probablement paraître presque identiques si l'on compare leur cœur, leur foie, leur vision, et ainsi de suite. Mais au-delà d'un âge moyen, on ne peut trouver deux personnes qui aient vieilli de la même façon. Deux individus de 70 ans présenteront des caractéristiques profondément différentes, l'un pouvant avoir de l'arthrite, l'autre une maladie cardiaque, l'un pouvant être myope, l'autre non, etc.

Cela signifie que l'âge biologique, bien qu'il constitue en théorie un moyen de mesure précis, est très difficile en réalité à cerner, faute de pouvoir observer chaque organe du corps. Heureusement, il existe des « raccourcis » acceptables empruntés par les physiologistes. Wallace a utilisé trois facteurs qui changent de façon uniforme dans la population en général, à mesure que les individus vieillissent : le point de vision rapprochée, l'acuité auditive et la tension artérielle systolique (tension des vaisseaux sanguins au moment où le cœur éjecte le sang). Ces trois facteurs ont la réputation de se dégrader régulièrement au fil du temps ; ils offrent par conséquent une estimation fiable de l'âge biologique du corps entier, à un âge chronologique donné.

Wallace s'aperçut que la méditation permettait, dans des proportions importantes, d'avoir un âge biologique plus jeune que le nombre d'années : ceux qui méditaient depuis peu avaient environ cinq ans de moins que leur âge chronologique, ceux qui méditaient depuis plus longtemps, une bonne douzaine d'années en moins. En d'autres termes, une femme de 60 ans ayant pratiqué la méditation depuis au moins cinq ans aurait caractéristiquement un corps de 48 ans, biologiquement parlant. (Cela n'inclut pas les transformations cosmétiques affectant la peau et les cheveux, bien que les traits de nombre de ces sujets paraissent étonnamment jeunes.) Ces résultats ne dépendaient pas d'autres facteurs ; on avait en effet pris en compte le régime, l'exercice et les autres habitudes de ces personnes. Une découverte intéressante est que les tests ont montré que le fait de ne pas manger de viande rouge était corrélé à un âge biologique légèrement plus jeune, d'après divers résultats obtenus, révélant une durée de vie plus longue chez les végétariens.

Les découvertes de Wallace étaient sans précédent à l'époque. Des études de vérification furent peu après menées en Angleterre, qui confirmèrent les premiers résultats. Dans l'un des groupes, les méditants pratiquant la méditation étaient de sept ans plus jeunes sur le plan de l'âge biologique.

Plus récemment, le docteur Jay Glaser, un médecin-chercheur qui bénéficie d'une bonne expérience en matière de méditation, a décidé de suivre l'évolution d'une des substances chimiques naturellement produites dans notre corps et susceptible d'être en rapport avec la longévité. Il entreprit de mesurer le niveau d'une hormone stéroïde appelée DHEA (soit la déhydroépiandrostérone) chez les adeptes de la méditation. Bien que la fonction exacte de cette hormone demeure encore mystérieuse, il est attesté que la DHEA atteint des niveaux record vers l'âge de 25 ans, puis décline selon une courbe constante année après année. À l'âge de 70 ans, il n'en reste plus que 5 %. La DHEA provoqua un intérêt très vif quand, injectée à des souris de laboratoire en doses massives, elle montra de remarquables propriétés antivieillissement. Les vieilles souris parurent complètement rajeunies, ayant retrouvé leur vigueur, restauré leurs défenses immunitaires, augmenté leur masse musculaire et recouvré la mémoire...

Glaser découvrit que les taux de DHEA étaient plus élevés chez les adeptes de la méditation que chez un échantillon représentatif de gens qui ne pratiquaient pas cette discipline, et cela à tout âge. L'écart se vérifiait à la fois chez les femmes et chez les hommes et allait en se creusant chez les sujets les plus âgés. Glaser put établir par exemple que les méditants les plus âgés présentaient les mêmes taux de DHEA que les non-méditants plus jeunes de cinq à dix ans. De cette expérience il tira la conclusion que, d'une façon ou d'une autre, la méditation dope la production naturelle de cette intéressante hormone.

D'autres chercheurs ont obtenu des résultats mitigés en tentant d'administrer cette hormone à leurs semblables. Ces expériences ont permis de montrer que la DHEA modifie les équilibres hormonaux et peut se révéler bénéfique pour le moral. En revanche, on n'a pas pu observer chez les hommes les mêmes effets positifs sur la mémoire ou la vitalité que chez les souris. Il n'en reste pas moins étrange qu'une simple technique de méditation puisse exercer une action sur une hormone qui semble jouer un rôle dans les processus de vieillissement. Cette découverte biomédicale paraît confirmer l'expérience des méditants qui ont souvent confié se sentir physiquement et mentalement rajeunis par cette discipline.

Les rasayanas – des plantes pour la longévité

Dans la médecine ayurvédique, les plantes occupent une place extrêmement importante, même si nous n'avons pas encore abordé ce domaine jusqu'ici. Des milliers de plantes médicinales sont prescrites par l'Ayurvéda, et les experts vaidyas comme le Dr Triguna donnent toujours des plantes à utiliser régulièrement dans les traitements. En fait, les plantes ne sont pas semblables à des médicaments ; elles ont des effets plus généraux et doux. Le mieux et le plus simple est de les comparer à de la « nourriture concentrée ». Traditionnellement, on classe les plantes selon leur « goût », en ayant recours aux six rasas dont on se sert pour la nourriture : sucré, acide, salé, amer, piquant et astringent.

Cependant, les plantes ont une action plus puissante et plus spécifique que les aliments. Une plante amère, comme la quinine, peut immédiatement diminuer Pitta, d'où son utilité pour faire baisser la fièvre et les inflammations. Le piment, ayant une saveur piquante, permet instantanément à l'excès de mucus de s'écouler car il réduit Kapha. Un épice astringent comme le curcuma peut assécher les glaires d'une gorge endolorie en l'espace de quelques minutes. Dans le chapitre sur les régimes de la 3e partie, je propose quelques plantes domestiques communes à utiliser chez soi pour équilibrer les doshas. La combinaison des plantes ou aromates avec les aliments est une approche bénéfique et sans danger.

Pour le traitement des maladies, on utilise des plantes plus puissantes qui nécessitent un contrôle médical. Au Chopra Center, nous utilisons des herbes spécifiques dans le cadre d'une approche holistique. Les préparations ayurvédiques sont faites à partir de la plante entière, ce qui réduit la possibilité d'effets secondaires nocifs. Il faut insister sur le fait que le principe actif de la plante se combine avec les autres substances chimiques de la plante qui jouent un rôle d'« amortisseur » d'éventuels effets indésirables. En d'autres termes, en Ayurvéda, la plante tout entière fait partie de la pharmacie de la nature, alors que dans la médecine occidentale, seul le principe actif est considéré comme utile.

Comment agissent les plantes ayurvédiques

Dans les chapitres traitant de la longévité, les textes ayurvédiques donnent des listes de plantes spéciales qui, seules ou en combinaison, sont classées sous le terme de *rasayana*. Ce terme peut se traduire approximativement par « l'infusion de l'essence de la vie ». Les rasayanas ne sont pas des potions pour rajeunir, mais permettent de corriger la perte de mémoire des cellules. Chaque plante est un « paquet » de vibrations qui correspond spécifiquement à une vibration du corps quantique.

Le foie, par exemple, s'est structuré à partir d'une séquence spécifique de vibrations au niveau quantique. Dans le cas d'un dysfonctionnement du foie, telle ou telle perturbation dans la séquence convenable de ces vibrations sera en cause. Selon l'Ayurvéda, il existe une plante qui aura exactement la même séquence, et qui, si on l'utilise, va pouvoir rétablir le bon fonctionnement du foie.

Le principe à l'œuvre ici s'appelle la *complémentarité*. La complémentarité implique que « la nature pense partout de manière identique », selon une formule védique signifiant que la nature utilise les mêmes éléments quand elle crée des plantes, des minéraux, des mantras ou des corps humains. Ceux-ci ne sont pas simplement des molécules semblables (même si l'on retrouve bien le même carbone dans le charbon, les diamants, le sucre et le sang). Plus fondamentales encore sont ces vibrations subtiles qui donnent leur cohésion aux molécules, car ce sont elles qui forment les véritables « fondations » de la nature, selon les sages védiques. Elles sont si universelles que des choses apparemment aussi éloignées qu'un mot sanskrit et une feuille de laurier peuvent pourtant être considérées comme apparentées, si l'on sait y regarder de plus près. Parce que partout dans la nature existent les ressemblances, un médecin ayurvédique va estimer que les plantes, les sons primordiaux, les pierres précieuses, les couleurs, les arômes et les aliments pourront tous convenir pour agir en tant que remèdes. Telles qu'on les emploie en Ayurvéda, les plantes ne vont pas avoir sur le corps les effets grossiers causés par les remèdes occidentaux. Nos médicaments tuent la douleur, détendent les muscles, remplacent un manque d'insuline ou l'hormone thyroïdienne, etc. ; les rasayanas introduisent un signal subtil dans la physiologie : ils « parlent » aux doshas et influencent directement le flux d'intelligence interne.

Les rasayanas sont étroitement associés à la nourriture indienne et sont par conséquent vendus aux États-Unis (et en Europe) en tant que compléments alimentaires à base de plantes, et non en tant que remèdes. Certains fruits sucrés, tels que la groseille indienne (appelée *amla* ou *amalaki*), sont considérés comme des rasayanas extrêmement bénéfiques. (En fait, ce fruit particulier forme la base de la plupart des produits toniques employés en Inde depuis des temps immémoriaux, tout comme le ginseng en Chine.) Pour quiconque s'intéressera aux plantes médicinales, la connaissance des rasayanas sera fascinante, mais aussi extrêmement complexe. On estime que des douzaines de plantes sont capables de rajeunir le corps. Parmi celles qui ont des noms courants en botanique occidentale :

- Le ginseng et la réglisse sont spécifiquement adaptés à Vata.

- L'aloès et le safran conviennent spécifiquement à Pitta.

- La racine d'aunée et le miel conviennent spécifiquement à Kapha (bien que ce ne soit pas une plante, le miel est considéré comme le *shukra*, ou essence la plus pure, du monde végétal).

Mais sur cette liste ne figurent pas les rasayanas les plus puissants, qui ne portent que des noms indiens, tels que l'*amla*, le *guggul* et l'*ashwaghanda*.

Ce qui rend les rasayanas si complexes, ce n'est pas seulement le fait qu'ils proviennent de fruits et de plantes. Pour pouvoir isoler l'effet désiré d'un ingrédient, il faut savoir à quel moment cueillir la plante, combien de temps et par quelle méthode la faire cuire, et dans quelles proportions la combiner à d'autres plantes. La recette d'un simple rasayana peut demander cinquante ingrédients, dont on doit se servir à bon escient et très méticuleusement.

L'Amrit Kalash Maharishi

Après plusieurs années d'investigation et d'essais, nous avons le sentiment que les rasayanas constituent un domaine précieux. Quelques formules authentiques ont pu être recréées à partir d'antiques recettes. Nous avons en particulier la chance exceptionnelle de pouvoir bénéficier de la connaissance du Dr Balaraj Maharishi, un médecin remarquablement doué et un expert réputé dans le domaine des plantes ayurvédiques. S'étant formé en autodidacte pendant plus de quarante ans dans les Himalayas, et s'étant familiarisé avec plus de 6 000 plantes médicinales, le Dr Balaraj a joué un rôle capital ces dernières années. Renonçant à sa multiple clientèle dans l'État d'Andhra Pradesh en Inde, où il traitait des milliers de patients chaque année sans se faire payer, il a voyagé dans d'autres pays à travers le monde pour identifier les plantes qui étaient le mieux adaptées à chaque région, à partir de la flore poussant sur place. En se basant sur son travail, chaque pays peut commencer à cultiver une pharmacie phytothérapeutique sûre et efficace, dans un esprit ayurvédique.

C'est le Dr Balaraj qui est également à l'origine du renouveau de la formule – perdue depuis longtemps sous sa forme authentique – du rasayana le plus célèbre, le plus renommé parmi les centaines décrits dans les textes antiques : l'Amrit Kalash Maharishi, un mélange complexe de plantes et de fruits, composé d'environ deux douzaines d'ingrédients, dont chacun est considéré lui-même comme un rasayana. En sanskrit, *amrit kalash* signifie « récipient d'immortalité ». Il est recommandé à tous, quels que soient l'âge, la constitution et l'état de santé, d'en prendre quotidiennement. Parmi les rasayanas les plus connus qui entrent dans sa composition, on trouve l'amla (ou groseille indienne), la réglisse, le bois de santal, le miel et le beurre clarifié, ainsi que d'autres plantes dont les propriétés sont prisées par l'Ayurvéda alors qu'elles sont inconnues en Occident, telles que la noix de galle, le souchet rond, la poudre de bois d'aloès, ou bien encore : Emblica officinalis, Terminalia chebula, Canscora decussata, Mesua ferrea, Sida cordifolia, etc.

L'Amrit Kalash Maharishi est manufacturé sous deux formes : une petite dragée à base de plantes que l'on prend comme une pilule de vitamine, et une pâte sucrée, semblable à de la confiture, que l'on consomme directement à la cuiller, ou fondue dans du lait chaud (cette seconde solution apaise particulièrement Vata si on en boit au moment du coucher).

Les règlements concernant les plantes aux États-Unis (ainsi qu'en Europe) permettent la distribution de l'Amrit Kalash Maharishi en tant que complément alimentaire ; aussi le recommandons-nous pour une utilisation générale. (Si un diagnostic a révélé que vous avez une maladie spécifique, évitez de prendre ces compléments ou toute autre plante avant d'avoir consulté au préalable un médecin formé à l'Ayurvéda Maharishi.)

Intrigués par les études approfondies publiées sur les rasayanas et par la compréhension très impressionnante que le Dr Balaraj a des plantes, des chercheurs ont engagé des travaux aux États-Unis et en Europe pour déterminer quels effets précis pouvaient avoir ces préparations. Les résultats se sont révélés tout à fait remarquables à bien des égards. Dans une étude-pilote testant les effets de l'Amrit Kalash sur les animaux, le Dr Hari Sharma, professeur de pathologie à la faculté de médecine de l'Université d'Ohio State, avait induit des cancers (des glandes mammaires) chez les rats en leur administrant un puissant carcinogène. On donna en même temps de l'Amrit Kalash à l'un des groupes d'animaux, mais pas à l'autre. La différence relevée entre les deux groupes fut très significative : entre quatre et cinq fois plus de cancers dans le groupe témoin que chez ceux qui avaient pris le complément à base de plantes (60 % contre 14 %).

L'étape suivante consista à sélectionner des rats cancéreux et à leur administrer de l'Amrit Kalash pour voir si leurs tumeurs allaient se modifier. Près de 60 % de ces animaux virent leurs tumeurs régresser ou même disparaître. Ce remarquable résultat fut confirmé par des études ultérieures montrant une régression des tumeurs grâce à un autre rasayana testé à M.I.T., ainsi que l'inhibition des neuroblastomes (une forme embryonnaire de cellules malignes), testés *in vitro* à la faculté de médecine de l'Université du Colorado. Bien qu'on ne puisse encore faire d'extrapolations sur des populations humaines à partir de ces recherches éparses, il existe déjà suffisamment de bonnes raisons pour prendre de l'Amrit Kalash comme complément alimentaire – quel que soit par ailleurs le régime qu'on adoptera selon sa constitution –, car cette bonne habitude permettra de faciliter l'accomplissement du but qui est celui de l'Amrit Kalash : équilibrer les doshas.

Le Professeur Sharma a également pu mettre en évidence que l'Amrit Kalash réduit les caillots sanguins associés aux infarctus et aux crises cardiaques. L'Amrit Kalash accomplit cela en empêchant l'agrégation, ou accumulation, des plaquettes dans le sang. Les plaquettes sont les cellules directement responsables de la formation de caillots sanguins, une fonction qui semble se perturber dans les premières phases d'une maladie cardiaque. De minuscules failles à l'intérieur des parois artérielles attirent les plaquettes, qui pénètrent alors dans le tissu de l'artère et se mettent à s'accumuler en plaques. Si ce processus a lieu dans l'une des artères coronaires (ou vaisseaux sanguins alimentant le cœur en oxygène), il va en résulter une crise cardiaque au bout d'un certain temps.

La médecine a ordinairement recours à divers fluidifiants sanguins pour inhiber l'agrégation de plaquettes.

Ainsi, on va prescrire de l'aspirine aux victimes de crises cardiaques, afin de faciliter la prévention de crises ultérieures. Mais l'aspirine est connue pour avoir des effets secondaires – comme par exemple des saignements d'estomac –, qui résultent directement de la fluidification du sang ; aussi, selon certaines recherches, les personnes de moins de 40 ans qui prendraient de l'aspirine chaque jour seraient-elles susceptibles de subir une attaque aussi fatale que la crise cardiaque qu'ils cherchaient à éviter.

À l'époque où il étudiait l'Amrit Kalash dans des éprouvettes (avant de procéder à des expérimentations sur les animaux), le Dr Sharma s'aperçut que cette préparation inhibait les caillots sanguins dus à un large éventail d'antagonistes, incluant l'adrénaline, une hormone libérée en cas de stress. Cette « sélectivité » est extrêmement importante, car elle implique que les « bons » caillots sanguins, ceux qui sont nécessaires pour cicatriser les blessures, vont demeurer non affectés, tandis que les « mauvais » caillots, associés aux plaques, peuvent être évités.

Une fois encore, aucun médecin n'est en mesure de confirmer les bienfaits médicaux des rasayanas ayurvédiques, quels que puissent être ceux-ci, mais nous croyons que cette préparation, élaborée par les botanistes modernes, est celle qui se rapproche le plus de l'authentique Amrit Kalash, cette « fine fleur » issue de la connaissance des plantes et évoquée par les grandes figures de l'Antiquité faisant autorité dans ce domaine.

Petit test : est-ce que je vieillis bien ?

Il n'existe pas de programme en tant que tel visant à « prolonger la vie » dans l'Ayurvéda, pour la simple raison que c'est l'ensemble de toutes ces approches – le régime, l'exercice, les routines quotidiennes et saisonnières, la méditation et les diverses techniques de guérison – qui va permettre d'accroître la longévité. Ayant pu observer que l'état de santé de nos patients est bien meilleur aujourd'hui, nous avons très bon espoir qu'une percée est en train de s'accomplir en ce qui concerne le vieillissement. Les textes classiques de l'Ayurvéda considèrent cent années comme la durée de vie normale, sans infirmité ni maladie. Notre objectif est d'atteindre au moins ce but.

Comment pouvez-vous obtenir la preuve que vous devenez plus jeune en suivant ce programme ? Aussi simpliste que cela puisse vous paraître, le simple fait de se sentir heureux et en bonne santé constitue un bon critère ; la jeunesse du cœur est reconnue comme un signe de longue vie. S'appuyant sur des bases plus objectives, des chercheurs de Duke University ont établi une brève liste de facteurs de santé ayant un rapport avec la longévité. D'un point de vue statistique, les gens qui obtiennent un bon score sur chacun des points proposés ont toutes les chances de vivre plus longtemps que la moyenne.

Le petit test suivant est basé sur les données du questionnaire établi à Duke University. Le mieux est de s'en servir comme complément à un examen physique complet, mais même une évaluation personnelle non formelle pourra suffire à en dire long sur vous. En étant aussi honnête et objectif que possible, répondez à chaque question, en vous attribuant :

10 points pour « Excellent »
5 points pour « Moyen »
0 point pour « En dessous de la moyenne »

Une fois votre score final obtenu, suivez les programmes de l'Ayurvéda pendant six mois, puis recommencez à vous évaluer. Vous aurez de très bonnes chances de remarquer, à votre grand étonnement, une très forte amélioration, et il est probable qu'elle se produira bien avant l'échéance des six mois.

Les facteurs ci-dessous sont classés par ordre d'importance relative :

a. Maladie cardio-vasculaire :

Combien avez-vous eu de parents et de grands-parents ayant été victimes d'une crise cardiaque ou d'une attaque à un âge précoce (avant 60 ans) ?

Aucun	10 points	
Un ou deux	5 points	
Trois ou davantage	0 point	______

Le dernier relevé de mon taux de cholestérol était

Excellent (moins de 200 mg)	10 points	
Moyen (220 mg)	5 points	
Mauvais (au-dessus de 240 mg)	0 point	______

Le dernier relevé de ma tension était

Excellent (12/7)	10 points	
Bon (13/9)	5 points	
Mauvais (14/9,5 ou plus)	0 point	______

(Pour être précise, la tension devrait être prise trois fois par jour, à différents moments de la journée.)

b. Satisfaction au travail :

Lorsque je me rends au travail le matin, je me sens

Enthousiaste face à de nouveaux défis	10 points	
Prêt à faire le travail, mais pas très enthousiaste	5 points	
Pas intéressé – ce n'est pour moi qu'un « boulot »	0 point	________

c. Consommation de cigarettes :

Au cours des cinq dernières années

Je n'ai jamais fumé	10 points	
Il m'est arrivé de fumer de temps à autre	5 points	
J'ai fumé régulièrement	0 point	________

d. Fonctions physiques :

Cette catégorie inclut une vaste gamme de facteurs, tels que coordination physique, efficacité de la respiration, rapidité des temps de réaction, bonne ou mauvaise circulation, etc. Pour vous évaluer, comparez votre forme physique actuelle à celle que vous aviez il y a dix ans.

Je me sens presque exactement le même	10 points	
Je remarque que certaines choses ne vont pas	5 points	
Je suis sous traitement médical	0 point	______

e. Bonheur :

Toutes choses prises en compte, ces jours-ci ma vie est

Sous de très bons auspices	10 points	
Plutôt bonne la plupart du temps	5 points	
À peu près aussi bonne que celle du voisin	0 point	______

f. Autoévaluation de l'état de santé :

Cette année ma santé générale a été jusqu'ici

Excellente	10 points	
Bonne	5 points	
Médiocre ou mauvaise	0 point	______

g. Niveau général d'intelligence :

Dans les tests pour évaluer le QI, j'obtiens des scores

Au-dessus de la moyenne (120 et plus)	10 points	
Moyens (100-110)	5 points	
Au-dessous de la moyenne (90 et en dessous)	0 point	______
Score total		______

Comment vous évaluer : Un score parfait (90 points) indique que vous allez très probablement vivre longtemps, peut-être beaucoup plus longtemps que la moyenne nationale américaine (78 ans environ pour les femmes et 72 ans pour les hommes). Un score au-dessus de la moyenne (compris entre 65 et 90 points) suggère que votre espérance de vie sera d'au moins trois ans de plus que la norme nationale américaine, et davantage si vous avez déjà dépassé l'âge moyen. Un score moyen (45-65 points) indique une espérance de vie moyenne. Un score au-dessous de la moyenne (moins de 40 points) suggère qu'il vous faut porter plus d'attention à votre santé. Il n'y a pas lieu toutefois de céder à la panique, car le fait de suivre les programmes de l'Ayurvéda devrait entraîner très vite de notables améliorations.

Afin d'avoir une idée plus précise de votre situation actuelle, vous pouvez affiner votre score en considérant quelques autres facteurs :

L'âge : Les scores élevés auront une plus grande signification à mesure que vous prenez de l'âge. Si vous avez dépassé 50 ans, un score compris entre 75 et 90 points indique une probabilité de longévité accrue ; le même score ne sera pas aussi significatif si vous n'avez que 30 ans.

Le mode de vie : Toutes choses ayant leur importance, une régularité dans les habitudes sera corrélée à une longue vie ; celles-ci impliquent de manger trois repas par jour, d'avoir huit heures de sommeil chaque nuit, de se coucher à l'heure, etc. Par ailleurs, on a pu remarquer que les personnes mariées avaient une plus grande espérance de vie que les célibataires. La consommation d'alcool devrait être minimale ou inexistante, car l'on sait que l'alcoolisme diminue la longévité.

Le poids : Le mieux est de se maintenir à un poids idéal, bien que le fait d'avoir cinq à sept kilos de trop ne comporte pas de risque pour la santé. La durée de vie sera raccourcie si vous êtes obèse (poids excédant de 15 % ou plus votre poids idéal) ou si votre poids a connu d'importantes fluctuations sur un certain nombre d'années.

Comment améliorer votre score

À la suite d'une importante recherche sur la méditation, nous pouvons confirmer que le programme de l'Ayurvéda peut améliorer chacun des facteurs de longévité établis à Duke University. Si nous examinons ces résultats dans le contexte de l'Ayurvéda Maharishi considéré globalement, ils seront même encore renforcés.

- Les recherches entreprises sur les rasayanas laissent penser qu'elles sont en mesure d'éliminer plusieurs aspects délétères du processus de vieillissement. Elles agissent notamment sur les caillots sanguins et réduisent la sensibilité aux carcinogènes. Des études préliminaires suggèrent que les rasayanas pourraient se révéler efficaces pour purifier le sang des radicaux libres, soupçonnés d'accélérer le processus de vieillissement.

- Une étude-pilote sur les effets du panchakarma laisse penser que cette purification renforce largement l'effet de rajeunissement de la méditation (dix sujets pratiquant la méditation avaient vu, en l'espace d'une année, leur âge biologique diminuer de six ans en moyenne, grâce à des cures régulières de panchakarma ; tandis que ceux qui pratiquaient seulement la méditation n'avaient rajeuni que d'un an et demi).

La conclusion que l'on peut tirer de toutes ces recherches est que le programme complet proposé par l'Ayurvéda s'avère encore plus efficace que la méditation pratiquée seule, et pourrait bien générer très concrètement tous les puissants effets de rajeunissement promis dans les textes antiques. Le programme de base typique devra inclure la méditation, un régime ayurvédique adapté à sa constitution, des exercices pratiqués régulièrement, une cure de panchakarma au moins une fois l'an, et les points principaux exposés dans la rubrique intitulée *dinacharya* au chapitre 11 de ce livre.

III

VIVRE EN ACCORD AVEC LA NATURE

10

L'impulsion nous poussant à évoluer

L'expression « vivre en accord avec la nature » signifie quelque chose de très précis en Ayurvéda : c'est avoir des désirs qui correspondent aux besoins réels, conformes à la santé. Tels que la nature nous a créés, il ne devrait pas exister de conflit entre ce dont nous avons besoin et ce que nous voulons, car tous les désirs prennent leur origine au niveau quantique, sous forme de faibles vibrations dont l'interaction dynamique est toujours équilibrée. Dans les cas où le corps ou l'esprit s'écarte de l'équilibre, une impulsion correctrice est émise à partir du corps quantique, et nous la percevons comme quelque chose que nous désirons.

Au moment même où vous lisez ces lignes, des millions d'impulsions circulent à travers votre système nerveux, qui se transforment en l'ensemble des actions que vous accomplissez chaque jour. Le simple fait de vouloir un verre d'eau, par exemple, vise à satisfaire le besoin propre de 50 000 à 100 000 milliards de cellules dans votre corps, chacune d'elles envoyant un message à l'hypothalamus, pour y être décodé par des récepteurs spéciaux. À son tour, l'hypothalamus crée le lien corps-esprit en fabriquant des neurotransmetteurs spécifiques, ou molécules-messagers, qui vous font penser : « J'ai soif. »

Tout désir naturel, quel qu'il soit, va suivre un chemin semblable. Lorsqu'un besoin émerge quelque part dans le corps quantique, le lien corps-esprit se fait dans le cerveau, et l'on fait alors l'expérience d'une impulsion qui nous pousse à agir. Tant que les besoins et les désirs sont accordés, vous vivez en accord avec la nature ; le chemin du désir n'est pas bloqué. Idéalement, chaque bouchée de nourriture avalée devrait paraître délicieuse, et en même temps devrait satisfaire un besoin précis en certains éléments nutritifs. Il se peut que la peau réclame par exemple un supplément de vitamine C pour guérir une brûlure due à un coup de soleil, ou qu'un os de la hanche soumis à un stress exige un supplément de calcium, ou encore qu'un muscle tendu du bras veuille plus de potassium.

Malheureusement, il est très aisé d'interférer avec le cours naturel des choses, et lorsque nous le faisons, nous ne restons plus en accord avec la nature. Au lieu de nous en remettre au corps équilibré pour nous dire de quelles substances nutritives il a besoin, bien trop souvent nous prenons des vitamines sans discrimination, nous ne pouvons pas nous empêcher de manger en excès ou d'avoir des envies inutiles de toutes sortes d'aliments sucrés, ou de mauvaise qualité. La vogue actuelle du « prolongement de la vie » est fondée sur un mépris du corps, et essaie de deviner à l'aveuglette ses faiblesses en le bourrant de fortes doses de vitamine E, de bêta-carotène, de sélénium ou de toute autre nouvelle « panacée » pouvant figurer sur la liste.

Il n'a jamais été prouvé que le fait de prendre des vitamines et des compléments minéraux prolongeait la vie. Au contraire, des études menées à la fin des années 1970 en Californie du Sud, et émanant de sources différentes, ont montré que les personnes âgées qui prennent obstinément des vitamines et ne mangent que de la nourriture dite « diététique » ne vivent pas plus longtemps que la moyenne, tandis que les gens qui ont des habitudes et un mode de vie équilibrés (allant se coucher à l'heure, mangeant trois repas par jour, ne buvant de l'alcool qu'avec une extrême modération, et ainsi de suite) vivent parfois jusqu'à onze années de plus que la moyenne.

Il n'est pas nécessaire de tomber dans des extrêmes pour tirer le maximum de son corps. Le corps est intelligent. Au niveau quantique, il sait exactement ce dont il a besoin, du moindre atome jusqu'à la moindre molécule de nourriture, du moindre souffle de la respiration jusqu'à la moindre action à entreprendre. Dans les chapitres suivants, je vais exposer le type d'aliments, d'exercices et de routines quotidiennes et saisonnières que l'Ayurvéda considère comme étant en accord avec la nature. Bien qu'elles soient très spécifiques, ces lignes directrices ne sont pas des règles mais des indications pour vous permettre d'être en contact avec le corps quantique. Dès que le contact se rétablit, l'action devient beaucoup plus fluide, les choix corrects se font d'une manière plus automatique et les erreurs deviennent moins fréquentes.

Avant d'entrer dans les détails, cependant, j'aimerais parler un peu plus du chemin de l'évolution lui-même.

Faire les bons choix

Pour continuer d'évoluer et de progresser dans la vie, il faut faire les bons choix pour soi-même, jour après jour, minute par minute. Les choix sont sans fin car les défis de la vie le sont également, aussi semble-t-il impossible d'éviter de faire des mauvais choix. Mais l'Ayurvéda déclare que cela est en réalité facile – une fois que vous commencez à écouter votre nature la plus profonde.

Pour chaque décision que vous prenez, qu'elle soit vitale ou banale, votre corps quantique ne voit qu'un seul bon choix, bien que votre esprit puisse en concevoir beaucoup. Cette confusion donne lieu à un conflit intérieur. Pourquoi un fumeur va-t-il instinctivement chercher une autre cigarette, tout en sachant très bien le mal qu'elle peut faire ? Pourquoi un mangeur invétéré va-t-il se resservir à manger alors qu'il n'a plus faim ? Se débattre dans ces conflits est futile – nos actions se fondent sur un trop grand nombre de processus individuels, qui changent tous au cours du temps. Vaincre des virus ou des bactéries pouvant causer la mort est un jeu d'enfant en comparaison des tentatives faites pour essayer de vaincre les habitudes d'autodestruction des gens. Par exemple, nous connaissons tous des gens souffrant d'obésité chronique qui ont cherché partout le bon traitement et ont essayé toutes sortes de remèdes, la psychiatrie, des modifications de comportement, voire même la chirurgie, sans pour autant remporter de succès, ou n'obtenant que peu de résultats.

Avec l'Ayurvéda, nous proposons une solution plus simple. Au lieu de lutter contre les mauvais choix que l'on est tous susceptibles de faire une fois en proie à des désirs non conformes à la santé, nous mettons nos patients en contact avec la source de leurs désirs. À la source, les désirs de tout le monde sont en accord avec la santé. En sanskrit, cela s'appelle *sattva*, mot souvent traduit par « pureté ». Une meilleure traduction de sattva serait « l'impulsion à évoluer », et je vais montrer pourquoi.

Dans l'Ayurvéda, il existe trois impulsions naturelles qui sont à l'œuvre dans n'importe quelle situation donnée. La première, *sattva*, est l'impulsion qui incite à évoluer, à aller de l'avant, à progresser. La deuxième, *tamas*, est l'impulsion à rester le même ou à régresser ; elle est donc à l'opposé de sattva. Entre ces deux pôles, se trouve *rajas*, une impulsion plus neutre qui dicte l'action à prendre en soi. Un diagramme de ces trois éléments donnerait à peu près ceci :

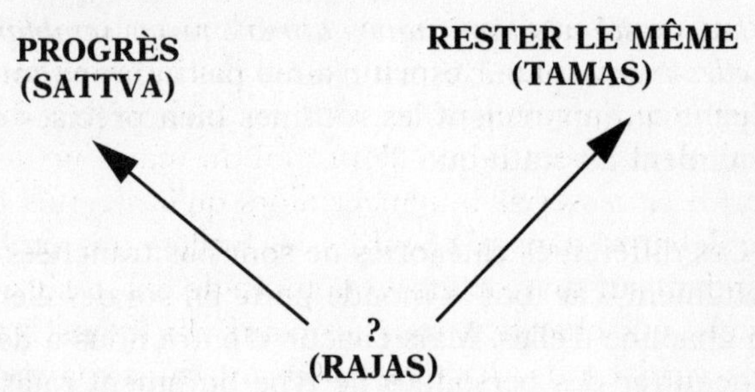

Comme vous pouvez le voir, rajas pose la question : « Comment devrais-je agir dans cette situation ? » Sattva favorise le choix qui est évolutif, tamas celui qui est stable. Ces trois impulsions sont toutes nécessaires à la vie. Si vous restez assis devant votre télé tard la nuit, tenté de regarder le deuxième film du soir, une impulsion vous dit d'aller vous coucher, tandis que son opposé vous dit de rester assis là. C'est le conflit entre sattva et tamas, tandis que rajas agira comme un aiguillon, pour vous pousser à choisir.

La nature nous a créés d'une façon telle que l'esprit fonctionne instinctivement selon ces trois gounas, ou tendances (on les appelle aussi parfois les « doshas mentaux »). On peut classer les gens selon le gouna qui prédomine en général chez eux :

Les personnes rajasiques aiment agir. Leur esprit est constamment en activité et tend à l'impatience, à l'impulsivité et à toutes sortes d'expressions dynamiques.

Les personnes sattviques aiment progresser. Leur esprit ne s'apesantit pas sur l'action pour l'action, mais seulement sur l'action créatrice, favorable à la vie et à la santé.

Les personnes tamasiques aiment rester semblables à elles-mêmes. Leur esprit n'aime pas agir ; ce sont des gens qui apprécient les routines bien précises et qui tendent au statu quo.

Ces différentes catégories ne sont pas tranchées aussi nettement, car tout le monde porte en soi des éléments de chacune d'elles. Mais chacun d'entre nous a déjà pu rencontrer des personnes de type purement rajasique : extraverties, constamment pleines d'énergie, etc. ; cette classe d'individus n'hésite pas à se précipiter là où les anges eux-mêmes craindraient de s'aventurer. Et chacun a pu également rencontrer des personnes de type purement tamasique : lentes à se mettre en route, réfractaires aux idées nouvelles, une sorte de traditionalistes purs et durs, pour lesquels les meilleures choses de la vie appartiennent toujours au passé. (Les vaidyas qui vont aux États-Unis disent souvent en secouant la tête que les Américains sont des gens désespérément rajasiques, dont la créativité et l'ambition ont besoin de l'élément « sattva », doux et purifiant.) Cependant, quelle que soit la manière dont nous avons été façonnés par la nature, devenir plus sattvique est un but qui vaut la peine d'être atteint, car c'est le sattva qui rend une personne plus créative, en meilleure santé et plus heureuse.

Le secret des personnes sattviques est que les désirs qu'elles ont sont naturellement des désirs sains. Des désirs malsains peuvent s'élever en chacun de nous à cause de l'ama mental. Vous vous souvenez sans doute que « l'ama mental » est une expression employée pour désigner les impuretés ou les tendances négatives de l'esprit. Le sattva est cette force de pureté qui les combat. Les sages ayurvédiques disent que l'ama mental est produit par :

- Les émotions négatives – colère, peur, autocritique, avidité, rancune.
- Le stress psychologique – problèmes familiaux, tensions au travail, perte d'argent ou de travail, divorce, mort dans la famille.
- La léthargie, l'inertie mentale.
- Un environnement insalubre.
- Le contact avec la négativité d'autres personnes.
- Les livres ou autres formes de loisirs violents, grossiers ou choquants.

Le débat qui consiste à essayer de savoir s'il est ou non moral de montrer la violence à la télévision passe à côté du point essentiel, selon l'Ayurvéda. La question qui importe est celle de la santé. Le spectacle de la violence va se traduire sous forme de substances chimiques malsaines dans le corps, conduisant à la formation d'ama dans nos pensées aussi bien que dans nos cellules. Chacun a le droit de s'exposer à n'importe quelle sorte d'influence s'il le désire, mais le rôle du médecin est de nous mettre en garde contre les influences qui pourraient nuire à notre bien-être. Éviter l'ama mental est donc considéré comme une mesure préventive contre les déséquilibres pouvant mener au bout du compte à la maladie.

Vous ne pouvez pas contraindre votre corps à faire des choix évolutifs. Si vous mangez de mauvais aliments, si vous fumez cigarette sur cigarette, si vous buvez en excès ou adoptez tout autre choix malsain dans votre vie quotidienne, cela causera un blocage quelque part sur le chemin de votre désir. Une impureté quelconque vous écartera de votre soi quantique. J'ai déjà indiqué bien des techniques permettant d'éliminer de tels blocages. Toutes ces techniques, qui vont du panchakarma à la technique de « bliss » en passant par la méditation, vont éliminer des quantités considérables d'impuretés chaque fois que vous les appliquerez.

Après quelque temps de pratique régulière des techniques ayurvédiques, vous allez voir émerger votre côté sattvique, quelle qu'ait pu être au départ la quantité de blocages dans votre organisme. Dès que cela se produit, c'est le signe que vous vous approchez de ce lieu qu'on peut appeler la santé parfaite. Le sattva est le gouna qui se trouve le plus proche du cœur de la nature, parce que tout dans la nature est en expansion, tout évolue et croît. En nous, le sattva existe sous la forme de notre instinct vers l'équilibre, de nos attitudes visant à glorifier la vie, de notre dignité innée, de notre respect pour autrui et de notre amour. À mesure que vous croissez en sattva, vous vivez sans effort dans la pureté et vous allez dans la direction d'une plus grande évolution. C'est alors, et seulement alors, que l'expression « vivre en accord avec la nature » révèle son véritable sens.

Comment accroître le sattva

L'Ayurvéda déclare que maintes influences diverses peuvent accroître le sattva et maintenir tout en même temps l'ama à un niveau minimum. Rappelons ici quelques recommandations qui nous sont déjà familières : consommer de la nourriture et de l'eau pures, éviter les toxines évidentes telles que les pesticides et avoir des nuits de sommeil complètes. Un repos convenable est nécessaire pour animer le côté clair et heureux de l'esprit.

Passez du temps au-dehors, dans la nature, à marcher dans les bois et les montagnes ou le long de l'océan, des lacs et des cours d'eau ; écoutez le vent, le bruissement des arbres et les chants d'oiseaux – toutes ces expériences permettent de purifier les sens et de les ramener à leur source au sein de la nature. En Ayurvéda nous considérons que tout ce qui est favorable à la vie est sattvique, aussi est-ce pourquoi il est si vital d'entretenir des émotions positives et des relations stables – l'absence d'amour et d'attention dans votre vie nuira à votre sattva bien plus que tout régime inapproprié.

En outre, les points ci-dessous, consignés voici des milliers d'années dans les textes védiques et reflétés dans les traditions les plus pures de toutes cultures, pourront servir de points de repère testés par le temps pour augmenter le sattva dans la vie quotidienne :

- Soyez aimable et tolérant envers tout le monde.

- Agissez après mûre réflexion, non sur une impulsion.

- Abstenez-vous de vous mettre en colère ou de critiquer, même si vous estimez que c'est justifié (les personnes sattviques ne s'en prennent pas aux faiblesses des autres sous prétexte que c'est « pour leur propre bien »).

- Accordez-vous du temps chaque jour pour le jeu, l'humour, la détente et les gens de bonne compagnie.

- Éveillez-vous avec le soleil le matin, contemplez le soir les couchers de soleil et, à l'occasion, faites des balades au clair de lune, en particulier pendant les périodes de pleine lune.

- Mangez une nourriture légère et naturelle, en privilégiant lait, safran, riz et ghî (beurre clarifié) – vous pourrez trouver la liste complète des aliments sattviques à la page 388, ainsi qu'une approche plus profonde et détaillée de la logique justifiant l'adoption d'un régime pur.

- Soyez généreux envers autrui de toutes les manières possibles – faites des cadeaux et des compliments aux gens autour de vous, en faisant ressortir le meilleur chez chacun, et en laissant à d'autres le soin de vous mettre en valeur, au lieu d'essayer de le faire vous-même. Pour une personne sattvique, toutes les relations sont d'abord l'occasion de donner. L'aspect complémentaire de cette attitude fondamentale est que la nature pourvoira toujours suffisamment à vos besoins. Lorsque cette sorte de générosité et de confiance s'épanouit, une personne sattvique n'a plus rien à craindre et tout à recevoir de la vie ; elle peut laisser la vie s'écouler au lieu de chercher à la manipuler.

11

La routine quotidienne – ou comment chevaucher les vagues de la Nature

Chaque jour le soleil se lève, se couche, et des centaines de choses différentes se produisent dans l'intervalle. La nature est si merveilleusement agencée que, quelle que soit la diversité de ces événements, leur déroulement se déploie selon un cycle unique, même si, en réalité, de nombreux rythmes viennent s'imbriquer les uns dans les autres comme des engrenages. La médecine moderne a mis en évidence un grand nombre des cycles les plus évidents dans notre corps – le cœur qui bat tous les trois quarts de seconde, les poumons qui se gonflent pour inspirer de l'air dix à quatorze fois par minute. Pourtant bien des transformations du corps demeurent mystérieuses. Pourquoi le poids d'une personne atteint-il son maximum à 7 heures du soir, comme l'a découvert la science ? Pourquoi nos mains dégagent-elles le plus de chaleur aux environs de 2 heures du matin ?

La réponse de l'Ayurvéda est qu'il existe en nous des « cycles-maîtres » qui sont régis par le corps quantique. Chaque jour, deux vagues de fluctuations nous traversent, chacune d'elles comportant un cycle Kapha, puis Pitta, et finalement Vata. Ces trois phases se déroulent entre le lever et le coucher du soleil, puis de nouveau entre le coucher et le lever du soleil. Les tranches horaires sont approximativement les suivantes :

Premier cycle :	Second cycle :
6 heures-10 heures-18 heures – – Kapha	22 heures – Kapha
10 heures-14 heures – Pitta	22 heures-2 heures – Pitta
14 heures-18 heures – Vata	2 heures-6 heures – Vata

Parmi les aspects qui sont les plus fondamentaux pour maintenir sa vie en accord avec la nature, l'un d'eux est de respecter ces cycles-maîtres qui sous-tendent notre existence physique. Nous avons pour destin de chevaucher les vagues de la nature et non de lutter contre. En fait, nos corps les chevauchent déjà, ou font du mieux qu'ils peuvent en dépit de nos mauvaises habitudes.

À l'aube, la journée commence par une période Kapha. Il est aisé de voir pourquoi le petit matin est considéré Kapha – au réveil, le corps se sent lourd, lent, détendu et calme, qualités qui sont toutes Kapha. Le moment le plus actif de la journée sur le plan physique – qui est aussi le moment où l'appétit va être le plus fort – se produit à midi, au milieu de la première période Pitta. Pitta est responsable du métabolisme alimentaire, de la répartition de l'énergie et d'une meilleure efficacité de fonctionnement physique en général. Ceci permet d'expliquer pourquoi, dans les usines, le rendement atteint son sommet vers midi. Ce premier cycle se termine par une période Vata qui commence à 14 heures. Vata contrôle le système nerveux, et des chercheurs ont pu découvrir en fait que c'est au cours de l'après-midi que les gens obtiennent les meilleurs scores dans les tests mentaux. Les moments les plus favorables pour faire des calculs arithmétiques (15 heures) et pour déployer la plus grande dextérité manuelle (16 heures) vont s'inscrire dans cette période Vata.

Le second cycle de la journée se déploiera suivant la même séquence Kapha, Pitta et Vata, mais sous une forme différente. Le soir, tout comme le petit matin, est un moment de détente et de lenteur, mais le coucher du soleil incite le corps à retrouver le calme et la stabilité. C'est donc un moment où Kapha va tendre vers l'inertie. De même, l'appétit dû à Pitta n'est pas aussi fort le soir qu'à midi. Pitta va vous permettre de digérer votre souper une fois que vous vous serez couché, mais comme votre corps sera endormi, une certaine quantité de chaleur va être dépensée pour le maintenir à une bonne température et alimenter la reconstruction de vos tissus, tout cela ayant lieu principalement au cours de la nuit. La période Vata du petit matin va s'exprimer à travers le système nerveux, mais au lieu d'avoir des pensées vives comme dans l'après-midi, vous allez passer par une période de « rêves actifs » durant votre sommeil (phase appelée M.O.R., ou « mouvements oculaires rapides »). Au cours de cette phase, les impulsions du cerveau seront les plus animées de toute la nuit. Et ainsi va se boucler le cycle de la journée.

Une journée au rythme parfait

Si vous apprenez comment chevaucher ces immenses vagues de Vata, Pitta et Kapha, votre corps accordera instinctivement ses sous-cycles, ses nombreux engrenages imbriqués, pour que ceux-ci soient en phase. À quoi ressemblerait de vivre une journée au rythme parfait ? L'Ayurvéda nous fournit un emploi du temps idéal appelé *dinacharya*, ou routine quotidienne, qui nous montre comment le découvrir.

Dinacharya : la routine quotidienne

Quatre moments-pivots fixent le rythme d'un cycle quotidien complet :

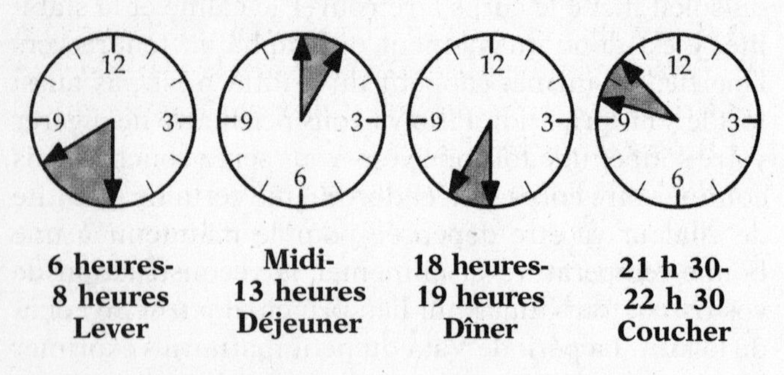

Les heures indiquées sont celles du début d'une activité : la matinée commence entre 6 heures et 8 heures, le déjeuner commence entre midi et 13 heures, selon le gré de chacun, et ainsi de suite. Ces heures ne sont qu'approximatives et changeront suivant les saisons. L'Ayurvéda préconise de suivre la course du soleil et de se lever une heure avant l'aube chaque jour de l'année. En vous levant au cours d'une période Vata, vous profitez des qualités Vata de légèreté, d'allégresse et de fraîcheur. Celles-ci s'imprègnent dans votre corps juste avant l'aube et durent tout au long de la journée.

Si vous tardez trop et ne vous éveillez qu'au cours de la période Kapha qui suit (de 6 heures à 8 heures), vous allez ressentir au réveil plus d'inertie, de lourdeur, et moins de fraîcheur. Ces qualités vous accompagneront également tout au long du jour ; en fait, si vous êtes un lève-tard, d'une année sur l'autre, vous allez cultiver ces qualités Kapha dans vos doshas, et vous vous sentirez chroniquement « somnolent ».

Si vous vouliez établir le plan d'une journée idéale, celle-ci devrait s'agencer d'une façon naturelle autour des quatre points-pivots :

LEVER : entre 6 heures et 8 heures

N'utilisez pas de réveil pour vous éveiller

- Buvez un verre d'eau chaude (ce qui favorisera l'évacuation régulière des intestins le matin)
- Urinez et évacuez les intestins (sans forcer)
- Brossez-vous les dents
- Raclez la langue si elle est chargée
- Massez-vous le corps avec de l'huile de sésame (abhyanga)
- Prenez un bain (d'eau chaude, ni trop bouillante ni trop froide)
- Exercices : salutation au Soleil (voir page 413 et suivantes)
- Postures du yoga (voir page 426 et suivantes)
- Respiration alternée (ou Pranayama, voir page 450)
- Méditation
- Petit déjeuner
- Promenade vers le milieu de la matinée (une demi-heure)

DÉJEUNER : entre midi et 13 heures

- Prenez votre déjeuner de bonne heure (le déjeuner devrait être le repas le plus copieux de la journée)

- Restez tranquillement assis pendant cinq minutes après avoir mangé
- Faites une marche pour faciliter la digestion (de cinq à quinze minutes)
- Méditation en fin d'après-midi

DÎNER : entre 18 et 19 heures

- Dîner modéré
- Restez tranquillement assis pendant cinq minutes après avoir mangé
- Faites une marche pour faciliter la digestion (de cinq à quinze minutes)

COUCHER : entre 21 h 30 et 22 h 30

- Activité douce le soir
- Couchez-vous tôt, mais en laissant au moins trois heures d'intervalle entre le dîner et le moment du coucher.
- Pas de lecture, ni de repas, ni de télévision une fois au lit

Bien sûr, il s'agit là d'un emploi du temps très plein, mais je m'empresse d'ajouter que des centaines de nos patients (et de membres de nos familles) continuent d'avoir amplement le temps de mener des vies très actives, tout en observant la dinacharya. Si vous hésitez à modifier votre emploi du temps, soyez persuadé qu'il vous sera possible de maintenir autant d'occupations qu'un médecin, si vous savez comment chevaucher les vagues de la nature. Tout l'intérêt de mener une vie ordonnée est que votre activité entière sera plus saine, plus appréciable et plus efficace. Vous allez gagner en fait plus de temps que vous n'en perdrez et ce temps-là sera précieux.

Vous remarquerez que les exercices principaux consistent à marcher et à pratiquer de simples postures de yoga, auxquelles on adjoint la méditation. La plupart des autres points s'expliquent d'eux-mêmes. J'aimerais seulement ajouter quelques observations supplémentaires concernant chaque période de la journée.

Lever : entre 6 heures et 8 heures

Le matin est un moment très spécial en Ayurvéda, au cours duquel nous sommes le plus sensibles aux délicats messages que nous adresse la nature. Le système nerveux a été conçu de telle sorte que la vue de l'aube, l'immobilité de l'air sur la peau, les bruits et les chants subtils des oiseaux et des autres animaux qui s'éveillent vont être perçus comme le décor propice à un renouveau. Réceptif à la moindre influence, le corps tout entier demeure silencieux et se tient en un délicat point d'équilibre.

Lorsque vous vous éveillez, l'esprit devrait se sentir alerte et clair, désencombré des soucis pouvant provenir de la journée précédente ; tout le système nerveux est alors prêt à se régénérer. Il n'est pas bon de perturber ou d'ignorer cette occasion unique de se « recréer » naturellement. L'écrivain Joan Mills a merveilleusement exprimé le caractère unique de l'éveil au petit matin : « Dans la simplicité de l'aube surgissent des moments dont la profondeur dépasse l'entendement, et dont la puissance surpasse toute émotion. Il est des matins où une petite joie isolée apporte avec elle plus de conviction que tout un mois de chagrins. »

D'un point de vue médical, le corps est en train de « calibrer » à ce moment précis l'équilibre biochimique correct en vue des activités de toute la journée. Il débarrasse également l'organisme des déchets de la veille, ce qui explique pourquoi une élimination matinale est précieuse avant de commencer le cycle d'un nouveau jour. Évacuer les intestins à ce moment-là est une chose que vous pouvez doucement favoriser en buvant un verre d'eau chaude et en restant environ cinq minutes dans les toilettes pour voir si le corps est disposé à une selle. Si ce n'est pas le cas, ne vous faites pas de souci. En temps voulu, la plupart des gens qui maintiennent cette pratique de façon régulière s'aperçoivent qu'un instinct d'élimination matinale va se manifester.

Lorsque vous vous brossez les dents, l'Ayurvéda indique que vous devriez racler la couche blanche qui a pu apparaître sur la langue au cours de la nuit. C'est le résidu de l'ama, provenant soit du dîner de la veille, soit d'un déséquilibre plus profond. On trouve désormais des racloirs en argent pour la langue un peu partout dans le commerce ou sur Internet. Tout le monde ne s'éveille pas nécessairement avec une langue chargée, aussi cette étape est-elle facultative. À mesure que votre régime s'améliorera et que vous atteindrez un meilleur équilibre, la couche sur la langue tendra à disparaître.

La dinacharya vous demande de faire onze choses différentes au petit matin. Accomplir tout cela exige de la discipline. Vous allez devoir allonger votre routine d'environ une heure, ce qui constitue un grand changement dans votre mode de vie. Mais les récompenses seront grandes, elles aussi. Lorsque nos patients maintiennent leur routine matinale dans son intégralité, ils déclarent jouir d'une santé et d'un entrain sans égal, par rapport à ceux que connaissent des individus plus négligents ou irréguliers.

Essayez d'incorporer quelques éléments nouveaux à votre emploi du temps actuel, et voyez si vous vous sentez à l'aise avec ces changements. Par ordre d'importance, les aspects qui comptent le plus sont :

1. Se lever tôt (à l'aube)
2. La méditation
3. Les exercices ayurvédiques : salutation au Soleil, postures de yoga
4. Les massages avec une huile

La méditation a déjà été évoquée et les exercices ayurvédiques seront abordés plus loin, dans un chapitre à part. Il reste donc à voir le massage à l'huile (abhyanga), qui constitue l'un des aspects les plus agréables de la dinacharya, ainsi qu'un moyen de premier ordre pour équilibrer le dosha Vata.

Le fait de masser légèrement le corps entier avec une mince couche d'huile de sésame avant de prendre un bain permet à la peau de garder sa chaleur et sa souplesse, en un équilibre parfait qui compense la froideur sèche de Vata. Nos patients de constitution Vata indiquent qu'ils se sentent moins enclins à l'anxiété ou à la dispersion au cours de la journée, lorsqu'ils font régulièrement un massage le matin. En fait, chacun pourrait tirer un énorme profit de ce rééquilibrage de Vata dès le début de la journée. La peau comporte en effet des milliers de nerfs cutanés, reliés à chaque partie du corps. La science reconnaît également que la peau est l'un des principaux producteurs d'hormones endocrines.

En termes scientifiques, la façon dont opère le massage du matin est d'apaiser les deux systèmes majeurs du corps : le système nerveux et le système endocrinien. Il n'est donc nullement surprenant que dans les temps antiques le sage Charaka ait fait abondamment l'éloge de la pratique de l'abhyanga, en soutenant que cela permettait de régénérer la peau, de tonifier les muscles, d'éliminer les impuretés et de promouvoir la longévité. Vous masser est aussi un bon moyen de commencer la journée détendu, ce que l'Ayurvéda considère comme extrêmement important. Les personnes qui commencent leur journée comme s'il s'agissait d'une course contre la montre ne se donnent pas les meilleures chances d'atteindre l'équilibre parfait.

Voici comment se pratique l'abhyanga :

MODE D'EMPLOI DU MASSAGE À L'HUILE (abhyanga)

Comme il s'agit d'un massage très léger, il ne requiert qu'un fond de tasse d'huile chaude. Utilisez une huile distribuée dans les magasins diététiques. Les personnes de constitution Pitta préféreront l'huile de sésame ou d'amandes ; les Pittas, l'huile d'olive ou de noix de coco ; les Kaphas l'huile de tournesol ou de sésame.

Pour faire chauffer l'huile : mettez trois à quatre cuillers à soupe d'huile dans une tasse ou une bouteille en plastique et placez le tout dans un bol d'eau très chaude. Attendez une ou deux minutes, jusqu'à ce que l'huile soit à la même température que la peau. Ou encore vous pouvez verser l'huile dans une tasse en verre et la faire chauffer dix à quinze secondes dans un four à micro-ondes, *en faisant très attention de ne pas la porter à trop haute température.* Techniquement, le mieux est d'utiliser de l'huile traitée en la portant, pendant un bref moment seulement, à haute température. Vous pouvez également chauffer votre huile à 100 °C, en prenant bien soin de garder l'œil dessus à tout moment, pour éviter de mettre le feu. Le meilleur endroit pour accomplir votre massage est la salle de bains. En dépit des bons effets de l'abhyanga sur votre corps, il ne fait pas de doute que l'accomplir cause un peu de désordre autour de vous : quel que soit le soin que vous prendrez, de l'huile va gicler ici ou là. Pour minimiser cet inconvénient, utilisez un morceau de plastique (par exemple un sac-poubelle) et recouvrez-en le sol au moment de faire votre massage. Ou mettez un petit tabouret en plastique dans votre baignoire et asseyez-vous dessus pour faire le massage. La version « mini-massage » donnée en fin de ce chapitre fait également un peu moins de « gâchis ».

MASSAGE DU CORPS ENTIER (cinq-dix minutes)

Commencez par la tête : versez une cuiller à soupe d'huile chaude sur le cuir chevelu. En utilisant les paumes de main, et non les doigts, faites pénétrer l'huile en massant vigoureusement. Couvrez toute la surface du crâne en procédant par petites applications circulaires, comme si vous vous faisiez un shampooing. Puis continuez en vous massant plus doucement le visage et les oreilles. Un massage doux pratiqué sur les tempes et le dos des oreilles s'avère particulièrement bon pour apaiser le dosha Vata.

Versez-vous un peu d'huile sur les mains et massez le cou, devant et derrière, puis les épaules. Utilisez les paumes de main ainsi que les doigts.

Massez-vous vigoureusement les bras, en faisant des mouvements circulaires au niveau des épaules et des coudes, et des mouvements en longueur, d'avant en arrière, sur les parties allongées des bras.

Il est important de ne pas masser trop vigoureusement au niveau du tronc. Par des mouvements circulaires doux et amples, massez la poitrine, l'estomac et le bas du ventre. (L'Ayurvéda recommande traditionnellement de faire les mouvements dans le sens des aiguilles d'une montre.) Massez le sternum par des mouvements de haut en bas. Mettez un peu d'huile sur les mains et essayez sans forcer d'atteindre la colonne vertébrale et le dos que vous masserez par des mouvements de bas en haut, ou selon ce que vous pourrez faire.

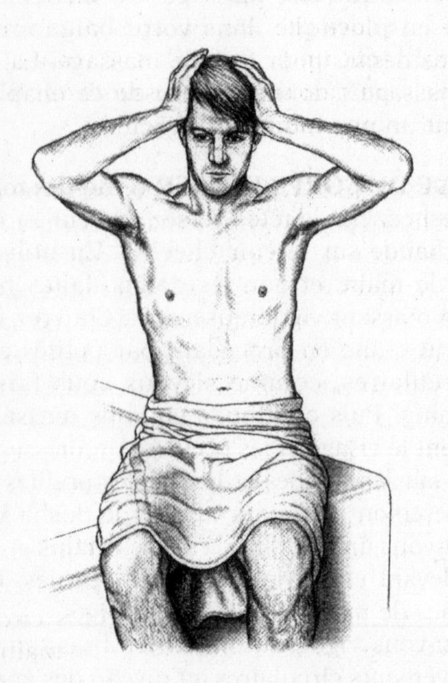

Massez-vous les jambes vigoureusement, en procédant de la même manière que pour les bras : mouvements circulaires sur les chevilles et les genoux, mouvements en longueur sur les parties allongées des jambes.

Avec le peu d'huile qui restera, massez vigoureusement les pieds et les orteils.

Comment rincer l'huile : le fait de conserver une mince couche – presque indétectable – d'huile de sésame sur le corps est considéré comme très bénéfique pour tonifier la peau, équilibrer Vata et maintenir les muscles au chaud tout au long de la journée. Par conséquent, vous devriez vous laver avec de l'eau chaude, mais non bouillante, et du savon doux. Si des cheveux luisants vous vont bien, laissez également un peu d'huile sur votre cuir chevelu, mais la plupart des gens ressentiront le besoin de faire un shampooing.

MINI-MASSAGE (une-deux minutes)

Accomplir un abhyanga sur tout le corps peut parfois prendre trop de temps dans le programme de la matinée, mais ses effets sont si bénéfiques que nous voudrions vous recommander de faire un massage court plutôt que de n'en faire aucun. Les parties du corps les plus importantes à masser sont la tête et les pieds. On peut le faire tout en restant assis pendant une minute sur le rebord de la baignoire, le matin. Ce mini-massage ne requiert que deux cuillers à soupe environ d'huile de sésame.

Versez-vous une cuiller à soupe d'huile chaude dans les mains et faites-la pénétrer dans le cuir chevelu, par les mêmes petits mouvements circulaires décrits ci-dessus. Utilisez les paumes de main et non les doigts.

Massez le front de part en part avec l'une des paumes. Massez doucement les tempes, par de petits mouvements circulaires, puis frottez doucement l'extérieur des oreilles. Massez le cou devant et derrière.

Avec la deuxième cuiller à soupe d'huile, massez les deux pieds en vous servant des paumes de main. Utilisez les doigts pour masser autour des orteils. Faites un massage vigoureux des plantes de pied avec les paumes, en procédant par petits mouvements vifs, d'avant en arrière. Puis restez assis tranquillement quelques secondes, détendu et imbibé d'huile, avant de prendre un bain comme à l'ordinaire.

Déjeuner : entre midi et 13 heures

Pour profiter chaque jour de la période Pitta à son apogée, le mieux est de prendre son déjeuner de bonne heure, à midi ou juste avant. Pitta attise l'*agni*, le feu digestif, au maximum à cette heure-là ; c'est la raison pour laquelle l'Ayurvéda recommande que le déjeuner soit le repas le plus copieux de la journée. Comme la plupart des gens ne sont pas astreints à de durs travaux physiques, il n'est pas nécessaire que le déjeuner soit énormément substantiel. Mangez simplement ce que vous mangeriez normalement le soir au dîner.

Pour éviter de vous sentir somnolent l'après-midi, ne buvez pas d'alcool à midi ; l'eau chaude est la boisson qui facilite le mieux la digestion. En tout cas, ne buvez ni thé ni eau glacés, ni boissons sucrées très froides. Toutes ces boissons éteignent l'agni et rendent la digestion plus difficile.

Deux autres étapes permettront au corps de se rappeler ses cycles quotidiens. La première est de rester assis tranquillement pendant cinq minutes à table, après avoir fini de manger, et de préférence en silence. La deuxième est de faire une courte promenade à l'extérieur ou de s'allonger cinq minutes après le repas. Ces deux bonnes habitudes stabilisent l'organisme et favorisent le début du processus de digestion.

Dîner : entre 18 et 19 heures

Dès que vous rentrez chez vous après le travail, c'est le moment de faire votre méditation du soir. Vous pourrez vous y préparer grâce à une série de postures de yoga et à cinq minutes de respiration équilibrée, tout comme dans la matinée. Le fait de rester allongé quelques minutes au préalable permet aussi d'arrondir les angles d'une longue journée de travail et rend la méditation beaucoup plus profonde.

Comme pour le déjeuner, le dîner se prendra de bonne heure, à un moment propice du cycle quotidien. À cet égard, 18 heures marque le début d'une période Kapha, au cours de laquelle le corps cherche à s'apaiser. Ce ne serait pas une bonne idée de mettre trop de « carburant » dans votre organisme à cette heure-là, car Pitta n'interviendra pas dans la digestion de votre dîner avant 10 heures du soir, alors que vous serez couché. Votre pouvoir de digestion le plus fort a lieu dans l'après-midi, ce qui donne amplement le temps à la digestion de s'achever. L'Ayurvéda insiste fortement sur le fait que la digestion doit être totale, car c'est la nourriture à moitié digérée qui va créer de l'ama.

Le dîner devrait être un repas moins copieux que le déjeuner. Pour un grand nombre de gens, un bol de céréales chaudes accompagnées de toasts, une infusion et des fruits frais seront bien appropriés. Vous n'avez probablement jamais mangé de la sorte au dîner, mais essayez de le faire, simplement pour voir. Vous aurez l'agréable surprise d'observer combien le corps se sent apaisé et à l'aise lorsqu'il n'a pas à digérer d'énormes rations le soir. Les aliments fermentés tels que fromage, crème aigre et yaourt ne sont pas recommandés le soir, selon l'Ayurvéda ; mieux vaut également éviter toute viande rouge car elle est difficile à digérer.

De l'eau chaude ou une tisane sera la boisson idéale du soir. L'Ayurvéda n'hésite pas à affirmer que l'alcool, qui est un produit toxique, ne devrait avoir aucune place dans un mode de vie sain, mais je sais que bien des gens aiment boire de l'alcool après le travail. La règle de base en ce cas est de ne jamais boire d'alcool sans grignoter quelque chose en même temps, et de ne jamais en consommer glacé. Le mieux bien sûr serait d'éliminer purement et simplement l'apéritif et de se mettre à dîner plus tôt. La consommation d'alcool accompagnant votre repas devrait être très réduite : un verre de vin coupé d'eau, par exemple, ou une bière.

Une courte promenade après le dîner permet de favoriser la digestion et prépare l'organisme à une soirée de calme, qui devrait se passer à des lectures, de la musique, ou à converser avec des amis et parents. Évitez d'aller voir des films bourrés d'action et de regarder la télé tard le soir, afin de ne pas être trop stimulé avant d'aller vous coucher.

Coucher : entre 21 h 30 et 22 h 30

Pour pouvoir se lever à l'aube, il faut se mettre au lit de bonne heure. Les individus de constitution Kapha, en accord avec le cycle Kapha qui termine la soirée, seront déjà naturellement enclins à aller se coucher vers 22 heures, qui correspond en fait à l'idéal ayurvédique pour tout le monde. Cela permet aux rythmes du corps de se ralentir d'une façon naturelle, de procurer un sommeil plus profond et plus reposant, et de donner au corps le temps de générer de nouveaux tissus, fonction qui se produit essentiellement au cours de la nuit. (J'ai déjà mentionné que le fait d'avoir une nuit de sommeil complète a été corrélé à la longévité.)

Si vous veillez bien au-delà de 22 heures, la période Pitta qui suit va vous inciter de nouveau à être actif –

voilà pourquoi certaines personnes se sentent somnolentes en début de soirée, et ont un regain d'énergie vers minuit, moment où la période est à son apogée. Se coucher tôt constitue fondamentalement une option de type « tout ou rien », en ce qui concerne les biorythmes du corps. Par conséquent, je vous encourage à essayer de vous coucher à l'heure « ayurvédique ». Une semaine d'autodiscipline peut suffire à vous conduire à une révélation : celle de la grande forme que vous pourrez ressentir le lendemain. Pour que vous puissiez faire l'expérience d'une journée au rythme parfait, il vous faut une nuit de sommeil parfait.

12

Le régime – comment s'alimenter pour atteindre un équilibre parfait

Dans l'Ayurvéda, le régime équilibré ne tient pas compte de la question des lipides, protides et glucides, et n'accorde que peu d'attention aux calories, vitamines et autres sels minéraux. En effet, la connaissance de ces substances nutritives ne concerne que l'intellect, au détriment de l'expérience directe. Il n'est pas possible de détecter la vitamine C contenue dans un jus d'orange quand on le goûte, et encore moins de dissocier la vitamine C de la vitamine A, par exemple. En Occident, la diététique se base en grande partie sur les analyses faites en laboratoire, tandis que les principes de nutrition ayurvédiques proviennent directement de la Nature. Lorsqu'une bouchée de nourriture entre en contact avec les papilles gustatives, une quantité énorme d'informations utiles va être communiquée aux doshas. Se fondant uniquement sur ces indications, l'Ayurvéda va nous permettre, guidés par l'instinct, d'adopter naturellement un régime équilibré, sans que la diététique devienne un casse-tête intellectuel.

Lorsque les aliments « parlent » aux doshas, ils transmettent un grand nombre d'informations, car les différents gounas – lourd et léger, sec et huileux, chaud et froid – leur sont intrinsèques. Mais la principale de ces informations sera contenue dans leur goût ou leur saveur. L'Ayurvéda dénombre six sortes de goûts, ou rasas ; quatre d'entre eux nous sont déjà familiers : doux (ou sucré), acide, salé et amer, et deux autres viennent s'y ajouter : piquant et astringent. Tout aliment épicé est piquant. La saveur astringente est celle qui cause une sensation de resserrement des muqueuses dans la bouche. Le tanin du thé est astringent, de même que le goût sec et farineux des haricots.

Selon l'Ayurvéda, un régime équilibré doit comporter les six rasas à chaque repas. Un menu composé des aliments suivants serait considéré comme équilibré :

Salade de laitue (amer, astringent)
Poulet au barbecue
et riz à la vapeur (salé, acide, piquant et doux)
Glace à la vanille (sucré)

Même si l'on élimine la glace au dessert, ce repas resterait équilibré, étant composé des six goûts. Si l'on remplaçait le poulet au barbecue par une « poule au pot », les rasas piquant et acide manqueraient ; il faudrait alors les incorporer en ajoutant quelques rondelles de tomates (doux et acide) et des radis (piquant) à la salade. Il n'est pas nécessaire de « surcharger » un repas avec ces six saveurs ; par exemple, il suffira d'une pincée d'aromates et d'épices pour obtenir les goûts piquant et amer dans un repas. Il n'est pas très bon non plus de laisser dominer les mêmes saveurs jour après jour. La règle de base est tout simplement de fournir au corps l'ensemble des six rasas à chaque repas, de façon qu'il puisse pleinement profiter de la nourriture qu'il absorbe.

Comment satisfaire les doshas

On peut également se servir des saveurs pour rééquilibrer un dosha perturbé, car chacun d'eux est attiré par les goûts qui pourront le ramener à l'équilibre.

Vata est équilibré grâce aux goûts *salé,* acide et sucré.

Pitta est équilibré grâce aux goûts *amer,* sucré et astringent.

Kapha est équilibré grâce aux goûts *piquant,* amer et astringent.

(La saveur indiquée en italiques est celle qui aura l'effet le plus puissant pour diminuer le dosha auquel elle correspond.)

Ces indications de base ouvrent la porte à une abondante connaissance sur ce que le corps devrait absorber, selon sa constitution propre. Dans les paragraphes qui suivent, nous allons explorer plus avant cet immense domaine. Notre exposé couvrira les sujets ci-dessous :

Régimes selon la constitution physique :

Vata	p. 334
Pitta	p. 342
Kapha	p. 350
Les six goûts (ou saveurs)	p. 358
Agni – le feu digestif	p. 371
Régime pour la béatitude	p. 387

Régimes selon les constitutions

Votre type de constitution devrait être le premier indice à prendre en considération pour déterminer ce qu'il vous convient de manger. Si vous êtes Vata, ce dosha aura besoin, pour être équilibré, d'autres saveurs que celles d'un Pitta ou d'un Kapha. Supposons que deux personnes, lors d'un déjeuner au restaurant, commandent chacune une salade composée, du thé glacé et un sorbet au citron. Si l'un des convives est Pitta, ce déjeuner sera excellent pour lui car la saveur « douce » et la « fraîcheur » des aliments vont permettre au dosha Pitta de se rééquilibrer. Par contre, si l'autre personne est Vata, un tel repas ne lui sera pas du tout bénéfique : les crudités – le goût « amer » en particulier –, les boissons fraîches et le manque d'aliments substantiels vont tous déséquilibrer le dosha Vata. Après le déjeuner, ces deux individus ressentiront, lorsqu'ils s'en iront, des sensations différentes, même s'ils ont mangé le même repas. Le Pitta se sentira plein d'entrain et bien rafraîchi, tandis que le Vata éprouvera une insatisfaction et un manque d'énergie.

C'est la raison pour laquelle il est important de faire correspondre votre régime avec votre prakruti, votre constitution naturelle. Voici un tableau de la façon dont les qualités nutritives des aliments affectent les doshas :

ÉQUILIBRANT VATA		AGGRAVANT VATA	
Doux	Lourd	Piquant	Léger
Acide	Huileux	Amer	Sec
Salé	Chaud	Astringent	Froid

ÉQUILIBRANT PITTA		AGGRAVANT PITTA	
Doux	Froid	Piquant	Chaud
Amer	Lourd	Acide	Léger
Astringent	Sec	Salé	Huileux

ÉQUILIBRANT KAPHA		AGGRAVANT KAPHA	
Piquant	Léger	Doux	Lourd
Amer	Sec	Acide	Huileux
Astringent	Chaud	Salé	Froid

Comme vous pouvez le voir, chaque section comporte trois goûts et trois gounas, ou qualités. Nous avons déjà évoqué les six goûts (ou saveurs) : doux, acide, salé, amer, piquant et astringent. Les six gounas, qui vont par paires, sont les suivantes :

- Lourd ou léger : le blé est lourd, l'orge est léger, le bœuf est lourd, le poulet est léger, le fromage est lourd, le lait écrémé est léger.

- Huileux ou sec : le lait est huileux, le miel est sec, les graines de soja sont huileuses, les lentilles sont sèches, la noix de coco est huileuse, le chou est sec.

- Chaud ou froid (échauffant ou rafraîchissant pour le corps) : le poivre est chaud, la menthe est froide, le miel est chaud, le sucre est froid, les œufs sont chauds, le lait est froid.

Ces qualités « parlent » directement à la langue et à l'estomac. Le principe agissant est celui des « semblables qui se renforcent ». Si vous désirez équilibrer Pitta, évitez les aliments ayant les mêmes qualités que ce dosha. Le piment rouge mexicain, très épicé, étant piquant, chaud et huileux, causera tout naturellement une aggravation de Pitta.

Il n'est pas nécessaire d'apprendre par cœur ces qualités. Bien que des textes ayurvédiques proposent de longues listes d'aliments, ainsi que les saveurs et gounas qui leur correspondent, cette connaissance est en fait déjà structurée dans votre corps. Si vous êtes équilibré, vous allez désirer naturellement manger des aliments chauds lorsque vous aurez froid et des aliments légers lorsque vous vous sentirez lourd. Il en va de même pour les saveurs. Si vous êtes de constitution Kapha et avez envie de salade verte, c'est la preuve que vous êtes équilibré, car les légumes verts sont en général amers et astringents (deux saveurs qui sont bénéfiques pour les Kaphas).

Résumée très brièvement, voilà donc la signification d'une vie en accord avec la nature : ce que vous aimez manger va correspondre à ce dont votre corps a besoin pour son équilibre. Par contre, si vous aviez cette même constitution Kapha, et ne désiriez manger que des « chips » (salé), des glaces (doux ou sucré) et du fromage (acide), c'est que votre instinct ne serait plus en équilibre, et donc votre dosha Kapha non plus. Un remède simple à cette situation consistera à vous remettre à manger des six saveurs, sans trop prêter attention à vos « envies ». Cela vous ramènera peu à peu à l'équilibre et, parallèlement, vous permettra de retrouver naturellement l'instinct. Vous n'allez pas nécessairement abandonner vos envies de glace et de « chips », mais une salade verte saura vous combler tout autant, car elle viendra satisfaire votre dosha dominant.

Comment choisir un régime approprié à sa constitution

Maintenant que nous connaissons les principes généraux sous-jacents à un régime ayurvédique équilibré, nous pouvons aborder les caractéristiques spécifiques à chaque constitution. Il est en fait relativement facile de choisir son régime :

1. *Adoptez un régime qui équilibre votre dosha dominant*. Si vous êtes un pur Vata, par exemple, vous

allez suivre, de façon générale, un régime pacifiant Vata. Il en sera de même si vous êtes Vata-Pitta, bien qu'il vous soit alors possible d'opter pour un régime Pitta si vous en ressentez le besoin (par temps chaud, par exemple, ou si des signes d'aggravation Pitta apparaissent). Si vous hésitez pour savoir lequel des deux doshas vous devriez pacifier, pensez aux aliments que vous aimez privilégier naturellement et qui vous procurent santé et équilibre. D'une manière générale, ils vous indiqueront quelle est la direction à prendre pour choisir un régime convenable. Si vous êtes l'une de ces rares personnes à avoir une constitution à trois doshas, vous pouvez normalement vous nourrir en suivant n'importe quel régime ayurvédique, et rester équilibré ; mais une fois encore, laissez votre instinct, la saison et votre état de santé être vos guides.

2. Si un médecin formé à l'Ayurvéda Maharishi vous a conseillé d'équilibrer un dosha particulier, suivez alors le régime qui lui correspond.

3. Orientez votre régime dans la direction indiquée par la saison en cours. Les transitions saisonnières requièrent certaines modifications dans votre régime de base (mieux vaut ne pas boire de thé glacé l'hiver, par exemple, même si vous avez une constitution fortement Pitta). Ces changements saisonniers seront traités dans le chapitre 14, intitulé « Routines saisonnières ».

Régime pacifiant Vata

Favorisez de préférence :

- les aliments chauds, de consistance assez épaisse
- les goûts salé, acide et doux

- les aliments procurant apaisement et satisfaction
- ajoutez du beurre et des matières grasses

Comme Vata est un dosha froid et sec, les aliments chauds et nourrissants que nous associons à l'hiver, tels que soupes et ragoûts consistants, plats longuement mijotés, pain frais et tartes aux fruits, formeront un régime qui conviendra tout à fait pour apaiser ce dosha. Inversement, les aliments que nous choisissons le plus souvent en été, comme les salades fraîches, les boissons glacées, les crudités et les légumes verts, ne seraient pas appropriés. Les personnes de constitution Vata ont tendance à avoir une digestion irrégulière, aussi des aliments longuement mijotés et donc devenus facilement assimilables, leur seront bénéfiques. Le dosha Vata est également très sensible à l'atmosphère qui règne lors d'un repas. Même la plus succulente nourriture ne sera pas bénéfique si l'estomac est noué à cause d'une ambiance tendue. Tout ce qui peut contribuer à rendre les repas plus calmes et reposants permettra de pacifier le dosha Vata.

Le régime pour pacifier Vata proposé ci-dessous constituera un choix excellent pour toutes les personnes chez qui prédomine ce dosha, sauf dans le cas où, lors d'un diagnostic, un médecin pratiquant l'Ayurvéda Maharishi aura prescrit autre chose. Au bout de quelques jours de ce régime, vous devriez pouvoir nettement constater que votre niveau d'énergie est stable, et que vous vous sentez plus équilibré, plus calme et serein. Si vous souffrez de symptômes légers de déséquilibre Vata, tels qu'insomnie, nervosité ou inquiétude, ce régime constituera également une option naturelle et logique. Suivez-le pendant une période d'essai de deux semaines et observez si vos symptômes s'atténuent.

Les points suivants nous sont apparus utiles pour toute personne voulant commencer un régime pacifiant Vata :

- Tous les aliments apaisants sont généralement bons pour rééquilibrer un Vata perturbé : le lait, par exemple (chaud de préférence), la crème, le beurre, les soupes chaudes et les plats mijotés, les céréales chaudes et le pain fraîchement cuit. Ils contiennent tous la saveur douce ou sucrée, qui est la saveur la plus apaisante pour le corps ; la plupart sont également chauds et lourds.

- Un petit déjeuner nourrissant – plus il sera substantiel, mieux cela vaudra – va améliorer Vata tout au long de la journée. La crème de riz ou le porridge sont les meilleures céréales chaudes pour Vata, mais tout ce qui est chaud, lacté et doux (ou sucré), lui sera bénéfique.

- Beaucoup de personnes Vata font l'expérience d'une forte baisse d'énergie en fin d'après-midi. Il sera bon alors de prendre un thé chaud accompagné de biscuits ou d'autres douceurs ; pensez au traditionnel thé anglais de 16 heures ! Les infusions sont plus apaisantes que le thé, dont le taux élevé de caféine peut perturber Vata. Vous pouvez essayer des infusions de *gotou kola*. On pourra trouver cette plante indienne, réputée excellente pour calmer les nerfs, dans la plupart des magasins diététiques. Si vous pouvez vous accorder cinq minutes de pause pour boire une infusion dans un endroit tranquille avant de rentrer chez vous le soir, la fin de la journée vous apparaîtra beaucoup moins fatigante.

- Le « piquant » ne fait pas partie des saveurs favorites de Vata, mais la nourriture épicée s'avère généralement satisfaisante pour les personnes de constitution Vata, la plupart des plats mexicains ou indiens étant très chauds et riches en huile. Le gingembre est la meilleure des épices piquantes pour les Vatas, et on l'emploie souvent pour améliorer leur digestion (voir page 381 et suivantes). Par ailleurs, l'usage d'épices douces comme la cannelle, le fenouil et la cardamome, permettra de retrouver l'appétit si celui-ci s'est émoussé, ce à quoi les Vatas sont souvent sujets.

- Les aliments chauds, cuits à l'eau, sont très apaisants pour Vata. Les céréales et autres graines cuites constitueront le meilleur choix à cet égard. Lorsque vous vous sentez nerveux, anxieux ou sous pression, mangez un bol de flocons d'avoine chauds ou une tasse de potage (crème de légumes), et vous vous sentirez bien mieux, plutôt que de grignoter une confiserie et de boire un verre.

- Même si la saveur sucrée est bonne pour Vata, le sucre pur provoque un surcroît d'énergie brusque, pouvant être cause d'une trop grande excitation chez les Vatas. Le lait chaud est en lui-même une boisson sucrée, très bonne pour Vata, en particulier avec un peu de sucre ou de miel. Si l'on mange des sucreries, celles-ci devraient être accompagnées d'aliments nourrissants, comme le lait par exemple.

- Les biscuits secs et salés ne sont pas aussi bons pour Vata que les noix et noisettes salées, plus lourdes et riches en huile, deux qualités apaisant Vata. Les amandes constitueront le choix le meilleur à cet égard. L'Ayurvéda recommande toujours de décortiquer les amandes (d'enlever leur peau) avant de les manger ; il est donc conseillé de faire tremper une dizaine d'amandes toute une nuit, puis de les manger le lendemain matin après les avoir pelées, ce qui est bon pour équilibrer Vata. Comme les noix et les graines sont difficiles à digérer, les Vatas doivent n'en manger que de petites quantités, de préférence sous forme de pâte. Le « Tahini » (pâte de sésame) est une excellente source d'huile de sésame et constitue l'un des meilleurs aliments pour échauffer et équilibrer Vata.

- Tous les fruits riches en sucre sont bons pour Vata ; les raisins et les mangues sont les meilleures options. Les fruits astringents comme les pommes et les poires devraient être mangés cuits. On devrait éviter les fruits encore verts, ceux-ci étant très astringents, en particulier les bananes vertes. Tout aliment froid, léger et pauvre en calories augmentera Vata et vous laissera sur votre faim. Si vous avez un penchant pour les salades composées, mangez-les à température ambiante et assaisonnez-les avec de l'huile, car elles seront ainsi plus « équilibrantes ». Il en sera de même pour tous les légumes crus ; mangez-en avec modération et non glacés. En général, vous devriez faire cuire tous vos légumes avec un peu d'huile plutôt qu'à la vapeur ; cela rendra plus bénéfiques bon nombre de légumes normalement « déconseillés » aux Vatas.

- Lorsque vous sortez dîner au restaurant, demandez plutôt à boire de l'eau chaude que de l'eau glacée et choisissez de préférence un potage bien chaud plutôt qu'une salade ; n'hésitez pas à consommer pain et beurre, et à prendre un dessert (chaud de préférence, comme par exemple une part de tarte aux pommes passée au four, plutôt qu'une glace, car le froid nuit à une bonne digestion chez le Vata).

- Bien que cela ne fasse pas habituellement partie des mœurs, une assiette de céréales chaudes en guise de dîner s'avérera extrêmement bénéfique à toute personne souffrant d'une aggravation aiguë de Vata. Il sera également très bon de manger du riz mélangé à des lentilles cuites au beurre, ainsi qu'une soupe substantielle du type « minestrone ». Les pâtes, sous toutes leurs formes, sont des aliments très apaisants. Il est conseillé de prendre du lait chaud avant de se coucher, mais non de manger tard le soir : si cela peut vous aider en effet à vous endormir, votre corps ne se sentira pas bien le lendemain matin.

- Le lassi, boisson traditionnelle indienne, est efficace pour débarrasser le corps d'un excès de Vata. Pour le préparer, mélangez une demi-tasse de yaourt nature dans une demi-tasse d'eau ; ajoutez une pincée de sel, de gingembre ou de cumin en poudre. Le lassi sucré à la mangue, composé de proportions égales de yaourt et de pulpe de mangue (fraîche ou en boîte), est une boisson particulièrement délicieuse, également bonne pour équilibrer Vata. Pour obtenir une boisson plus légère, ces deux sortes de lassis pourront être allongées d'une demi-tasse ou d'une tasse d'eau.

- Une manière efficace et instantanée d'apaiser Vata consiste à saupoudrer sur votre repas, directement dans votre assiette, un mélange d'épices spéciales, appelé Vata churna.

Aliments pacifiant Vata

LÉGUMES

Privilégiez :		*Réduisez :*	
asperges	oignons	brocolis	champignons
betteraves	ail (non cru)	choux de Bruxelles	pois
carottes	radis		poivrons
concombre	patates douces	choux	pommes de terre
haricots verts	navets	choux-fleurs	graines germées
gombo		céleri	
		légumes verts à feuilles	courgettes
		(Les légumes ci-dessus sont autorisés s'ils sont cuits à l'huile.)	
		les crudités en général	

FRUITS

Privilégiez :		*Réduisez :*	
abricots	mangues	pommes	poires
avocats	melons	airelles	grenades
bananes	nectarines		
baies	oranges	(Ceux-ci sont plus acceptables s'ils sont cuits.)	
cerises	papayes		
noix de coco	pêches		
dattes	ananas	les fruits séchés en général	
figues	prunes	les fruits verts (en particulier les bananes)	
raisins			
les fruits cuits			
les fruits sucrés et bien mûrs en général			

CÉRÉALES

Privilégiez :		*Réduisez :*	
avoine (sous forme de flocons d'avoine, et non sous sa forme « sèche »)	riz	orge	avoine sèche
	blé	sarrasin	millet
		maïs	seigle

PRODUITS LAITIERS

tous les produits laitiers sont autorisés

VIANDE ET PRODUITS DE LA MER

Privilégiez :	*Réduisez :*	
poulet	dinde	viande rouge
fruits de mer en général		

LÉGUMES SECS

Privilégiez :	*Réduisez :*
pois chiches	tous les légumes secs, à l'exception des catégories mentionnées ci-contre
tofu	
soja jaune	
lentilles roses	

HUILES	*PRODUITS SUCRANTS*
toutes les sortes d'huiles sont autorisées ; l'huile de sésame est particulièrement recommandée	tout produit sucrant est autorisé

NOIX ET GRAINES

toutes sont autorisées en faibles quantités ;
les amandes seront le choix le meilleur

ÉPICES ET AROMATES

Privilégiez :	*Réduisez :*
presque tous sont bons, pris avec modération ; on privilégiera surtout les aromates et épices doux et/ou échauffants, tels que :	aucune épice ne devrait être utilisée en grande quantité ; réduisez toutes les herbes et épices amères et astringentes, telles que :

quatre-épices	cumin	coriandre	
anis	fenouil	fénugrec	safran
asafœtida	gingembre	persil	curcuma
basilic	genièvre		
laurier	réglisse		
poivre noir			
	marjolaine		
carvi	noix de muscade		
cardamome			
origan			
	sauge		
cannelle	estragon		
clou de girofle	thym		

Régime pacifiant Pitta

Privilégiez de préférence :
- les aliments frais ou chauds mais non bouillants
- les plats modérément substantiels

• les goûts amer, doux, et astringent
• ajoutez moins de beurre et autres corps gras

Les personnes de constitution Pitta sont naturellement dotées à la naissance d'un fort et efficace pouvoir de digestion, qui se maintiendra tant qu'on ne viendra pas le perturber. Ces individus sont ceux qui se rapprochent le plus de l'idéal, consistant à pouvoir manger pratiquement de tout. Mais il leur faut prendre garde de ne pas faire d'excès alimentaires. L'usage constant de sel en trop grande quantité, un trop fort penchant pour les aliments acides et épicés, ainsi qu'une tendance à trop manger sont autant d'influences qui viendront le plus souvent aggraver Pitta.

Étant le seul dosha « chaud », Pitta apprécie les nourritures fraîches, surtout l'été. Il est bon de faire preuve d'une vigilance particulière pour ne pas oublier d'inclure dans vos repas les goûts amer et astringent (que l'on trouve principalement dans les salades et les légumes). Ces deux rasas tempèrent l'appétit, assèchent l'excès d'humidité des muqueuses et aiguisent la sensibilité du palais. Ils équilibrent aussi l'effet engourdissant dû aux excès de sel et de sucre sur les papilles, et incitent par là même les Pittas à rester modérés dans leur appétit, comme d'ailleurs leur nature les y incline déjà. Tout ce qui peut contribuer à faire d'un repas une expérience plus apaisante et ordonnée va permettre également de pacifier ce dosha.

Le régime pacifiant Pitta qui suit constituera un choix naturel pour les personnes de constitution Pitta, sauf avis contraire donné par un médecin formé à l'Ayurvéda Maharishi. Grâce à ce régime, nos patients Pitta déclarent ressentir un meilleur équilibre, avoir autant d'énergie avec plus de douceur. En outre, leur appétit vorace se calme. Si vous souffrez de légers symptômes de déséquilibre Pitta, tels que brûlures gastriques, irritabilité ou soif excessive, ce régime vous conviendra bien également. Suivez-le pendant un mois et voyez si les symptômes s'atténuent.

Voici quelques points généraux pour vous aider à mettre en place ce régime :

- Pour les Pittas, le mieux en été est de consommer une nourriture rafraîchissante, et de diminuer l'emploi de sel, d'huile et d'épices, qui sont tous échauffants pour le corps. Les salades comportent deux saveurs, l'amer et l'astringent, qui équilibrent Pitta et sont également froides et légères. Le lait et la glace seront bénéfiques eux aussi.

- Un excès de Pitta donne trop d'acidité au corps ; pour l'équilibrer, il est bon en général d'éviter les cornichons, le yaourt, la crème aigre et le fromage. Une exception cependant : le jus de citron pressé qui pourra être employé, avec modération, pour assaisonner vos salades à la place du vinaigre. Les aliments fermentés et les boissons alcoolisées aggravent Pitta en raison de leur acidité, comme d'ailleurs les substances acides contenues dans le café. Le fait de boire des infusions, de menthe, de réglisse, ou le mélange spécial pacifiant Pitta fera souvent une grande différence pour adoucir votre caractère.

- Un petit déjeuner composé de céréales froides, de biscuits à la cannelle et de jus de pomme fera un bon substitut aux beignets, café et jus d'orange (prisés des Américains le matin), car ceux-ci perturbent tous Pitta.

- La graisse contenue dans la viande rouge, qui échauffe aussi le corps, n'est pas nécessaire aux Pittas. Bien que ceux-ci apprécient la viande, en particulier dans le cas de personnes très dynamiques ne tenant pas en place, les Pittas, plus que toute autre constitution, seront les premiers à réellement profiter d'un régime végétarien. Si vous n'êtes pas végétarien, arrangez-vous pour que votre régime comporte au moins d'abondantes proportions de lait, de céréales et de légumes. Tous ces aliments procurent un excellent bien-être aux Pittas. Une fois qu'ils se sont accoutumés aux restaurants diététiques, les Pittas les préfèrent aux restaurants servant de la viande, car ils se sentent plus calmes et satisfaits pendant la digestion.

- Les aliments frits étant huileux, chauds, salés et lourds, mieux vaut les éviter si l'on est Pitta, car ces qualités ne leur conviennent pas. Par contre, les féculents – légumes, céréales et haricots secs – sont bien appropriés et permettent de mettre un frein à l'appétit toujours aiguisé des Pittas. L'énergie stable provenant d'un régime à base d'hydrates de carbone compensera leur propension fâcheuse à trop manger sous l'emprise du stress.

- Les aliments traités et du type « fast food » comportent les saveurs salée et acide en abondance ; il serait bon pour les Pittas de les éviter autant que possible. Comme ces personnes ont un goût prononcé pour le luxe, les restaurants élégants, aux lumières tamisées, feront émerger le meilleur d'eux-mêmes. La cuisine japonaise et chinoise, relativement pauvre en graisses et en viande, constituera un choix excellent pour les Pittas. Lorsque vous sortez au restaurant, buvez de l'eau fraîche de préférence, mais non glacée, choisissez plutôt la salade qu'un potage, ne mettez que peu de beurre sur votre pain, et prenez un dessert si cela vous tente. La nourriture épicée est trop excitante pour les Pittas ; si vous aimez la cuisine mexicaine, réduisez les portions de fromage et de crème aigre, et prenez une salade de guacamole, pour compenser la forte aggravation de Pitta causée par le piment.

- Les Pittas réagissent bien aux régimes faibles en sel, mais s'ils sont contraints de manger des plats insipides, ils vont vite renâcler. Ne pas mettre de sel sur la table, pour n'en utiliser que lors de la cuisson, constitue un bon compromis. Les cacahuètes et crackers salés servis comme apéritif ont des conséquences plus fâcheuses chez les Pittas que chez les personnes ayant une autre constitution. Les aliments secs et salés accompagnés d'alcool forment un mélange qui attise leur appétit et provoque des brûlures gastriques.

- Pour calmer une aggravation de Pitta, la recommandation courante est de prendre deux cuillers à café de ghî (beurre clarifié) dans un verre de lait chaud. Ceci a également un effet laxatif, permettant à l'organisme d'évacuer un excès de Pitta. Remplacez votre dîner par du ghî et du lait, ou prenez cette boisson deux heures après avoir absorbé un dîner très léger. Vous pouvez aussi en consommer en guise de petit déjeuner. (Toutefois, si votre taux de cholestérol est élevé, ne prenez pas de ghî.)

- Un moyen efficace et instantané d'apaiser Pitta consiste à saupoudrer votre repas, directement dans votre assiette, avec un mélange d'épices spéciales, appelé Pitta churna.

Aliments pacifiant Pitta

LÉGUMES

Privilégiez :		*Réduisez* :	
asperges	laitue		oignons
brocolis	champignons		radis
choux de Bruxelles	gombo		
	petits pois	ail	tomates
chou	pommes de terre		piments forts
chou-fleur			
céleri	graines germées		
concombre	poivrons doux		
		patates douces	
légumes verts à feuilles		courgettes	

FRUITS

Privilégiez :		*Réduisez* :	
pommes	melons	abricots	pamplemousses
avocats	oranges		
cerises	poires	baies	
noix de coco		airelles	plaquemines (ou kakis)
figues	prunes		
raisins	pruneaux		
mangues	raisins secs	Évitez aussi les fruits acides ou pas assez mûrs ; les raisins verts, les oranges, les ananas et et les prunes devraient être sucrés.	

(tous devraient être bien mûrs et sucrés)

CÉRÉALES

Privilégiez :		*Réduisez :*	
orge	blé	riz complet	millet
avoine	riz blanc	maïs	seigle

PRODUITS LAITIERS

Privilégiez :		*Réduisez :*	
beurre	glace	lait fermenté	crème aigre
blancs d'œufs	lait	fromage	yaourt
ghî (beurre clarifié)		jaunes d'œufs	

VIANDE ET PRODUITS DE LA MER

Privilégiez :		*Réduisez :*
poulet	dinde	viande rouge et crevettes
		fruits de mer en général

(en petites quantités)

LÉGUMES SECS

Privilégiez :	*Réduisez :*	
pois chiches	tofu et autres produits à base de soja	lentilles
lentilles de soja jaune		

HUILES

Privilégiez :		*Réduisez :*	
noix de coco	soja	amandes	carthame
olive	tournesol	maïs	sésame

PRODUITS SUCRANTS

Tous les produits sucrants sont autorisés, à part miel et mélasse.

NOIX ET GRAINES

Privilégiez :		*Réduisez :*
noix de coco	graines de tournesol	Toutes les variétés, à l'exception de celles mentionnées ci-contre.
graines de potiron		

ÉPICES ET AROMATES

Note :
Les épices sont généralement à éviter si elles sont trop échauffantes, mais certaines, douces, amères et astringentes sont bonnes si on en prend à petites doses :

Réduisez :
Tous les aromates et épices piquants, excepté ceux mentionnés ci-contre. Ne consommez que de très faibles quantités de :

Privilégiez :		*Réduisez :*	
cardamome	aneth	quatre-épices	assaisonnements
coriandre vert	fenouil	sauce piquante	acides
cannelle	safran	moutarde	condiments épicés
graine de coriandre	curcuma	cornichons	
		sel	vinaigre

On pourra ajouter à cette liste
cumin et poivre noir (à petites doses).

Régime pacifiant Kapha

Privilégiez de préférence :

- les aliments chauds et légers
- la nourriture sèche, cuisinée avec peu d'eau
- seulement de faibles rations de beurre, d'huile et de sucre
- les goûts piquant, amer et astringent
- les aliments stimulants

Kapha est un dosha lent à réagir aux effets de la nourriture, mais au fil du temps, les personnes de constitution Kapha peuvent se déséquilibrer en cas de consommation excessive d'aliments sucrés et riches. D'autres problèmes peuvent également apparaître, mais comme dans notre société occidentale le sucre et les corps gras représentent plus de la moitié des calories consommées par un sujet moyen, les Kaphas devront particulièrement rester vigilants à cet égard. Il leur faut aussi veiller à leur consommation de sel, car on en abuse bien trop de façon courante, ce qui favorise la rétention de liquides chez beaucoup de Kaphas.

Tout ce qui accroît la légèreté devrait être privilégié : repas frugal et léger au petit déjeuner et au dîner, aliments cuits avec des sauces légères (pas de friture lourde), fruits et légumes crus. La consommation de plats épicés facilitera votre digestion et réchauffera votre corps ; les aliments amers et astringents vous permettront de diminuer votre appétit. En général, tout ce que vous pourrez manger de stimulant permettra d'équilibrer le Kapha et préviendra le risque – omniprésent chez la plupart des personnes de constitution Kapha – de trop manger lors des repas.

Le régime pacifiant Kapha donné ci-dessous constituera un choix naturel pour les constitutions Kapha, sauf avis contraire donné par un médecin formé à l'Ayurvéda

Maharishi. Le fait d'adopter ce régime a aidé nombre de nos patients Kapha à se sentir plus équilibrés, énergiques, légers et heureux en eux-mêmes. Si vous souffrez de légers symptômes de déséquilibre Kapha, tels qu'un nez qui coule ou bouché, une tendance à la mollesse le matin au réveil ou à trop dormir la nuit, ce régime vous sera également bénéfique. Essayez-le pendant six semaines et voyez si les symptômes se sont atténués.

Les suggestions suivantes visent à aider les personnes de constitution Kapha à mettre en place un régime pacifiant ce dosha :

- Si vous avez le choix, préférez des plats chauds aux plats froids à chaque repas : une entrée chaude plutôt qu'un sandwich, une tarte aux pommes sortant du four plutôt que de la glace, du poisson grillé plutôt que de la salade au thon. Le Kapha étant un dosha froid, le fait de stimuler la digestion des personnes Kapha en la « réchauffant » sera toujours bénéfique à leur équilibre. Les méthodes de cuisson « sèche » (au four, rôtie, grillée, ou sautée) sont meilleures pour les Kaphas que les méthodes « humides » (à la vapeur, bouillie ou pochée).

- Avant de manger, stimulez votre appétit par des saveurs amères ou piquantes, plutôt que salées ou acides. Le goût amer de la laitue (romaine), des endives ou de l'eau gazeuse éveillera vos papilles gustatives sans pour autant vous inciter à trop manger. Une infusion de gingembre ou même une pincée de racine de gingembre frais vous est également vivement recommandée. D'une manière générale, assurez-vous bien que les goûts amer et astringent soient inclus dans chacun de vos repas. Pour obtenir ces saveurs, il n'est pas nécessaire de consommer des aliments amers ou astringents en grande quantité. Le goût légèrement amer de la salade ou la propriété astringente des aromates permettront un apport suffisant. Parmi les épices courantes, le cumin, le fenugrec, la graine de sésame et le curcuma sont à la fois amers et astringents.

- Le fait d'inclure la saveur piquante dans votre régime – en ayant recours à des épices – est l'une des meilleures façons d'équilibrer Kapha. Tout ce qui est épicé sera bénéfique, y compris ces plats mexicains ou indiens tellement épicés que les yeux vont en pleurer ! Car cela va permettre d'éliminer toutes les mucosités excessives. Contrairement à ce que nous avons tendance à penser, la nourriture fortement épicée est meilleure non pas l'été mais en hiver ; elle contrebalance la propriété froide et humide peu appréciée des Kaphas.

- Si les Kaphas ressentent le besoin de prendre un petit déjeuner, c'est plus pour les aider à démarrer leur journée que par besoin de nourriture substantielle. Plutôt que de vous en remettre à la caféine d'une tasse de café pour vous stimuler, éveillez le corps grâce à des aliments légers réduisant Kapha, comme un verre de cidre fortement relevé, des crêpes de sarrasin avec de la compote de pommes, des petits pains ronds (*muffins* en anglais) de maïs, du chocolat chaud amer mélangé à du lait écrémé et à un peu de miel. En général, tout ce qui est chaud et léger sera bénéfique, tandis que tout ce qui est froid, lourd ou sucré ne conviendra pas aussi bien. Les céréales froides, les jus de fruits pressés ou le lait froid, et les pâtisseries sucrées tendent à causer des congestions, en particulier l'hiver, par temps humide.

Le bacon et les saucisses aggravent Kapha en raison de leur richesse en sel et en graisses. Si vous n'avez pas faim le matin, vous pouvez fort bien faire l'impasse sur le petit déjeuner, que l'Ayurvéda considère facultatif, en particulier pour les Kaphas.

- Le matin, si vous vous êtes congestionné au réveil – signe d'un excès de Kapha –, les meilleurs aliments à prendre seront du miel, de l'eau chaude, du jus de citron et du gingembre. Une infusion de gingembre (voir page 381) sera généralement excellente pour tous les Kaphas, car elle stimule l'organisme tout entier et le débarrasse des excédents de Kapha. S'il vous arrive de sauter un repas – ce qui peut être une bonne idée dans le cas de bien des Kaphas – une cuillerée à soupe de miel dilué dans de l'eau chaude vous permettra de maintenir un bon tonus.

- Réduire les sucreries s'avère difficile pour de nombreux Kaphas, mais l'essai d'un régime pauvre en sucre, fait sur une semaine, aboutit généralement à un regain de légèreté et d'énergie. Le miel est largement recommandé aux personnes de constitution Kapha, mais mieux vaut ne pas dépasser une cuillerée à soupe par jour environ ; d'autre part, il n'est pas bon d'utiliser du miel dans la cuisson car, selon l'Ayurvéda, le fait de chauffer le miel le rend impropre à la consommation.

- Les Kaphas déséquilibrés consomment en excès des produits laitiers, alors que beurre, glaces et fromages s'avèrent les aliments les plus nocifs pour eux, car ils refroidissent et congestionnent encore davantage leur organisme. Le mieux pour eux sera de boire du lait écrémé, préalablement bouilli de préférence pour favoriser la digestion, et de ne consommer qu'un minimum d'autres produits laitiers. Les graines de sésame sur les petits pains ronds ou autres permettent de contrebalancer les qualités sucrée et lourde du blé, celui-ci n'étant pas très bénéfique non plus pour les Kaphas. Enfin, il serait préférable de ne consommer que très rarement « hamburger » et « milk-shake » ensemble, ou même sandwich et lait, car ils constituent des mélanges bien trop riches, lourds et sucrés.

- Les fruits, crudités, et salades seront extrêmement bénéfiques, car outre les bienfaits dus à leur saveur astringente, les fibres qu'ils contiennent tonifient le tube digestif. En général, l'Ayurvéda recommande plutôt de faire cuire tous les aliments, mais dans le cas présent, une exception à cette règle sera d'un grand secours pour la plupart des personnes de constitution Kapha.

- Tout aliment cuit dans de lourdes fritures va aggraver Kapha ; aussi est-ce l'une des rares choses que vous devriez essayer de supprimer de votre alimentation. Il ne s'agit pas de bannir tous les corps gras, mais efforcez-vous d'utiliser moins de beurre et d'huile dans votre cuisine. L'huile de maïs échauffe le corps ; elle pourra constituer un bon choix pour vous en faible quantité, ainsi que l'huile d'amande et de tournesol. Des légumes croquants cuits à la vapeur mélangés à un peu de ghî (beurre clarifié) conviendront bien pour un dîner léger ; tout ce qui est croquant, frais et stimulant équilibrera Kapha.

- Les personnes Kapha devront choisir avec précaution leurs plats dans les restaurants. Les repas servis dans les « fast foods » sont beaucoup trop gras, salés et sucrés ; mieux vaut choisir en ce cas une salade, dont l'assaisonnement sera réduit au minimum. Si vous sortez dîner dans de meilleurs restaurants, optez pour la cuisine orientale qui est la plus légère, en particulier si vous portez votre choix sur les légumes plutôt que sur la viande. Où que vous alliez, commandez un verre d'eau chaude plutôt que glacée, prenez une salade plutôt qu'un potage bouillant (sauf par temps froid), évitez les petits pains et le beurre, et choisissez un dessert frugal, qui ne soit pas trop riche : les tartes aux fruits chaudes constitueront probablement le meilleur choix.

- Un moyen efficace et instantané d'apaiser Kapha consiste à saupoudrer votre repas directement dans votre assiette avec un mélange d'épices spéciales, appelé Kapha churna.

Aliments pacifiant Kapha

LÉGUMES

Privilégiez :		*Réduisez :*	
tous les légumes en général, et entre autres :		les légumes sucrés et juteux, tels que :	
asperges	laitue		tomates
betteraves	champignons	patates douces	courgettes
brocolis	gombos		
choux de Bruxelles	oignons	petits pois	
choux	poivrons		
carottes	pommes de terre		
chou-fleur			
céleri	radis		

aubergine	épinards
ail	graines germées
légumes verts à feuilles	

FRUITS

Privilégiez :		*Réduisez :*	
pommes	poires	avocats	mangues
abricots	grenades	bananes	melons
airelles		noix de coco	oranges
		dattes	papayes
les fruits secs en général (abricots séchés, figues, pruneaux, raisins secs)		figues fraîches	pêches
		pamplemousse	
			ananas
			prunes

les fruits sucrés, amers ou très juteux en général

CÉRÉALES

Privilégiez :		*Réduisez :*	
orge	millet	avoine	blé
sarrasin	seigle	riz	
maïs			

PRODUITS LAITIERS

Privilégiez :	*Réduisez :*
lait écrémé lait entier et œufs (mais ni frits, ni cuits au beurre), en petites quantités	tous les produits laitiers, sauf ceux indiqués ci-contre

VIANDE ET PRODUITS DE LA MER

Privilégiez :		*Réduisez :*
poulet	dinde	viande rouge
crevettes	fruits de mer en général	

LÉGUMES SECS

tous les légumes secs sont autorisés

HUILES

Privilégiez :		*Réduisez :*
amande	carthame	toutes, à l'exception de
maïs	tournesol	celles mentionnées
		ci-contre

PRODUITS SUCRANTS

Privilégiez :	*Réduisez :*
miel pur, non chauffé	tous sont à éviter, sauf
	celui indiqué ci-contre

NOIX ET GRAINES

Privilégiez :		*Réduisez :*
graines de	graines de	toutes sont à éviter, sauf
tournesol	potiron	celles ci-contre

AROMATES ET ÉPICES

Privilégiez :	*Réduisez :*
tous aromates et épices	sel
– le gingembre étant	
le meilleur d'entre eux	
pour améliorer la digestion	

Les six goûts ou saveurs

Chacune des six saveurs « parle » directement au corps quantique, en lui transmettant un message différent. Notre langue le sait déjà instinctivement : la douceur sucrée « voluptueuse » d'une crème anglaise à la vanille s'oppose diamétralement à la saveur amère du zeste de citron ; la première est apaisante, la deuxième provoque un « choc ». Le corps tout entier va réagir à ce contraste, qui commence sur la langue mais se propage ensuite dans tout l'organisme. La saveur entraîne à sa suite toute une série de réactions, allant de la bouche jusqu'à l'ultime destination des aliments : les cellules.

Sans avoir aucune connaissance de l'équilibre diététique en termes de protides, lipides ou glucides, toutes les cultures indigènes du monde avaient pourtant parfaitement conscience de la nécessité d'adopter un régime alimentaire « dynamique ». Il leur fallait des saveurs qui éveillent le corps, telles que l'amer et l'astringent, et d'autres qui aient un effet calmant, comme le goût sucré en particulier. La digestion avait besoin d'être tantôt stimulée par des saveurs « chaudes » – le piquant, l'acide et le salé – et tantôt apaisée grâce à des saveurs « froides » – l'amer, l'astringent et le sucré.

Ils comprenaient tout ceci de façon instinctive. Au Mexique, la valeur nutritive limitée du maïs et des haricots ne pourrait pas en elle-même maintenir une vie saine et équilibrée, mais grâce à l'addition de piments rouges, elle a permis de faire vivre les indigènes pendant de nombreux siècles. Le piment rouge fournit non seulement la vitamine C nécessaire à tout régime, mais surtout les saveurs sucrée et piquante qui font partie intégrante des six rasas. Les épices du curry jouent le même rôle en Inde, où les denrées de base telles que le riz, les lentilles et les galettes de froment resteraient extrêmement limitées sans leur apport.

Les messages de la Nature

Chaque aliment comporte sa propre gamme de saveurs. Les aliments simples, comme le sucre blanc ou le vinaigre, ne contiennent qu'une seule saveur, tandis que la plupart des autres en ont au moins deux : le citron est acide, mais également sucré et amer ; les carottes sont sucrées, amères et astringentes ; le fromage est sucré et acide. Le lait est considéré comme un aliment complet, car il comporte, derrière son évidente douceur sucrée, la subtile présence des six rasas. C'est la raison pour laquelle l'Ayurvéda recommande de boire du lait en dehors des repas. (Néanmoins, le lait accompagné d'autres aliments sucrés, tels que les fruits, les céréales et le sucre, est bénéfique ; en fait, le lait constitue le meilleur aliment pour « amortir » l'effet du sucre blanc raffiné qui, lui, pénètre très vite dans l'organisme s'il est digéré seul.)

Les principales catégories d'aliments tournent toutes autour du rasa sucré, mais les cinq autres saveurs y sont aussi subtilement mêlées ; par exemple :

Fruits : principalement sucrés et astringents, mais présence également de la saveur acide dans le cas des agrumes

Légumes : principalement doux et astringents, mais aussi amers dans le cas des légumes à feuilles vertes

Produits laitiers : principalement sucrés, mais aussi acides et astringents dans le cas du yaourt et du fromage

Viande : principalement sucrée et astringente

Huiles : principalement sucrées

Céréales et oléagineux : principalement sucrés

Légumineuses : principalement sucrées et astringentes

Épices et aromates : principalement piquants, mais toutes les autres saveurs y sont aussi présentes dans de moindres proportions

De même que la plupart des aliments sont sucrés, le dosha Kapha, qui génère les tissus, l'est également ; le corps humain dans son ensemble est donc « sucré », lui aussi. Les aromates et les épices couvrent l'éventail entier des saveurs, mais ce qui est plus important encore, c'est qu'ils suscitent une gamme complète de réponses de la part du corps. Le poivre noir fait saliver, le fenugrec assèche la bouche ; la moutarde échauffe le corps, la menthe le rafraîchit. La seule saveur manquante est le sel, qui sera fournie par le sel lui-même.

Comme nous l'avons vu, si l'on s'en réfère aux goûts ou saveurs, chaque aliment peut être classé selon qu'il augmente ou diminue un ou plusieurs doshas. Les trois doshas étant liés, l'augmentation de l'un d'eux est si cruciale que l'Ayurvéda a décrit chaque aliment en fonction de sa potentialité à augmenter ou à diminuer un dosha particulier. Le chou, par exemple, est connu pour augmenter Vata, les carottes pour accroître Pitta, et toutes les huiles pour augmenter Kapha.

Si l'on tient compte du fait que chaque aliment transmet simultanément une demi-douzaine de messages au corps, la tâche qui consiste à classifier les six rasas va constituer un casse-tête tout aussi insoluble que celle d'essayer de calculer chaque gramme de lipides, protides ou glucides. Ce travail complexe est celui du vaidya, pour qui les aliments sont des remèdes dont les propriétés doivent être prises en considération avec autant de minutie que tout autre remède. Il lui sera nécessaire de savoir que le chou est sucré et astringent, sec et rafraîchissant, et que par conséquent il aggravera fortement Vata (voilà pourquoi le chou a tendance à produire des gaz dans le côlon – qui est le siège de Vata). Le vaidya sera alors capable de prescrire un aliment dont les effets seront inverses (comme le fenouil) pour contrebalancer l'aggravation Vata.

Il sait également que chaque aliment laisse un « arrière-goût » *(vipak)* qui affecte le corps une fois la digestion terminée. L'arrière-goût du chou est piquant, par exemple. Le vipak est important à prendre en compte pour un médecin prescrivant un régime thérapeutique, parce qu'il lui faut tout savoir sur chacun des aspects de la nourriture affectant les doshas de son patient. Chez vous, il ne sera pas nécessaire de connaître tous ces détails. Une fois les aliments digérés, peu importe au fond leur arrière-goût ; aussi laisserons-nous cela au médecin, mais afin de présenter un tableau complet, voici comment l'on classifie les vipaks :

Les saveurs sucrée et salée entraînent un vipak sucré.

Le goût acide entraîne un vipak acide.

Les goûts piquant, amer, et astringent entraînent un vipak piquant.

On peut ainsi voir que les six saveurs se trouvent réduites au nombre de trois, une fois la digestion terminée.

Dans les pages qui suivent, nous allons explorer plus en détail les six rasas et ce qu'ils « disent » à nos doshas. J'espère que vous lirez cette partie au moins une fois, mais ne l'apprenez pas par cœur : ce sont vos papilles gustatives, et non votre esprit, qui devraient avoir le dernier mot pour juger des goûts.

Doux (ou sucré)

Aliments sucrés :

Sucre, miel	Augmente Kapha (sauf le miel)
Riz	Diminue Pitta et Vata
Lait, crème, beurre	
Pain (blé, froment)	

Le sucré est une saveur qui accroît fortement Kapha. La consommation d'aliments sucrés procurera au corps des qualités Kapha : froideur, lourdeur (provenant de l'addition des graisses), stabilité et énergie physique. De même que les personnes Kapha sont celles qui, naturellement, seront les plus faciles à satisfaire, de même le doux ou sucré est la saveur la plus satisfaisante. Avoir un tempérament doux et maternel est très « Kapha » : depuis la petite enfance, deux aliments Kapha, le lait et le sucre, représentent l'aspect maternel. Tout aliment qui sera nourrissant et procurera de la satisfaction a en général une composante douce ou sucrée. Par exemple, toutes les viandes et les huiles, ainsi que la plupart des céréales sont considérées comme sucrées. L'Ayurvéda décrit le riz et le blé, les deux céréales fondamentales à la vie en Orient et en Occident, comme ayant une saveur sucrée. Le ghî (beurre clarifié) est un autre exemple d'aliment sucré, étant un dérivé du lait ; il est considéré comme le meilleur remède pour pallier un déséquilibre Pitta.

Par ailleurs les aliments sucrés sont apaisants et soulagent de la soif. Si vous vous sentez nerveux et agité, signe d'une exacerbation de Vata, le sucré vous calmera ; il éteindra aussi le feu de Pitta (un bébé en colère se calmera si on lui donne du lait ou du sucre). Cependant, consommer trop de sucre n'est pas stabilisant : cela rend l'esprit mou et somnolent. L'inertie (ou la paresse), l'avidité et la dépendance émotionnelle sont dues aux excès de sucre.

Consommer trop de « sucré » finit par être écœurant. Cela entraîne des conséquences négatives, dues au fait de « pousser » Kapha trop loin : autosatisfaction, obésité, inertie mentale, excès de mucosités, congestions et somnolence. Les personnes Kapha sont dotées des qualités de contentement et de bien-être que les Vatas et Pittas devront chercher dans les saveurs sucrées. Toutefois, dans le cas d'un déséquilibre Kapha quel qu'il soit, les aliments sucrés sont considérés comme indésirables et devraient être réduits ou écartés. Seul le miel fait exception à cette règle. Parmi tous les aliments, c'est le meilleur pour équilibrer Kapha.

Salé

Aliments salés :

sel	augmente Kapha et Pitta
	diminue Vata

Le sel augmente à la fois Pitta et Kapha. Il déclenche le processus de digestion, qui est une fonction Pitta. Sa saveur ajoute du goût aux aliments, aiguise l'appétit et active la salivation et les sucs de l'estomac. De même que Pitta, le sel est chaud (tous les processus de digestion échauffent le corps). Un excès de sel, cependant, étouffe les autres saveurs et fait que plus rien n'a bon goût. Le lien avec Kapha se fait par deux autres qualités que l'Ayurvéda associe au sel : le huileux et le lourd. Lorsqu'il se fixe à des molécules d'eau, le sel rend vos tissus plus lourds. Un abus de sel rend plus difficile la maîtrise des envies irrésistibles de nourriture ; or cette maîtrise est nécessaire aux Kaphas désirant maintenir un régime équilibré. Vous incitant à trop manger, le sel peut vous conduire à l'obésité, par suite d'une accumulation de graisse.

En Occident, le lien entre le sel et l'hypertension a suffisamment été mis en évidence pour que de nombreux patients souffrant de tension élevée se soient vu interdire la consommation de sel, même en quantités infimes. De telles mesures impliquaient que le sel était en quelque sorte un ennemi. Nous savons aujourd'hui que ces restrictions étaient trop sévères : une personne normale peut manger autant de sel qu'elle veut sans que cela nuise à sa tension. La raison principale pour ne pas trop en consommer est qu'un régime modéré permet de promouvoir la santé dans tous ses aspects, et ne cherche pas simplement à prévenir l'hypertension. L'Ayurvéda ferait remarquer que ce n'est pas le sel qui élève la tension, mais les doshas. Il faut qu'il existe déjà un déséquilibre au niveau des doshas, avant que le sel puisse avoir des effets négatifs.

Un excès de sel peut aussi entraîner des troubles associés à Pitta, tels que des inflammations cutanées, de l'acné et des bouffées de chaleur. S'il existe un déséquilibre Pitta ou Kapha dans le corps, les aliments salés sont alors considérés comme indésirables.

Sur le plan des émotions, le sel est ce qui donne sa saveur à la vie, mais cet effet est annihilé si on en consomme de trop grandes quantités, de même que manger trop de chips étouffe l'appétit au lieu de le stimuler. Si vous abusez du sel, il vous faudra en consommer de plus en plus pour en sentir le goût ; voilà pourquoi les aliments salés créent des dépendances. Un excès de sel en général sera associé à des envies et des désirs impérieux.

Acide

aliments acides :

citrons	augmente Pitta et Kapha
fromage, yaourt	diminue Vata
tomates, raisins, prunes, et autres fruits acides	
vinaigre	

De même que le salé, l'acide est une saveur Pitta-Kapha qui déclenche le processus de digestion et donne du goût aux aliments. La nourriture acide est rafraîchissante, mais elle accroît la soif, associée à Pitta : la chaleur générée par un surplus de Pitta doit être étanchée par de grandes quantités d'eau. Les aliments acides peuvent ainsi être cause d'une rétention de liquides et alourdir le corps (en augmentant le Kapha). Les qualités de vivacité des Pittas, telles qu'un intellect aigu et beaucoup d'esprit, seront accentuées par les aliments amers, mais ceux-ci pourront être cause également d'humeurs qui « tournent à l'aigre », car trop de Pitta sera associé à la rancune et à l'envie, parfois familièrement désignées sous le nom de « raisins verts ».

L'acidité du fromage et des yaourts provient de leur fermentation. Consommés en petites quantités, les aliments acides libèrent les sucs digestifs. Cependant, l'Ayurvéda déconseille nettement cette acidité, provenant de la fermentation en général : le vinaigre et l'alcool fermenté sont considérés comme toxiques, reflétant la caractéristique Pitta-Kapha de cette saveur. Un déséquilibre Pitta libère des toxines dans le sang ; un déséquilibre Kapha cause une accumulation d'ama, qui stagne dans les tissus.

Un excès d'aliments acides entraîne des troubles d'acidité dans le corps, comme les ulcères, des perturbations du pH sanguin, des irritations cutanées et des brûlures gastriques. En cas de déséquilibre Pitta ou Kapha dans le corps, les aliments acides sont considérés comme indésirables. Les produits fermentés sont déconseillés en toutes circonstances, sauf en petites quantités.

Amer

Aliments amers :

légumes verts amers (endives, chicorée, laitue – romaine)	augmente Vata diminue Pitta et Kapha
concombres amers	

eau gazeuse

zeste de citron

épinards, légumes verts
à feuilles en général

curcuma, fenugrec

L'amer est la plus Vata des saveurs, étant légère, froide et sèche dans ses effets sur le corps. Elle a entre autres pour rôle de « corriger », de rééquilibrer des envies irrésistibles d'aliments sucrés, acides et épicés. L'amer stimule le palais non pas en le satisfaisant, mais en l'éveillant ; c'est là une caractéristique typiquement Vata, puisque c'est Vata qui est responsable de la vigilance. Une gorgée de boisson amère ou un verre d'eau gazeuse s'avèrent efficaces pour activer la digestion chez les gens sujets à une digestion lente ; la qualité amère incite instantanément le palais à vouloir des saveurs plus satisfaisantes.

L'amer tonifie les tissus, propriété qui a inspiré le nom de certaines eaux gazeuses, dites « toniques ». L'amer est, avec le sucré, la saveur la plus à même de vous rafraîchir par temps chaud. Lorsque le corps est victime de toxines, d'inflammations, de bouffées de chaleur ou de démangeaisons dues à une aggravation Pitta, l'amer est considéré comme le meilleur palliatif. (Ainsi, l'écorce amère du quinquina fait retomber la fièvre, par exemple.)

Consommé en excès, l'amer va aggraver Vata, entraînant des troubles propres à Vata : perte d'appétit, perte de poids, maux de tête, instabilité, peau sèche et sensation fallacieuse d'anémie. La prompte vivacité liée à l'amer va, si l'on en abuse, se transformer en sentiments d'amertume, liés au manque de satisfaction : tout ce qui est trop Vata n'est pas satisfaisant, car la nature de Vata est d'être constamment en quête de changement. Le chagrin, qui détruit l'équilibre de Vata et rend la vie complètement dépourvue de satisfaction, est amer.

Piquant

Aliments piquants :

cayenne, piments rouges	augmente Vata et Pitta
oignons et ail	diminue Kapha
radis	
gingembre	
nourriture épicée en général	

L'Ayurvéda considère que la nourriture fortement épicée aura sa saveur propre, qu'on appelle piquante. Celle-ci est immédiatement reconnaissable, car elle provoque une sensation de brûlure (due à l'accroissement de Pitta) et de soif (due à l'effet asséchant d'une augmentation de Vata). Le piquant échauffe le corps et l'incite à libérer ses fluides. En conséquence, la digestion va être activée et les tissus congestionnés seront nettoyés. La sueur, les larmes, la salive et les mucosités se mettront à s'écouler sous l'effet de la saveur piquante.

Parce qu'elle permet de drainer les sinus, la nourriture piquante va s'avérer la meilleure pour équilibrer Kapha, qui, s'il est aggravé, tend à congestionner les muqueuses. La médecine occidentale a longtemps cru que les aliments épicés devaient être mauvais pour toute personne souffrant d'une irritation des muqueuses, mais l'on considère aujourd'hui que leur effet – ouvrir et décongestionner les tissus – est extrêmement bénéfique ; on a parfois prescrit à des patients sujets à des bronchites chroniques et à de l'asthme de faire un régime de nourriture mexicaine (relevée de piments rouges) très fortement épicée. On estime que l'effet antitoxique de la saveur piquante permet d'éclaircir la peau, même en cas d'augmentation de Pitta : la sécheresse de Vata permet de nettoyer les pores graisseux qui exacerbent l'acné.

Si on en abuse, la saveur piquante pourra causer des douleurs : le fait de consommer un piment cru fera gonfler les lèvres et les yeux, causera des inflammations de la peau et des sueurs chaudes. Une nourriture trop épicée entraînera une soif excessive, des vertiges et de l'agitation, reflétant en cela l'influence Vata (trop de Vata peut entraîner des étourdissements, des vertiges et des assèchements). La qualité « tranchante » du piquant, si on la pousse trop loin, ne stimulera plus le corps, mais l'irritera.

Il en est de même pour les émotions. Si des traits d'humour « piquants » peuvent être toniques, ils risquent également d'être trop tranchants et blessants. Les gens excitables et extravertis sont déjà enclins à être piquants ; si l'on renforce encore le piquant chez eux, ils vont devenir très fébriles. En cas de déséquilibre Vata ou Pitta dans le corps, la nourriture piquante n'est pas conseillée.

Astringent

Aliments astringents :

haricots secs	augmente Vata

lentilles	diminue Pitta et Kapha
pommes, poires	
choux, brocolis, chou-fleur	
pommes de terre	

L'astringent, cette saveur qui assèche la bouche et resserre ses muqueuses, est la moins familière des six rasas. C'est une saveur alcaline, identique mais diamétralement opposée à l'acidité « resserrante » des citrons. De même que la saveur amère, l'astringent est aussi Vata : les gaz produits par le chou bouilli ou la saveur sèche et farineuse des haricots secs sont deux effets dus à Vata. La qualité astringente est légère, comme celle de l'amer, mais plus appétissante ; les cultures traditionnelles ont pu subsister à travers le monde grâce aux haricots secs, et au Moyen Âge, le chou était un aliment de base dans toute l'Europe. La qualité astringente est apaisante ; les pommes de terre, les carottes et autres produits tirés du sol procurent cette sensation de satisfaction.

L'astringent est rafraîchissant et constrictif ; il stoppe l'écoulement des sécrétions telles que la sueur et les larmes (ce qui fait des haricots secs un bon complément aux piments, un effet compensant l'autre). Si on abuse de l'astringent, son effet constrictif peut conduire à des problèmes Vata de constipation et d'assèchement de la bouche, ainsi qu'à la formation de gaz ou à un relâchement de la paroi du bas de l'abdomen.

Les personnes ayant un esprit caustique sont astringentes, qualité qui tempère l'excitation et vous renvoie à vous-même. Toutefois, poussée trop loin, cette qualité devient desséchante. La constriction subite que vous ressentez lorsque vous êtes saisi de peur, et l'assèchement de la bouche né de l'angoisse, sont deux exemples de cette qualité astringente négative. En général, les émotions astringentes manquent de chaleur ; la vieillesse, le froid et le « rapetissement » est ce qui change les gens en « vieux pruneaux ratatinés » s'ils vieillissent mal. En cas de déséquilibre Vata dans le corps, la nourriture astringente est indésirable.

Agni – le feu digestif

La plupart des gens ne vont jamais consulter un médecin pour leur digestion. Comme nous faisons partie d'une société accoutumée à une bonne santé, nous tenons pour acquise notre faculté à transformer la nourriture, et, en l'absence de problème grave tel qu'un ulcère gastrique ou une colite, nous ne prêtons guère d'attention à tel ou tel trouble d'estomac éventuel ou à la nuit désagréable qu'on vient de passer à cause d'un repas pantagruélique.

L'Ayurvéda Maharishi, au contraire, soutient qu'une mauvaise digestion constitue un facteur majeur dans le processus de la maladie, et prône une bonne digestion pour se maintenir en bonne santé. Chaque cellule est créée à partir de la nourriture. Si les aliments sont bien métabolisés, ces cellules vont se former correctement ; dans le cas contraire, le processus de la maladie s'est en fait déjà déclenché. Les sages ayurvédiques se plaisaient à dire que si l'on était doté d'une bonne digestion, même le poison serait alors bon pour nous, tandis qu'une personne sujette à une mauvaise digestion pourra mourir après avoir bu du nectar.

La digestion et les doshas

D'après l'Ayurvéda, il n'existe pas dans l'absolu de bons ou de mauvais aliments, mais seulement des aliments qui sont bons ou mauvais pour *vous*. Être capable d'extraire chacune des substances vitales à partir de ce que l'on mange est de la plus haute importance. Les gens ne naissent pas égaux à cet égard : les trois principales constitutions ont un pouvoir de digestion très différent :

La digestion du ***Vata*** aura tendance à être irrégulière et souvent délicate.

La digestion du ***Pitta*** aura tendance à être forte et intense.

La digestion du ***Kapha*** aura tendance à être lente et souvent lourde.

Comme pour toutes choses affectées par les doshas, chaque mode de digestion a ses avantages et ses inconvénients. Les Vatas pourront ne pas être très heureux de découvrir qu'ils sont enclins à avoir une digestion délicate et peu fiable, mais cela fera d'eux des mangeurs qui sauront mieux discerner ce qui leur convient et ils auront rarement à s'inquiéter de l'appétit d'ogre auquel sont sujets les Pittas ou de la propension décourageante à l'obésité dont bien des Kaphas font l'expérience. Ce qu'il importe de retenir, c'est de tirer profit au maximum du pouvoir de digestion dont on a été doté à la naissance, et de l'améliorer le plus possible.

L'appareil digestif ne va pas simplement se contenter d'extraire les substances nutritives nécessaires au corps, mais va aussi réagir fortement aux émotions. Les sensations que vous éprouvez dans les « tripes » sont un moyen qu'utilise la nature pour que votre esprit et votre corps puissent communiquer. Un déséquilibre Vata se manifeste souvent par des sentiments de malaise engendrant des douleurs dans les intestins. Le dosha Pitta est celui qui est responsable d'un métabolisme convenable et d'un « sang pur » (dénué de toxines) ; c'est aussi le dosha qui régit le bon fonctionnement de la digestion. On l'appelle l'*agni*, ou le « feu digestif ».

L'agni est l'un des principes les plus importants selon l'Ayurvéda, au même titre que les doshas. L'un des signes essentiels qui vous indiquera que vous êtes en bonne santé, c'est de noter si votre agni « brûle d'un feu clair », c'est-à-dire si vous digérez votre nourriture avec efficacité. Une bonne digestion permettra en effet de répartir correctement à chacune des cellules tous les éléments nutritifs nécessaires et de brûler les déchets sans laisser de toxines en dépôt. Voilà pourquoi, en équilibrant l'agni, l'on peut maintenir en équilibre tout le reste en même temps.

La nature a conçu le corps de chacun de telle sorte que l'agni devrait suivre un cycle bien précis tout au long de la journée ; si ces rythmes quotidiens ne sont pas correctement ajustés, la digestion en souffrira. L'un des aspects les plus importants est de savoir comment rétablir un agni chancelant et le ramener avec douceur dans son sillon naturel.

Comment rétablir l'agni

Chaque jour, votre agni suit un cycle ascendant et descendant, vous incitant ainsi à éprouver une faim légère le matin, un fort appétit à midi et un appétit plus modéré en début de soirée. Entre ces différents moments, l'agni coupe votre appétit afin que votre organisme puisse se mettre à digérer la nourriture que vous venez d'ingérer. Une fois votre estomac vide à nouveau, l'agni relance votre appétit.

Si ce cycle de base se dérègle, l'organisme sera désorienté, l'appétit et la digestion vont commencer à se chevaucher. L'agni va vous l'indiquer, par le truchement d'une vaste gamme de symptômes :

- Brûlures d'estomac et acidité gastrique
- Estomac dérangé ou digestion agitée
- Manque d'appétit aux heures des repas
- Constipation ou diarrhée
- Indifférence envers la nourriture
- Embonpoint ou maigreur
- Troubles digestifs graves : syndromes d'irritation des intestins, ulcères, diverticulites, etc.

La première et la plus importante chose à faire si l'un ou l'autre de ces symptômes apparaît est de rétablir votre agni dans son cycle naturel. Ce rééquilibre sera également utile si vous voulez simplement renforcer votre digestion, sans souffrir pour autant de troubles digestifs.

Il est conseillé aux personnes de constitution Vata de rétablir leur agni une fois par mois.

Il est conseillé aux personnes de constitution Pitta de rétablir leur agni deux fois par mois (il est également recommandé de le faire à chaque fois que votre appétit redevient insatiable et que vous vous remettez à trop manger).

Il est conseillé aux personnes de constitution Kapha de rétablir leur agni jusqu'à une fois par semaine, sauf en cas de graves troubles digestifs. Le dosha Kapha tirera un plus grand profit de cette routine que les autres doshas, puisque c'est Kapha qui incite la digestion à être lourde et lente.

Quelle que soit votre constitution, n'essayez pas de rétablir votre agni si vous vous sentez malade. Le fait d'être malade indique généralement que l'agni est faible (ou du moins qu'il ne fonctionne pas correctement) ; aussi n'est-ce pas un bon moment pour essayer de le corriger. *Si vous souffrez d'un ulcère, d'une colite ou de tout autre trouble digestif grave,* ne faites pas « redémarrer » l'agni, sauf sous surveillance médicale.

La méthode pour rétablir l'agni est la suivante :

Programme pour le week-end

Rétablir l'agni nécessite à peu près deux jours. Comme le repos constitue l'un des aspects indispensables le jour où l'on s'abstiendra de manger, le mieux pour la plupart des gens sera d'étaler ce programme sur un week-end.

ROUTINE DU VENDREDI

Mangez normalement au petit déjeuner et au déjeuner. Ne prenez pas d'alcool ni d'en-cas au cours de l'après-midi. Contentez-vous le soir d'un repas léger, composé d'aliments nourrissants, de telle sorte qu'il puisse combler votre faim mais ne soit pas trop lourd ; évitez toute nourriture épicée et fromage. Juste avant de vous coucher, prenez un laxatif : trois tablettes de senna, suivi d'un petit verre d'eau chaude. Couchez-vous de bonne heure. Certaines personnes ressentiront le besoin de se lever au cours de la nuit pour aller à la selle, d'autres pourront attendre jusqu'au matin ; ces deux possibilités sont normales.

ROUTINE DU SAMEDI

Avant de pouvoir rétablir votre agni, il est d'abord nécessaire de le réduire. Cela se produira en s'abstenant de tout repas au cours de la journée pour n'absorber que des liquides. Les personnes Vata et Pitta devraient boire des jus de fruits dilués dans de l'eau chaude. Les jus de pomme ou de raisin conviendront bien ; le jus d'orange est trop acide. Buvez un verre de jus de fruits au petit déjeuner, un autre au déjeuner et un troisième au dîner ; trois ou quatre verres supplémentaires pourront être pris entre les repas, mais au-delà, mieux vaut ne boire que de l'eau. Le but est de ne pas ressentir d'appétit et de n'avoir qu'un minimum de calories à digérer. Les Kaphas pourront suivre cette même routine, *ou même* ne boire que de l'eau chaude s'ils peuvent s'en contenter tout en se sentant bien.

Passez votre journée à lire, à regarder la télévision, ou à d'autres occupations légères. Il sera bon de faire une petite promenade dans le courant de la matinée et l'après-midi. Ne faites pas de long voyage et n'entreprenez pas de lourdes tâches physiques. Si vous avez l'habitude de courir ou de faire beaucoup d'exercice, ne le faites pas durant une journée et reposez-vous.

Si vous ressentez une faiblesse due à la faim, prenez une cuiller à soupe de miel dans un verre d'eau chaude et allongez-vous cinq minutes.

Il est normal de ressentir une certaine légèreté dans les membres, mais si vous vous mettez à trembler ou à avoir des vertiges, allongez-vous et reposez-vous. Si ces sensations persistent, prenez un repas léger. Il se peut que vous ressentiez de tels malaises à cause d'un stress exceptionnellement intense qui a pu complètement vous déséquilibrer.

ROUTINE DU DIMANCHE

Il vous faut maintenant rétablir votre agni et le laisser s'ajuster de lui-même pour retrouver son cycle normal. Pour ce faire, prenez un petit déjeuner léger composé de céréales chaudes (flocons d'avoine, crème de riz, ou de froment) avec un peu de beurre, de lait et de sucre. Il est bon également de boire une infusion le matin pour adoucir l'estomac : racine de réglisse pour les Vatas, menthe poivrée pour les Pittas et les Kaphas. Si vous avez suivi correctement le programme du samedi, vous n'aurez besoin de rien d'autre au petit déjeuner. Si votre faim est toujours très grande, prenez davantage de céréales ou un verre de jus de fruits. Le café, le thé et les cigarettes perturberaient profondément les cycles de votre agni et anéantiraient vos efforts. (Les Kaphas, étant des gens lents à démarrer le matin, pourront boire du thé de « gotou kola » ; cette plante est vendue en magasins diététiques.)

Ne mangez rien d'autre avant midi.

À midi pile, prenez un déjeuner copieux, qui puisse combler votre faim sans être ni lourd ni excessif pour autant. Il vaut mieux ne pas trop exciter la digestion avec des aliments salés ou épicés, ou de l'alcool, mais ne vous limitez pas non plus à une simple salade et à de l'eau. Il sera conseillé de prendre une infusion de gingembre. Si vous êtes Vata et manquez d'appétit, buvez-en avant le repas ; par ailleurs, il est bon également d'en boire pendant ou après le repas. Si vous n'avez pas d'infusion de gingembre, sirotez un verre d'eau chaude au cours du repas.

Ne mangez plus rien jusqu'au dîner.

Prenez votre dîner tôt (au moins trois heures avant d'aller vous coucher). Il devrait consister en un repas qui convienne à votre constitution, nourrissant mais moins copieux que le déjeuner. Riz, lentilles et légumes cuits à la vapeur sont conseillés. Ou encore, l'on pourra prendre un repas semblable à celui du petit déjeuner, ce qui sera bénéfique à la plupart des Kaphas et des Pittas, ou à tout individu ayant un penchant à trop manger.

Votre agni étant désormais rétabli, les cycles de votre faim vous inciteront naturellement à désirer :

- un petit déjeuner léger

- un déjeuner substantiel, *pris à la même heure chaque jour*

- un dîner léger, pris *de bonne heure et à la même heure chaque jour*

Dans tous les cas, il sera bon d'éviter les choses suivantes, car elles déstabiliseraient à nouveau votre agni :

- *Grignoter entre les repas.* La règle à suivre ici est de ne pas stimuler votre appétit si vous n'êtes pas sur le point de vous mettre à table. L'agni aime finir ce qu'il a commencé ; aussi serait-il perturbé par une stimulation inutile causée par du chewing-gum, des bonbons ou des pastilles à la menthe mâchés à longueur de journée. Toutefois, il sera conseillé aux Vatas ou à tous ceux qui se sentent fatigués à la fin d'une journée de travail de prendre du thé et des biscuits l'après-midi.

- *Les stimulants puissants.* La caféine, le sel et l'alcool sont de forts excitants et devraient être pris avec modération. L'indigestion que la plupart des gens ressentent lors d'un cocktail est due au mélange d'aliments salés, d'alcool et de bruit. Si vous aimez boire du café, prenez-en toujours avec quelque chose de solide et jamais seul. Il en va de même pour le sel et l'alcool. Être dépendant de l'un ou de l'autre de ces stimulants rend la digestion impossible à équilibrer.

- *Sauter des repas.* L'agni exige d'avoir quelque chose à faire trois fois par jour et s'en ressentira si vous ne mangez pas. Les Kaphas pourront sauter des repas car leur agni change lentement et brûle faiblement, mais il est bien en règle générale de manger trois fois par jour.

L'agni et l'ama

L'idéal ayurvédique est que l'agni puisse se maintenir à un niveau d'efficacité maximale en toutes circonstances. Il ne doit pas être « froid » au point d'empêcher la nourriture d'être complètement digérée. Une nourriture partiellement digérée se transforme en ama, en un résidu froid et nauséabond, dont l'aspect « collant » empêche les doshas de circuler librement comme ils devraient le faire. Il existe d'autre part un risque opposé : si l'agni brûle d'une flamme trop vive, les éléments nutritifs contenus dans les aliments ne vont plus alors être extraits, mais brûlés. Il s'ensuivra une digestion « fébrile », engendrant de la faiblesse au lieu de la force.

L'agni et l'ama constituent la plus importante paire d'opposés dans le corps, pouvant produire soit un état de santé dynamique, soit un état de lente dégradation. La différence la plus évidente entre l'un et l'autre est que l'agni vous donne un sentiment de bien-être, tandis que l'ama vous donne le sentiment d'être malade. Il existe là encore quelques signes bien spécifiques à cet égard ; ainsi, l'agni procurera :

- Un teint éclatant et des yeux brillants
- Un fort pouvoir de digestion, sans constipation ni diarrhée
- La faculté de manger de tout
- Des urines claires, d'une couleur jaune paille
- Des selles normales, sans odeur trop prononcée

S'il y a de l'ama dans le corps, la gravité de ses effets pourra varier, allant de désagréments mineurs à des troubles sérieux. Parmi les signes précurseurs, on pourra observer :

- Une peau et des yeux ternes
- Un mauvais goût dans la bouche, accompagné d'une langue chargée le matin
- Une fort mauvaise haleine
- Des urines peu claires, sombres ou décolorées
- Une faible digestion, accompagnée de constipation et/ou de diarrhée chroniques
- Un manque d'appétit (la nourriture n'a pas bon goût)
- Des douleurs articulaires

Une fois le feu digestif revenu à la normale, et dans le cas où l'ama accumulé dans le passé a été évacué, l'agni va continuer de lui-même à purifier le corps. Votre digestion pourra s'autocorriger, car la nature a conçu les choses de telle façon que l'agni brûle l'ama. Ceci est un autre exemple qui montre que vous pouvez faire confiance à votre corps, si vous voulez savoir quoi faire.

Comment améliorer votre agni

D'après l'Ayurvéda, certains aliments, épices et aromates sont efficaces pour améliorer la qualité de l'agni chez tout le monde. On les emploie pour stimuler l'appétit, accroître le pouvoir de digestion et éliminer l'ama.

LE GINGEMBRE

Utilisé frais, ou sous forme de poudre séchée, le gingembre est prisé comme étant la meilleure épice pour aider l'agni de toutes les constitutions. Le gingembre en poudre, vendu dans les épiceries, est plus fort, plus asséchant et piquant que la racine de gingembre frais, vendue dans les supermarchés au rayon des fruits frais ou, à défaut, dans les magasins diététiques.

Le gingembre peut être utilisé de diverses manières :

En infusion. Faites bouillir à feu doux une bonne pincée de gingembre sec dans la valeur d'une tasse d'eau, jusqu'à évaporation d'1/4 de l'eau à peu près, puis filtrez. Cette infusion se boit avant les repas pour aiguiser l'appétit. On pourra en siroter un petit verre pendant ou après les repas pour favoriser la digestion.

L'infusion de gingembre frais s'obtient en faisant d'abord bouillir l'eau, puis en ajoutant, hors du feu, quelques fines tranches de racines de gingembre non pelées (comptez environ une cuillerée à soupe par tasse d'eau). Laissez infuser cinq minutes, puis filtrez. On peut obtenir une décoction beaucoup plus forte en faisant bouillir les tranches de racine de gingembre en même temps que l'eau, mais cela serait alors considéré comme tisane médicinale à ne pas boire tous les jours.

Comme épice. L'Ayurvéda recommande d'utiliser le gingembre en cuisine de diverses manières. On peut ajouter soit la poudre soit la racine dans les recettes des légumes cuits à la vapeur, des currys, du pain d'épice, des gâteaux et biscuits au gingembre. À table, vous pouvez *légèrement* saupoudrer votre nourriture de gingembre ou mâcher une lamelle de gingembre frais durant le repas. Bien que cela puisse être trop fort pour certaines personnes, garnir vos plats de racine de gingembre frais haché menu – comme du persil – est également bénéfique. Toutefois, n'adoptez que l'une de ces possibilités à la fois : allumer l'agni n'exige pas beaucoup de gingembre.

Il est recommandé aux diverses constitutions de prendre du gingembre sous des formes légèrement différentes : les personnes Vata pourront mélanger de la racine fraîche et hachée avec du sel ; les Pittas ont moins besoin de la saveur piquante, aussi pourront-ils se contenter d'une infusion légère de gingembre, additionnée de sucre pour rendre le gingembre moins épicé. Les Kaphas (et toute personne sujette à l'embonpoint) en auront besoin pour éliminer de l'organisme l'excès de Kapha ; ils pourront donc prendre une bonne dose d'infusion au gingembre additionnée de miel.

« Routine » au gingembre

Dans un petit bol en verre, en métal ou en céramique, écrasez quatre cuillerées à soupe de gingembre en pou-

dre, autant de sucre roux et autant de ghî (beurre clarifié fondu, voir page suivante). Mélangez jusqu'à l'obtention d'une pâte homogène, couvrez et conservez dans un endroit frais.

Prenez un petit peu de cette mixture au gingembre chaque jour avant le petit déjeuner, et faites en sorte que celui-ci soit consistant (des céréales chaudes, du jus de raisin, des « muffins » et une infusion aromatisée à la cannelle constitueraient un bon petit déjeuner, par exemple). Consommez la préparation au gingembre selon le schéma suivant :

1er jour : 1/2 c. à café
2e jour : 1 c. à café
3e jour : 1 1/2 c. à café
4e jour : 2 c. à café
5e jour : 2 1/2 c. à café
6e jour : 2 1/2 c. à café
7e jour : 2 c. à café
8e jour : 1 1/2 c. à café
9e jour : 1 c. à café
10e jour : 1/2 c. à café

Une fois terminée cette petite « routine » au gingembre, votre digestion devrait être revenue à la normale. Si vous continuez à éprouver des difficultés, consultez un médecin ; dès les premiers symptômes de crampes et de douleurs intestinales, ne continuez pas cette routine ; mieux vaut aller consulter un spécialiste.

Cure de gingembre

Si vous essayez de remédier à un déséquilibre Vata présent depuis longtemps, ou si vous voulez maintenir votre pouvoir de digestion à son summum, il sera bon de prendre un peu de gingembre frais tous les jours. Cette pratique est également considérée comme la meilleure prévention contre l'accumulation d'ama due à une mauvaise digestion.

Prenez une racine de gingembre frais, découpez-en une fine tranche de la taille d'une pièce de monnaie à une extrémité, pelez-la et hachez-la très fin. Ajoutez-y quelques gouttes de jus de citron et une pincée de sel. Mangez cette mixture une demi-heure avant de déjeuner ou de dîner pour stimuler la digestion. Si cela n'est pas aisé, vous pouvez consommer cette préparation juste avant le repas.

LE GHÎ

Le ghî, ou beurre clarifié, est très apprécié car il augmente l'agni sans pour autant renforcer Pitta. En fait, le ghî est considéré comme excellent pour équilibrer Pitta. Les personnes de constitution Kapha doivent en général éviter de consommer trop d'huile, quelle que soit la variété utilisée, mais le ghî constituera un très bon choix pour eux également. On peut l'utiliser :

Comme huile de cuisine. De petites quantités de ghî sont conseillées pour sauter des légumes (mais non pour les frire). Le ghî ne donne pas d'aussi bons résultats que le beurre dans la cuisson de plats au four : les différentes sortes de pains et de desserts requièrent la « moiteur » et les matières solides lactées qui se trouvent dans le beurre ordinaire.

Comme substitut du beurre. Le ghî étant un aliment qui nécessite une préparation, son usage ne sera pas le même que celui du beurre. Mais dans les cas où vous ajouteriez d'ordinaire une noix de beurre à un plat de légumes, sur des pommes de terre au four, ou mélangée à des flocons d'avoine, mieux vaut alors utiliser du ghî.

Comme digestif. Mettez une cuillerée à café de ghî sur votre nourriture à table (sans dépasser la dose, car consommer trop d'huile, sous quelque forme que ce soit, n'est pas sain).

Comment préparer le ghî

Faites fondre à feu doux une livre de beurre non salé dans une grande casserole à fond épais. Laissez fondre complètement, puis portez à température moyenne. Écrémez l'écume à mesure qu'elle se forme. Lorsque le beurre commence à bouillir, éliminant son eau, réduisez à nouveau la température et laissez cuire lentement pendant dix minutes environ. Le ghî est prêt une fois que toute l'humidité s'est évaporée et que les matières solides du lait, déposées au fond de la casserole, ont pris une couleur marron clair dorée (il se dégagera aussi une odeur de noisette, mais sans trace de brûlé). Retirez la casserole du feu, laissez refroidir et versez le beurre clarifié dans un pot en verre ou un récipient propre. Le ghî se conserve indéfiniment au réfrigérateur mais peut également être entreposé dans un endroit frais ou même à température ambiante pendant plusieurs semaines.

AUTRES ÉPICES FAVORISANT UN BON AGNI

Aromates et épices peuvent être choisis en fonction de la constitution de chacun, comme nous l'avons indiqué dans les régimes pacifiant Vata, Pitta et Kapha.

Mais certains d'entre eux sont bons pour améliorer d'une manière générale la qualité de l'agni :

poivre noir	clou de girofle
cardamome	raifort
cayenne	moutarde
cannelle	

(Les personnes de constitution Pitta doivent veiller à ne consommer ces aromates qu'en petites quantités, car ils ont tendance à augmenter le dosha Pitta.)

Une accumulation excessive de Kapha rendra la digestion difficile, car elle diminuera l'agni ; un autre effet fâcheux est que cela favorisera la formation d'ama, car l'un et l'autre sont froids, lourds et visqueux. L'emploi d'aromates amers et piquants permettra non seulement de réduire Kapha, mais aussi d'évacuer l'ama hors des tissus. L'Ayurvéda recommande en particulier la saveur amère dans un but de purification. Parmi les épices les plus courantes qui s'attaquent à l'ama, on pourra citer les suivantes :

poivre noir	clou de girofle
cayenne	gingembre
cannelle	

Comme vous pouvez le remarquer, on retrouve ici certaines des épices recommandées pour stimuler l'agni. L'emploi régulier mais modéré de ces épices et aromates dans votre cuisine favorisera la prévention contre la formation d'ama. Mâcher des graines de fenouil après un repas et sucrer son infusion avec du miel pur, non chauffé, constituent également des pratiques courantes pour équilibrer l'agni.

Régime pour la béatitude

Si la béatitude est fondamentale à la vie, elle devrait alors pouvoir aussi se manifester sur un plan concret, dans le corps, et c'est bien ce qui se passe en effet. Selon l'Ayurvéda Maharishi, le parallèle corporel de la joie pure est une substance subtile appelée *ojas*, extraite de la nourriture lorsque celle-ci est parfaitement digérée. Comme dans le cas des doshas, l'ojas se trouve juste à la frontière du monde physique ; c'est pourquoi on pourrait la définir comme une substance subtile touchant à la fois au corps et à l'esprit. Si l'on adopte un bon régime, l'extraction à partir des aliments de la moindre goutte de cette substance subtile constituera le résultat le plus précieux, car c'est elle qui permet aux cellules de « se sentir heureuses », et à chacun d'entre nous de faire l'expérience de la béatitude au niveau cellulaire.

Il y a vingt ans, l'idée même d'une cellule « heureuse » n'aurait guère eu de signification en termes scientifiques. Nous savons de nos jours que le corps est en fait capable de générer un ensemble complexe de substances chimiques (neurotransmetteurs, neuro-peptides et autres molécules associées) que le cerveau utilise pour transmettre les émotions à travers tout le corps. On admet aussi qu'il suffit d'un seul repas pour que la biochimie du cerveau change radicalement. La production d'une substance chimique cérébrale associée à des sensations de bien-être, telle que la sérotonine, s'accroît ou diminue en fonction des aliments digérés par l'appareil intestinal. Ceci a permis d'ouvrir de nouvelles perspectives exaltantes en ce qui concerne une « pharmacopée alimentaire » capable de remédier à la dépression, à l'angoisse et à d'autres troubles mentaux, de même que les grains d'avoine peuvent remédier au cholestérol.

Grâce à l'Ayurvéda Maharishi, nous pouvons faire abstraction de cette déroutante complexité de la chimie du cerveau : il suffit en effet de savoir que la Nature a doté notre corps de la faculté de fabriquer sans cesse de l'ojas, cette simple substance génératrice de bonheur.

Le régime sattvique

Dans l'idéal, tout aliment ingéré se transformerait en ojas. Un bébé nourri au sein transforme naturellement le lait de sa mère en ojas, mais il faudrait avoir un appareil digestif exceptionnel pour générer de l'ojas à partir d'une pizza vieille de trois jours. Un excellent régime équilibré peut s'élaborer en prenant comme base des aliments qui ne nécessiteront qu'un minimum d'effort de la part du corps pour se transmuer en ojas. L'Ayurvéda les nomme aliments sattviques, ou purs.

RÉGIME SATTVIQUE

lait riz
ghî (beurre clarifié)/graines de sésame, amandes

fruits et jus de fruits/saveur sucrée en général

À cette liste on verra fréquemment s'ajouter le blé, le soja jaune décortiqué *(mung dhal)*, la noix de coco, les oranges, les dattes et le miel. Il ne servirait à rien de s'obséder sur ces quelques aliments ou de ne manger que ceux-ci, à l'exclusion de tout autre. Il suffit simplement de les inclure à intervalles réguliers dans son régime. Plus généralement, un régime sattvique devra comprendre :

- Une nourriture légère, apaisante, facile à digérer

- Des produits frais
- De l'eau de source
- Un bon équilibre des six goûts (ou saveurs)
- Des rations modérées

Selon l'Ayurvéda Maharishi, ceci constitue le meilleur régime pour acquérir force physique, esprit clair, bonne santé et longévité. Il incitera au bonheur et à des sentiments d'amour car il est en accord avec la nature tout entière. La liste des aliments sattviques est courte et ne pourrait normalement pas satisfaire aux besoins alimentaires d'une personne ordinaire ; cependant, si on sait bien l'adapter, un régime ne comportant que du lait, des légumes, du riz et des fruits s'avère sans conteste excellent pour la santé. Le célèbre régime à base de riz de Duke University (États-Unis), uniquement à base de riz bouilli et de fruits, a été reconnu comme étant un régime thérapeutique efficace pour des patients souffrant de maladies cardiaques, de diabète et d'obésité.

Le lait est actuellement peu au goût du jour parmi les personnes qui se préoccupent des questions de santé, car elles ont tendance à l'associer aux troubles digestifs, aux allergies, et à un taux élevé de cholestérol. L'Ayurvéda soutient que la plupart des réserves à l'égard du lait sont dues en fait à une consommation impropre. On devrait faire bouillir le lait avant de le boire, car cela le rendra plus digeste. On peut le boire bien chaud ou tiède, mais jamais glacé, sortant tout juste du réfrigérateur, par exemple. Le lait ne devrait pas être associé à des saveurs qui ne s'accordent pas avec lui (le piquant, l'acide et le salé), mais seulement avec d'autres aliments sucrés (tels que graines, fruits sucrés et céréales).

Mis à part les aliments sucrés, il est recommandé de boire du lait sans rien consommer d'autre, et donc en dehors des repas car cela rendra la tâche plus facile à votre appareil digestif. Le lait pauvre en corps gras conviendra peut-être mieux aux personnes de constitution Kapha, mais le lait entier est préférable pour toutes les autres constitutions (sauf en cas d'un problème de cholestérol élevé, où il vaut mieux alors boire du lait écrémé). Si malgré tout vous continuez à éprouver des difficultés à digérer le lait après l'avoir bouilli, ou s'il semble générer des mucosités provoquant des congestions, essayez d'y ajouter deux pincées soit de curcuma soit de gingembre en poudre, avant de le faire bouillir (un peu de sucre non raffiné ou de miel adoucira le goût amer du curcuma). Ces mesures balaieront la plupart des objections courantes invoquées contre le lait. Traditionnellement, l'Ayurvéda le considère comme un excellent aliment, procurant force physique, longévité et paix de l'esprit. Le lait de vache est prisé plus que tout autre, car il est le plus sattvique.

Pour s'orienter vers un régime plus sattvique, essayez la prochaine fois de manger vos pâtes avec du beurre, de la crème et du parmesan, plutôt qu'avec de la sauce tomate, de la viande, des oignons et de l'ail. Tout changement de ce type, même l'espace d'un ou deux repas seulement, devrait amplement suffire à prouver que l'alimentation sattvique facilite la digestion, procure plus d'énergie une fois le repas terminé et diffuse une sensation de légèreté et d'entrain à travers tout le corps. (Si vous souhaitez évaluer ces différences avec précision, ne buvez pas d'alcool pendant les repas au moment où vous testez ce régime.) Si vous avez un taux élevé de cholestérol, n'abusez ni de beurre ni de crème ;

le fait d'ajouter à vos pâtes de l'huile d'olive, du basilic frais, et une pincée de parmesan constituera une délicieuse solution de remplacement.

Un autre exemple de nourriture sattvique est le lassi sucré, qui est un excellent adjuvant sur le plan digestif ; on pourra en boire par temps chaud ou doux (dans les frimas de l'hiver, il peut provoquer la formation d'un excès de Kapha).

Recette du lassi sucré

Pour quatre personnes : versez un quart de cuillerée à café de cardamome, une pincée de filaments de safran et trois cuillers à soupe d'eau chaude dans un mixeur. Mélangez dix secondes. Ajoutez deux tasses de yaourt nature, deux tasses d'eau froide et deux cuillers à soupe de sucre. Mélangez le tout jusqu'à ce que la texture soit homogène. Si votre mélange a un goût trop acide, ajoutez le quart d'une tasse de crème fraîche. Quelques gouttes d'eau de rose ajoutées à la fin feront de ce lassi un aliment très sattvique qui apaisera Pitta (l'eau de rose se trouve dans les épiceries indiennes ou du Moyen-Orient, ainsi que dans bon nombre de magasins diététiques).

« *TIC* » *: Techniques d'intelligence corporelle*

Selon l'Ayurvéda, la *façon* dont on mange est tout aussi importante que *ce que* l'on mange. La raison pour cela nous renvoie à la notion d'ojas, ce produit final qui est l'aboutissement de tous les signaux parvenant au corps lors des repas. Bien que le fait de manger une nourriture ayant bon goût soit important, il est nécessaire que les autres sens – la vue, l'ouïe, le toucher et l'odorat – émettent également des signaux pouvant satisfaire le corps ; cela est le seul moyen de profiter pleinement du lien entre le corps et l'esprit. Un mets à l'aspect délicieux, servi tout chaud dans votre assiette, va envoyer tous les signaux qui conviendront pour nourrir vos doshas, mais si vous laissez cette assiette sur la table pendant cinq heures, ce plat deviendra impropre à la consommation, en dépit du fait que ses substances nutritives essentielles n'auront pas changé de manière significative.

Tout le corps est incroyablement en éveil lorsque vous mangez. Les cellules de l'estomac sont conscientes de la conversation qui se déroule à table, et si elles entendent des paroles dures, l'estomac va se nouer d'angoisse. Tout ce que vous allez ensuite digérer au cours de ce repas en sera affecté, car vous aurez absorbé des sons indigestes. Les cellules de l'estomac ne peuvent pas « entendre » au sens littéral du terme, mais le cerveau, enregistrant ce que les oreilles entendent, va émettre des messages chimiques informant aussi bien l'estomac que tout autre organe. Voilà pourquoi vous ne pouvez pas faire croire à votre appareil digestif que le repas est joyeux s'il est en fait tendu ; les sensations que vous éprouverez dans les « tripes » ne s'y tromperont pas.

Selon l'Ayurvéda, le devoir que vous avez envers votre corps est de nourrir de toutes les manières possibles chacune des cellules qui le composent ; un régime sattvique vise à accomplir cet immense objectif. Si vous prenez soin de nourrir complètement vos cellules, elles vous le rendront sous forme d'ojas, qui est l'expression parfaite de leur satisfaction. Pour vous faciliter la tâche, j'ai recensé seize « TIC », ou « Techniques d'intelligence corporelle », chacune d'elles visant à accroître la satisfaction que le corps devrait tirer de la nourriture.

Au fur et à mesure que vous mettrez ces TIC en application, vous vous étonnerez de voir combien la satisfaction procurée par chaque repas va s'accroître. Une fois que l'on connaît le secret pour transmuer la nourriture en ojas, le corps « pétille » littéralement de joie après chaque petit déjeuner, déjeuner et dîner.

« TIC » Techniques d'intelligence corporelle :

1. Mangez dans une atmosphère apaisée.
2. Ne mangez jamais lorsque vous vous sentez perturbé.
3. Asseyez-vous toujours pour manger.
5. Évitez les aliments et boissons glacés.
6. Ne parlez pas la bouche pleine.
7. Mangez à un rythme modéré, ni trop vite ni trop lentement.
8. Attendez d'avoir digéré un repas avant de prendre le suivant (intervalles de 2 à 4 heures entre des repas légers et de 4 à 6 heures entre des repas très copieux).
9. Sirotez de l'eau chaude durant votre repas.
10. Mangez de la nourriture fraîchement cuisinée aussi souvent que possible.
11. Réduisez au minimum les aliments crus – les aliments cuits (et de préférence bien cuits) sont bien plus digestes.
12. Ne cuisinez pas avec du miel – le miel chauffé est censé produire de l'ama.
13. Buvez du lait en dehors des repas, soit seul, soit accompagné d'autres aliments sucrés.
14. Faites en sorte que les six goûts ou saveurs soient présents à chaque repas.
15. 1/3 ou 1/4 de l'estomac devrait rester vide après chaque repas, pour favoriser la digestion.
16. Restez assis tranquillement pendant quelques minutes après le repas.

Cette liste concise vous donne un excellent point de départ pour tirer le meilleur profit d'un régime, quel qu'il soit. Le principe de base à cet égard est le suivant : c'est la nourriture la plus digeste qui s'avérera la meilleure pour vous. Voilà pourquoi les aliments bien cuits sont préférables aux crus, pourquoi une nourriture chaude est préférable à une nourriture froide, et pourquoi les produits frais sont préférables aux produits traités. Faciliter la digestion est également la raison pour laquelle il est bon de boire de l'eau chaude et d'éviter le lait durant le repas, ou de rester assis un court moment à table une fois le repas terminé, afin de permettre au corps d'entrer dans sa phase de digestion.

Un autre principe important est la modération. Prenez des portions modérées de nourriture à heures régulières ; les textes ayurvédiques estiment qu'une quantité de nourriture tenant dans le creux des deux mains constitue la ration idéale. Mangez d'abord une telle portion lorsque vous vous servez la première fois, puis reprenez-en un peu plus si vous avez encore faim. Il est conseillé de laisser vide un tiers à un quart de l'estomac à la fin des repas. L'appareil digestif fonctionnera avec plus d'efficacité si les rations sont plus petites et le corps aura beaucoup plus de facilité à contrôler automatiquement son poids. Ne croyez pas que vous allez sortir de table affamé : être comblé n'est pas la même chose qu'être gavé. Si vous laissez un petit espace vide dans l'estomac à la fin de chaque repas, vous vous sentirez léger, plein d'entrain, d'énergie, et beaucoup plus dispos une heure après avoir mangé. Éprouver cela, lorsqu'on a pris un repas convenable, permettra tout naturellement de bien mieux le digérer.

TIC pour perdre du poids

Au cas où vous auriez un problème d'obésité, essayez d'appliquer les T.I.C. ci-dessus avant d'adopter un quelconque régime à basses calories. Vous serez surpris de vous apercevoir que votre excédent de poids ne provient pas seulement de ce que vous mangez, mais aussi de la façon dont vous mangez : négligemment ou mécaniquement, avec précipitation au lieu de prendre le temps de vous asseoir, grignotant entre les repas au lieu de manger à heures régulières. Il s'agit là de choses simples, bien sûr, mais qui font toute la différence.

Si nous laissons de côté la très faible minorité de gens qui souffrent réellement de troubles hormonaux ou métaboliques, la plupart des personnes atteintes d'obésité sont avant tout les victimes d'un conditionnement, de mauvaises habitudes qui se sont inconsciemment ancrées dans leur organisme au fil du temps. Chacun d'entre nous est pourvu d'un corps dont l'intelligence connaît la proportion convenable de nourriture qu'il faut manger ; la nature nous a dotés de l'instinct de la faim qui nous indique à quels moments notre corps veut se nourrir, mais aussi de son contraire, l'instinct de satiété, qui nous fait savoir lorsque notre estomac est repu. Les gens qui ont perdu ces réflexes ont sacrifié un aspect important de leur intelligence corporelle. Ils se nourrissent telles des machines mises en marche par des déclics automatiques : la vue et l'odeur de nourriture, ou bien le simple fait d'y penser. Mais en appliquant les T.I.C. évoquées plus haut, ils pourront à nouveau « s'alimenter consciemment », guidés par l'intelligence inhérente à leur corps.

Cas où l'ojas est faible

Outre le fait de trop manger, d'autres excès commis à table peuvent nuire à l'instinct qui nous pousse à nous alimenter sainement. Si vous prenez un repas sous l'émotion de la colère, un vaidya vous dira que vous générez de l'ama mental à partir de la nourriture, tandis qu'un médecin occidental parlera quant à lui d'une réaction au stress perturbant l'équilibre endocrinien. Le résultat final est le même, et consiste en un message chimique nocif passant tout droit dans vos cellules.

Avant même que vous n'ayez avalé la première bouchée, les perturbations dans vos doshas peuvent réduire à néant toute tentative de votre corps pour produire de l'ojas. Comme d'habitude, le dosha Vata va jouer un rôle ici : tout ce qui perturbera le dosha Vata nuira aussi à l'ojas – l'inquiétude, le bruit, le manque de sommeil, les régimes fantaisistes ou extrêmes et le jeûne. L'aspect positif est que tout ce qui apaisera Vata durant les repas sera bénéfique pour l'ojas.

Comme aux États-Unis la plupart des gens ne suivent pas un régime exclusivement sattvique, j'aimerais ajouter ici quelques arguments supplémentaires, afin de montrer pourquoi le fait d'adopter un tel régime va permettre d'améliorer la santé. Vous remarquerez qu'un régime sattvique est strictement végétarien, excluant même les œufs. Les recherches faites par des diététiciens ont déjà révélé que les végétariens ont une excellente tension (plus basse de 18 % que la moyenne) et que leur taux de maladies cardiaques est très faible. En outre, le gouvernement fédéral des États-Unis met en garde les Américains depuis vingt-cinq ans contre la consommation excessive de sel, de protéines et de graisses animales contenus essentiellement dans la viande (une bonne part de l'excédent de sel provient également d'aliments traités). Si vous commenciez à réduire votre consommation de viande dès aujourd'hui, en vue d'adopter graduellement un régime sans viande, vous pourriez presque à coup sûr réduire vos risques d'être victime d'une crise cardiaque à l'avenir. Le fait d'inclure sur la liste des aliments sucrés ne signifie nullement que l'Ayurvéda Maharishi fasse preuve de complaisance à l'égard des énormes quantités de sucre blanc raffiné que la plupart des gens consomment de nos jours. Le sucre contenu dans le beurre, le riz et le pain devrait amplement suffire.

Comme en toute chose, il existe deux pôles extrêmes dans tout régime : certains aliments vont se transmuer aisément en ojas, d'autres non ; parmi ces derniers, figurent les suivants :

Régime contre-indiqué pour l'ojas

- Viande, volaille et poisson
- Aliments gras et lourds
- Fromage
- Restes de nourriture et aliments traités
- Abus des goûts acide et salé
- Suralimentation

Pour une question d'économie et de commodité, beaucoup de personnes faisant la cuisine aiment conserver les restes, mais l'Ayurvéda désapprouve cette habitude. La nourriture est censée être mangée fraîche, tout droit sortie du four, si ce n'est du jardin : plus le produit sera frais, plus l'ojas sera abondant. Les aliments froids, qui ne sont pas cuisinés de fraîche date, même s'ils sont réchauffés, ne produiront pas d'ojas dans les mêmes proportions. Il est bon aussi d'éviter les aliments surgelés en général. L'alcool et les cigarettes détruisent l'ojas et empêchent les autres aliments de le produire. La pollution de l'air et celle de l'eau sont nocives également. Toutes ces influences sont qualifiées de tamasiques, ce qui veut dire qu'elles vont générer de la mollesse et de l'inertie en favorisant la production d'ama. Les personnes de constitution Kapha devraient tout particulièrement rester très vigilantes, leur digestion lente facilitant la formation d'ama.

Pour conclure, voici quelques règles transmises par la tradition ayurvédique, qui ont fait leurs preuves à travers le temps, pour nous orienter vers un régime favorable à la béatitude. Chacune de ces règles vise à produire un maximum d'ojas :

- Mangez des aliments frais, adaptés à la saison et au lieu géographique où vous vous trouvez. Les aliments les meilleurs pour le corps sont les fruits, les légumes et les produits laitiers qui proviennent de la région où vous résidez, car ils auront été cultivés ou manufacturés dans les mêmes conditions d'air, d'eau, de substances nutritives et d'ensoleillement que vous-même.

- Faites du déjeuner votre repas le plus important, car c'est le moment de la journée où le pouvoir de digestion est le plus fort. Le dîner devrait consister en un repas frugal, pouvant être complètement digéré avant de vous coucher ; le petit déjeuner est facultatif et devrait être de toute façon le repas le moins consistant de la journée.

- Mangez aux mêmes heures chaque jour. Ne grignotez pas entre les repas et évitez de manger la nuit, car cela perturbera vos cycles de digestion ; si vous dormez alors que la nourriture n'a pas été complètement digérée, cela favorisera la production d'ama.

- Prenez vos repas seul ou en compagnie de gens que vous aimez vraiment ; le mieux est de manger avec les membres de votre famille. Les émotions négatives, qu'elles proviennent de vous, de la personne qui a fait la cuisine, ou des gens qui vous entourent, ont un effet nocif sur la digestion.

- Soyez reconnaissant envers la nature pour le don incessant de nourriture qu'elle nous fait, et respectez-la comme vous vous respectez vous-même.

13

Les exercices – ou pourquoi le dicton « souffrir pour réussir » n'est qu'un mythe

Si l'on se place du point de vue ayurvédique, on s'aperçoit qu'une grande part des exercices recommandés de nos jours sont loin d'être idéaux. Pourquoi avons-nous, en premier lieu, besoin d'activité physique ? Charaka, l'écrivain faisant le plus autorité en Ayurvéda, propose cette réponse : « Grâce à l'exercice physique, on pourra acquérir légèreté, puissance de travail, stabilité, force et courage face aux difficultés, élimination des impuretés et stimulation de la digestion. » Si pratiquer l'aérobic ou l'haltérophilie peut avoir de bons effets sur le cœur ou les muscles, ces activités ne sont pas suffisamment holistiques pour entrer dans la description de Charaka. L'idéal est d'équilibrer l'organisme dans sa totalité, incluant à la fois l'esprit et le corps. Il est également vital que les exercices que l'on pratique apportent plus d'énergie qu'ils n'en consomment ; c'est là un point que les gens ont tendance à négliger.

Un exercice tout simple, la marche, approche de très près l'idéal car il s'agit d'une activité naturelle capable de satisfaire les trois doshas à la fois. Les personnes Vata s'aperçoivent que faire de longues promenades les apaise. Quant aux individus Pitta, leurs réactions seront très différentes. Les Pittas aiment que le rythme accéléré auquel ils sont si souvent soumis pendant leur journée de travail puisse être ralenti. Les Kaphas retireront stimulation et légèreté de la marche ; se promener d'un pas vif leur permettra d'éliminer toute congestion mineure ayant pu se développer et rendra plus efficace leur digestion, celle-ci étant lente par nature. Pour ces diverses raisons, faire une promenade d'un pas alerte une demi-heure chaque jour est l'une des recommandations capitales que nous donnons à nos patients au Chopra Center.

On enseigne également à chaque patient comment aborder les exercices sous un nouvel angle, car l'objectif n'est pas tant de transpirer ou de se surmener, ni même d'obtenir des muscles coûte que coûte, mais de tisser un lien plus étroit entre soi-même et son corps quantique – cela devient alors un outil puissant pour atteindre l'équilibre. Cette nouvelle approche constitue un « programme basé sur les trois doshas », composé d'une série d'exercices courts et interdépendants :

- La salutation au Soleil *(Surya Namaskara)* – un exercice à faire le matin, combinant étirements, équilibres et gymnastique (durée : de une à six minutes).

- L'intégration neuromusculaire – une série de postures aisées de yoga accessibles à tous (dix à quinze minutes).

- La respiration équilibrée – une forme simple de *Pranayama,* l'exercice traditionnel de respiration yogique (cinq minutes).

On trouvera la description de ces exercices à partir de la page 413. Le fait de les pratiquer en conjonction avec la méditation, pour laquelle ils sont parfaitement adaptés, permettra d'élever à un haut niveau l'intégration entre l'esprit et le corps. Tout d'abord, ces exercices constituent des activités naturelles ne demandant pas d'efforts, chose que les doshas apprécient hautement. En outre, ils peuvent être pratiqués à tout âge et n'exigent pas que l'on soit en pleine forme pour les commencer.

Dès la toute première séance, on peut découvrir le lien intime créé par la nature entre la conscience et la physiologie. Le corps n'est pas qu'une simple coquille ou un organisme ambulant dont le but serait de soutenir la vie. En réalité, il est notre « soi », intimement revêtu de matière. Retrouver le contact avec cet aspect intime de soi procure un très grand réconfort et beaucoup d'agrément, en particulier si l'on a cessé de faire de l'exercice et que l'on est devenu virtuellement étranger à son propre corps.

Réussir sans souffrir

Avant d'explorer ces points plus en profondeur, examinons en quoi consistent les exercices conventionnels. Comme l'on estime généralement que le but de la vie est le confort et le bonheur, l'Ayurvéda Maharishi considère que les exercices sont de bons moyens pour accomplir cette fin et soutient que faire de l'exercice devrait toujours constituer la meilleure préparation au travail. Les exercices eux-mêmes ne devraient pas être du travail. Pourtant, aux États-Unis comme ailleurs, bien des gens les voient sous ce jour, ayant l'impression que s'ils n'adoptent pas une attitude délibérément austère ou sévère, ils ne pourront pas en retirer grand profit. (Allez simplement vous promener dans un parc de bonne heure demain matin, et vous ne pourrez manquer de remarquer les nombreuses grimaces gravées sur les visages des coureurs que vous rencontrerez.) Si, grâce à l'approche proposée par l'Ayurvéda Maharishi, on ne devait retirer qu'un seul avantage de l'exercice, celui-ci devrait être de bien voir que le dicton selon lequel « il faut souffrir pour réussir » n'est en fait qu'un mythe.

Un bon moyen de s'en rendre compte est de considérer le dosha Vata. Toute activité physique accroît Vata. Une augmentation modérée de ce dosha procurera plus de clarté et de vivacité à l'esprit, davantage de tonus et de force physique. On peut donc en bénéficier à la fois sur le plan mental et physique, et parvenir ainsi à un équilibre naturel. Mais une trop grande stimulation de Vata réduirait à néant ces bienfaits, en causant agitation, fatigue et instabilité.

Quelle devrait être alors la limite raisonnable ? En règle générale, l'Ayurvéda nous recommande de faire de l'exercice à 50 % de nos aptitudes maximales. Si vous êtes capable de faire de la bicyclette sur dix kilomètres, n'en faites que cinq ; si vous pouvez nager vingt longueurs d'un coup, n'en faites que dix. Ces limites plus restreintes ne vous empêcheront pas de vous maintenir en forme, car elles permettent en fait à l'exercice d'être plus efficace, évitent au corps d'avoir à subir un grand nombre de « réparations » par la suite et facilitent un retour à la normale du système cardio-vasculaire après l'effort. Une autre directive simple concerne l'intensité de cet effort. Au lieu de se fatiguer au point de transpirer abondamment et d'être hors d'haleine, mieux vaut s'arrêter dès que l'on commence à transpirer légèrement et à respirer par la bouche. Ce sont là des indices naturels indiquant que l'on a atteint une limite raisonnable.

Si l'on en vient à manquer de souffle, à transpirer abondamment, ou si l'on sent que le cœur se met à battre violemment et que les genoux deviennent mous comme du caoutchouc, c'est qu'on est allé trop loin. Dès le premier signe de surmenage, il sera bon de cesser l'exercice, de faire quelques minutes de promenade pour que l'organisme s'apaise progressivement, puis de se reposer encore quelques minutes, jusqu'à ce que le pouls et la respiration redeviennent normaux. Dans les sports de compétition comme le tennis, par exemple, il se peut que dans le feu de l'action on ne remarque pas les efforts très intenses que l'on fournit. Tant que le jeu reste amusant, ça ne pose pas de problème ; mais si l'on fait du « forcing » pour tenter de gagner une partie ou de prouver qu'on est à la hauteur de l'adversaire, une telle attitude revient à punir bien inutilement son corps.

Les personnes de constitution Vata devraient tout particulièrement veiller à ne pas aller trop loin ; les seuils d'endurance de leur constitution sont en général moins élevés que ceux des Pittas, eux-mêmes plus faibles que les seuils des Kaphas. L'effort devrait aussi être dosé selon l'âge : au-dessus de 45 ou 50 ans, tout le monde commence à avoir une augmentation de Vata, qui devrait être compensée en faisant des exercices moins durs qu'auparavant. Comme pour tout le reste, on se doit de respecter ses doshas. Chercher à tout prix la performance en ajoutant un kilomètre de plus n'est qu'un moyen supplémentaire pour créer de sérieux troubles Vata, quel que soit l'âge du sujet. (Des études récentes faites en médecine sportive indiquent que 50 % des athlètes féminines pratiquant sérieusement tel ou tel sport connaissent des troubles menstruels importants, symptôme qui témoigne d'une forte aggravation Vata.)

EXERCICES SELON SA CONSTITUTION

Chaque fois qu'on fait faire un mouvement au corps, c'est comme si l'on était en train de « parler » à ses doshas. Comme chaque dosha a son importance propre, les bienfaits pouvant résulter de la pratique de tout exercice équilibré sont triples :

Vata : équilibre, agilité, souplesse, coordination et joie intérieure

Pitta : échauffement du corps, circulation du sang dans tout l'organisme, accroissement de la capacité cardiaque

Kapha : accroissement de la force et de l'endurance, stabilité du niveau d'énergie

Si vous ne quittez jamais votre fauteuil pour faire de l'exercice, de toute évidence vous ne pourrez pas profiter de ces bienfaits. Mais un grand nombre de personnes actives dont les muscles sont fermes et le cœur sain n'en bénéficient pas non plus. La plupart des exercices proposés à l'heure actuelle ont pour but d'accroître la capacité du système cardio-vasculaire, mettant fortement à contribution le dosha Pitta. J'aimerais proposer ici une liste d'activités équilibrées qui ont une visée plus vaste et sont mieux adaptées aux trois grands types de constitutions.

EXERCICES POUR LES PERSONNES DE CONSTITUTION VATA

Type : Yoga Fréquence : Légère
Danse acrobatique
Marche, courtes randonnées
Cyclisme (sans forcer)

Les personnes Vata ont des poussées d'énergie mais se fatiguent rapidement. Elles excellent dans les exercices d'équilibre et d'étirements. Étant minces et souples, elles aiment le yoga et la marche, pourvu que ceux-ci ne deviennent pas trop fatigants. Grâce à leur enthousiasme naturel, les individus Vata apprécient également de pratiquer la danse acrobatique et de faire des sauts sur de la musique. Tout exercice se pratiquant en salle sera bon l'hiver, car les personnes Vata ont de l'aversion pour le froid et n'ont pas suffisamment de graisse et de muscles pour se protéger des éléments.

Toute personne à prédominance Vata devra toujours veiller à ne pas aller au-delà de ses possibilités. Ce sera la principale mise en garde en ce qui les concerne, car le dosha Vata a pour caractéristique de démarrer sur les chapeaux de roue, mais n'a pas conscience de ses limites, en particulier lorsqu'il est déséquilibré. Une demi-heure d'exercice modéré par jour suffira amplement. Si vous vous sentez exténué, sujet à des tremblements, ou sur le point d'avoir des vertiges ou des crampes, c'est le signe que vous êtes allé beaucoup trop loin, tous ces symptômes constituant autant d'indices de déséquilibre Vata.

EXERCICES POUR LES PERSONNES DE CONSTITUTION PITTA

Type : Ski Fréquence : Modérée
Marche ou jogging d'un pas vif
Randonnées et ascensions de montagne
Natation

Les personnes Pitta ont tendance à avoir plus d'entrain que d'endurance. Elles sont bonnes dans tous les exercices pratiqués avec modération. Parce qu'ils aiment les défis avant tout, les Pittas apprécient bien le ski, les randonnées, les ascensions de montagne et les sports qui leur procurent un sentiment d'accomplissement à la fin de la journée.

Dans les sports de compétition, les athlètes ont besoin d'une bonne dose de Pitta pour avoir un esprit combatif, mais les compétitions intenses ne sont pas bénéfiques à ce dosha. Les Pittas ont horreur de perdre et cette horreur les motive davantage que la satisfaction même de gagner. (Des études sur le sport ont confirmé ce point, surtout dans le cas de joueurs de tennis professionnels, dont un grand nombre sont célèbres pour leurs colères de type Pitta.) Les Pittas s'astreindront ascétiquement à courir, à faire du jogging ou de l'haltérophilie, mais ne retireront de tous leurs efforts que très peu de joie intérieure.

Vous-même savez sans doute déjà si vous faites partie de cette catégorie : fulminez-vous à chaque mauvais coup sur le terrain de golf, ou souhaitez-vous transpercer d'une balle votre adversaire sur le court de tennis ? Mieux vaut alors que vous abandonniez ces sports. Si vous vous sentez furieux contre vous-même ou quelqu'un d'autre dans un sport quelconque, n'insistez pas. Quiconque souhaite « avoir la peau » de quelqu'un sur un court ou un terrain de sport souffre d'un grave déséquilibre Pitta. En outre, les efforts brusques que nécessitent les sports de compétition ne sont pas aussi bons pour le corps qu'une trentaine de minutes de mouvements continus.

Une promenade d'un pas vif une demi-heure chaque jour chassera l'agressivité de l'organisme mieux que ne pourra le faire un sport de compétition.

La natation conviendra encore mieux : nombre de Pittas qui se donnent à fond dans leur travail s'aperçoivent qu'un plongeon dans la piscine vers 17 heures les apaise et dissout les tensions de la journée. Les sports d'hiver de toutes sortes séduiront également les Pittas car ils tolèrent le froid mieux que les personnes de constitution Vata ou Kapha. Comme c'est surtout par la vue qu'ils sont stimulés, les Pittas tireront grand profit de balades faites sans hâte dans les bois, car elles vont constituer un net changement par rapport à leur pas, d'ordinaire très décidé. La beauté de la nature s'imprégnera profondément en eux s'ils prennent suffisamment le temps de faire des pauses pour la ressentir pleinement.

EXERCICES POUR LES PERSONNES DE CONSTITUTION KAPHA

Type : Haltérophilie	Fréquence : Modérément intense
Course	
Aérobic	
Aviron	
Danse	

Les personnes de constitution Kapha disposent d'une énergie puissante et stable, mais manquent souvent d'agilité. Elles sont bonnes en général dans tous les exercices et leurs performances sont encore meilleures, une fois qu'elles se sont assouplies et équilibrées. Grâce à leur résistance physique, les Kaphas excellent dans tous les sports d'endurance : par nature, ils ont une structure bien adaptée pour les courses de fond ou d'aviron sur de longues distances. La combinaison de Pitta et de Kapha apporte détermination et endurance. On rencontre fréquemment cette prakruti chez les joueurs professionnels de football et de base-ball.

Faire circuler le sang dans les veines est quelque chose que les Kaphas apprécient bien, ce qui explique pourquoi ils choisissent volontiers les haltères dans les clubs de gym ou de santé. Il sera bon de combiner cette pratique avec des exercices favorisant la circulation du sang ; une bonne transpiration (sans en arriver à l'épuisement) éliminera des congestions dues à Kapha. Un grand nombre de Kaphas ont trop de graisse et d'eau, qu'il va leur falloir éliminer. Étant un dosha froid, Kapha n'aimera guère être exposé au froid et à l'humidité si vous sortez pour courir ou faire de l'aviron. En hiver, les personnes de constitution Kapha devraient rester à l'intérieur et se contenter de faire de l'aérobic ou de la gymnastique suédoise.

La danse pourra constituer une bonne alternative pour les Kaphas. La plupart ne sont pas pourvus d'une charpente de danseur, mais ils se sentiront plus à l'aise dans leur corps une fois qu'ils ou elles auront développé le maintien et l'équilibre qui s'acquièrent grâce aux cours de danse.

Quelques précautions générales s'appliquent à toutes les constitutions. Il est préférable de ne pas faire d'exercice :

- *Juste avant ou après un repas.* Faire de l'exercice à ces moments-là réduit l'agni, alors qu'il lui faudrait être au plus fort. Mieux vaut ne pas faire d'exercice au moins une demi-heure avant le repas et une à deux heures après. Cependant, marcher juste après un repas constitue une exception à la règle. Faire une promenade en prenant tout son temps pendant quinze minutes après le déjeuner et/ou le dîner stimule la digestion (toute autre forme d'exercice plus long ou plus intense serait contre-indiquée). Faire de l'exercice après le coucher du soleil n'est pas recommandé par l'Ayurvéda ; il est préférable de laisser le corps « ralentir » le soir, et de se préparer à se coucher.

- *En cas de vent ou de froid.* Comme nous l'avons indiqué, les doshas Vata et Kapha n'aiment pas le froid. Si vous sortez vous promener en hiver, restez bien emmitouflé et ne respirez pas d'une manière forcée. Respirer profondément de l'air froid et humide est mauvais pour les bronches. En outre, tout vent fort va perturber le dosha Vata et contrecarrer l'effet apaisant d'une bonne marche.

- *Sous un soleil brûlant.* La raison pour laquelle, selon le proverbe, seuls « les chiens fous et les Anglais » sortent au soleil en plein midi, est que la chaleur intense de ses rayons enflamme le dosha Pitta et a pour effet d'élever la température du corps, alors que l'exercice l'accroît déjà suffisamment par lui-même.

Outre la modération, c'est la régularité dans la pratique d'un exercice qui constitue la clé de l'équilibre. Les doshas ont toujours tendance à se renforcer les uns les autres. Si l'on néglige l'activité physique pendant un certain temps, le corps va s'habituer à l'inertie. Dès que l'on revient ne serait-ce qu'à un peu d'activité, les doshas peuvent atteindre un meilleur niveau d'équilibre et vont chercher à s'y maintenir. Aussi est-il bon de faire tout son possible pour commencer un programme que l'on pourra pratiquer avec plaisir pendant de longues années, et si possible pendant la vie entière.

Exercices pour les trois doshas

Penchons-nous maintenant sur les exercices spécifiques aux trois doshas enseignés dans nos cliniques : la salutation au Soleil, une série facile de postures de yoga, et la respiration équilibrée. Les exercices qui suivent sont très faciles à exécuter. Seule la salutation au Soleil demandera un peu plus de patience pour la maîtriser ; les autres ne requièrent aucune aptitude particulière. Il s'agit là d'exercices permettant de s'accorder à son corps. N'importe qui peut y parvenir : il suffit simplement de laisser l'esprit se détendre pendant la posture. Ne cherchez pas à savoir de quoi vous avez l'air ou si la position de votre corps est proche de l'idéal. Tout ce que vous parviendrez à accomplir vous sera bénéfique. Cette approche permet de se sentir à l'aise au moment même où on pratique chaque exercice, et mieux encore ensuite. Tout le monde se sent agréablement détendu au cours des quelques heures qui suivent la pratique d'une courte routine ayurvédique.

Les descriptions ci-dessous nous sont proposées par Bija Bennett, une spécialiste de la thérapie par le yoga, qui est aussi directrice du programme d'intégration neuromusculaire dans notre établissement de Lancaster.

Salutation au Soleil (Surya Namaskara)

Durée : de une à deux minutes pour chaque cycle, en faisant les mouvements lentement.

Répétitions : de 1 à 6 cycles le matin, et davantage à mesure que vous acquérez de l'expérience.

La salutation au Soleil est un exercice ayurvédique holistique qui permet à l'ensemble de la physiologie de s'intégrer simultanément : esprit, corps et souffle. Cet exercice renforce et étire tous les faisceaux musculaires majeurs, lubrifie les articulations, assouplit la colonne vertébrale et masse les organes internes. La quantité et la circulation du flux sanguin s'accroissent dans tout le corps. Grâce à une pratique régulière, vous pourrez acquérir stabilité, souplesse, flexibilité et grâce.

La salutation au Soleil se compose d'un cycle de douze postures. Pratiquez-les en les enchaînant avec fluidité. Synchronisez chacun des mouvements avec le souffle. Enchaînez les postures avec aisance, en respirant bien à fond et sans forcer ; chaque cycle devrait prendre environ une minute.

Commencez lentement, en évitant de forcer, et restez bien à l'écoute de votre corps à mesure que vous allez progressivement augmenter le nombre de cycles de salutations au Soleil. Cette progression étape par étape élimine la possibilité de froisser ou de fatiguer un muscle, surtout dans le cas où vous n'avez pas fait d'exercice régulier depuis longtemps. Cessez dès que vous remarquez que vous respirez ou transpirez fortement, ou lorsque vous vous sentez trop fatigué. Si tel est le cas, allongez-vous et reposez-vous une ou deux minutes jusqu'à ce que la respiration soit de nouveau aisée. Grâce à une pratique régulière, votre aptitude va se développer d'une manière naturelle et sans effort.

Pour la salutation au Soleil, il est recommandé d'adopter un mode spécifique de respiration. Inspirez lorsque vous allongez votre colonne à la verticale, et lorsque votre corps est en ouverture ou en extension. Expirez en penchant le corps ou en courbant la colonne. Chacun des mouvements devrait être comme un prolongement du souffle, ce qui permettra de faciliter l'enchaînement. Lors de la posture de transition, dans la salutation au Soleil, on fera une brève pause respiratoire, avant d'enchaîner sur la posture suivante. Le reste du temps, laissez la respiration se faire d'une manière fluide et continue tout au long de l'exercice.

Comment pratiquer la salutation au Soleil

Accomplissez les postures suivantes l'une après l'autre, en les enchaînant d'une manière souple et dynamique. Souvenez-vous d'utiliser le souffle pour enchaîner chaque posture avec la suivante. Mettez l'accent sur l'expansion de la poitrine lors de l'inspiration, et sur la contraction de l'abdomen ou du ventre lorsque vous penchez le corps et expirez.

1. Posture de la salutation *(Samasthiti).* Commencez debout, le corps bien droit, pieds regroupés et parallèles. Prenez appui d'une manière égale sur vos deux pieds et allongez la colonne vers le haut. Joignez les paumes de mains et placez-les devant la poitrine. Relevez la poitrine et bombez le torse en regardant droit devant vous.

2. Posture des bras en l'air *(Tadasana).* Sur une inspiration, étendez lentement les bras au-dessus de la tête. Relevez et ouvrez la poitrine alors que vous continuez à allonger la colonne, tout en dirigeant le regard

Figure 1. **Posture de la salutation.**

Figure 2. **Posture des bras en l'air.**

Figure 3. **Posture des mains aux pieds.**

vers le haut. Continuez à respirer de façon régulière lors de l'enchaînement avec la posture suivante.

3. Posture des mains aux pieds *(Uttanasana).* Sur l'expiration, penchez le corps vers l'avant et le bas, en allongeant la colonne, les bras et la nuque. Laissez les genoux s'amollir ou s'arrondir un peu, et placez les mains au sol. Évitez de trop renfoncer la poitrine ou de trop arrondir le haut du dos. Gardez les coudes et les épaules détendus, et ne verrouillez pas les genoux. Grâce à une pratique régulière, vos jambes ainsi que votre colonne gagneront en souplesse et en flexibilité.

Figure 4. **Posture équestre.**

4. Posture équestre ***(Ashwa Sanchalanasana).*** Sur la prochaine inspiration, étendez la jambe gauche derrière vous et posez le genou de la jambe arrière sur le sol. Le genou avant est plié et le pied servant de support est posé bien à plat au sol. En même temps, étirez ou relevez la colonne et ouvrez la poitrine. Laissez la tête et la nuque s'allonger vers le haut.

5. Posture de la montagne ***(Adhomukha Svanasana).*** Sur l'expiration, ramenez la jambe gauche vers l'avant près de la jambe droite ; les deux jambes sont distantes de la largeur des hanches, et les mains, de la largeur des épaules. Tandis que vous levez les fessiers

***Figure 5*. Posture de la montagne.**

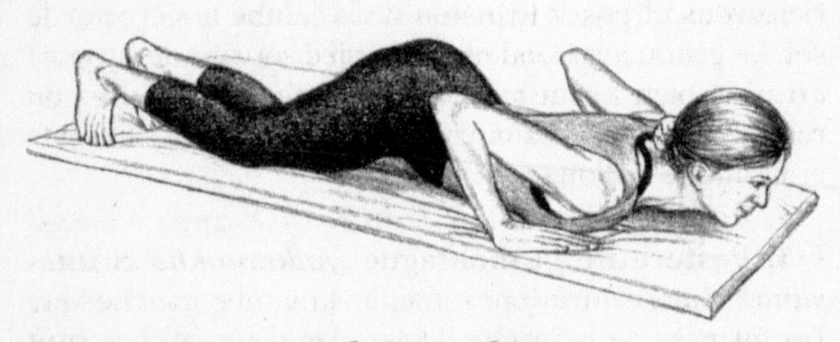

***Figure 6*. Posture aux huit membres.**

Figure 7. **Posture du cobra.**

et les hanches, prenez bien appui avec vos mains sur le sol, pour permettre à votre colonne de se dégager vers le haut et l'arrière. Étirez les talons vers le sol et tirez sur les cuisses. Détendez et libérez bien la tête et la nuque. Le corps forme un V inversé, allant du bassin aux mains et du bassin aux talons.

6. Posture aux huit membres ***(Ashtanga Namaskara).*** Placez doucement les deux genoux au sol et faites glisser lentement le corps (qui dessine un angle) lorsque vous portez la poitrine et le menton au sol. Les huit « membres » – les orteils des deux pieds, les deux genoux, la poitrine, les deux mains et le menton – tou-

Figure 8. **Posture de la montagne.**

chent tous le sol. Maintenez cette position un très court instant seulement, puis continuez en enchaînant avec la posture suivante.

7. Posture du cobra *(Bhujangasana).* Sur l'inspiration, relevez et étirez la poitrine vers l'avant et le haut tout en vous appuyant sur les mains. Gardez les coudes près du corps et continuez à étirer la colonne vers le haut. Ouvrez et élargissez la poitrine et baissez les épaules en les écartant des oreilles, pour dégager la nuque et la tête. Sentez l'élargissement et l'allongement du haut du dos. N'essayez pas d'accomplir ce mouvement avec la tête ni de soulever le corps en tirant sur la nuque.

Figure 9. **Posture équestre.**

8. Posture de la montagne ***(Adhomukha Svanasana).*** Répétez la posture 5. Sur l'expiration, levez les fessiers et les hanches, prenez bien appui avec vos mains sur le sol pour permettre à votre colonne de se dégager vers le haut et l'arrière. Tendez les talons vers le sol et tirez sur les cuisses. Détendez et dégagez bien la tête et la nuque.

9. Posture équestre ***(Ashwa Sanchalanasana).*** Répétez la posture 4. Inspirez et faites passer la jambe droite par-devant, entre les mains. La jambe gauche reste en extension à l'arrière, genou au sol. Le genou avant devrait être plié, et le pied posé bien à plat au sol.

Figure 10. **Posture des mains aux pieds.**

Étirez la colonne et relevez la poitrine vers l'avant et le haut. Laissez la tête et la nuque s'allonger vers le haut.

10. Posture des mains aux pieds *(Uttanasana).* Répétez la posture 3. Sur une expiration, ramenez la jambe gauche vers l'avant ; continuez à pencher le corps vers l'avant et le bas, en étirant bien toute la colonne. Les bras et la tête sont dans le prolongement de la colonne. Les deux mains restent posées au sol. Laissez les genoux s'amollir ou se plier à leur gré. Évitez de trop renfoncer la poitrine ou d'arrondir à l'excès le haut du dos. Gardez coudes et épaules détendus.

Figure 11. **Posture des bras en l'air.**

Figure 12. **Posture de la salutation.**

11. Posture des bras en l'air ***(Tadasana).*** Répétez la posture 2. Sur l'inspiration, étendez lentement vos bras au-dessus de la tête en relevant et en ouvrant la poitrine. Ne hissez pas le corps à partir de la tête ou de la nuque. Continuez de relever et de gonfler la poitrine tandis que vous vous relevez, en allongeant les bras au-dessus de la tête. Maintenez une respiration douce, profonde et régulière.

12. Posture de la salutation ***(Samasthiti).*** Reprenez la posture 1. Expirez tandis que vous baissez les bras et joignez vos paumes de mains en les plaçant devant votre poitrine. Tenez-vous debout, bien droit, les pieds parallèles, distants de la largeur des hanches. Relevez la poitrine et bombez le torse en regardant droit devant vous. Étirez la colonne et la nuque vers le haut.

Ainsi s'achève un cycle complet de salutation au Soleil.

Conservez la posture de la salutation tout en continuant à faire quelques respirations. Puis commencez le deuxième cycle. La posture de la salutation devient alors la position 1 de la deuxième série. Sur l'inspiration suivante, enchaînez avec la posture 2 – la position des bras en l'air – et répétez les mouvements en les enchaînant d'une manière fluide.

Pendant les cycles suivants de salutation au Soleil, vous alternerez la jambe qui s'allonge vers l'arrière et revient vers l'avant lors des postures 4 et 9 (posture équestre). Au cours du premier cycle, c'est le pied gauche qui part vers l'arrière dans les postures 4 et 9, et le pied droit qui demeure à l'avant. Lors du cycle suivant, alternez la jambe qui s'allonge vers l'arrière et continuez ainsi à changer de côté à chaque nouveau cycle.

Une fois que vous aurez complété la série de salutations au Soleil, allongez-vous sur le dos, étirez bien votre colonne et laissez votre corps se détendre complètement. Fermez les yeux et reposez-vous une ou deux minutes. Laissez la respiration se faire librement et sans effort.

Postures du yoga

Durée : de dix à quinze minutes, en faisant des mouvements lents.

Répétitions : 1 série le matin et 1 série l'après-midi.

Les postures faciles qui suivent, nécessitent environ quinze minutes et sont considérées comme les exercices ayurvédiques de base. On pourra en pratiquer une série avant la méditation du matin et une autre avant celle de l'après-midi, en y incluant ou non la salutation au Soleil. On enseigne ces postures dans le cadre du programme d'intégration neuromusculaire offert par les cliniques d'Ayurvéda Maharishi. Elles sont aisément accessibles à toute personne en bonne santé, quels que soient l'âge et l'entraînement physique antérieur.

On trouvera dans les pages suivantes la description d'une séquence précise qui commence par la tonification et l'échauffement du corps, se poursuit par des postures en position assise, des fléchissements vers l'avant, des postures debout, puis des poses inversées, des postures de fléchissement du dos, des torsions, une posture de repos, et se termine par un court exercice de respiration. Chacune des postures de cette série a un effet thérapeutique spécifique sur la physiologie. Nous mentionnerons quelques-uns des bienfaits les plus connus propres à chaque posture.

En général, les exercices de tonification et d'échauffement favorisent la circulation et améliorent le flux sanguin dans l'ensemble du corps. Les postures assises favorisent la stabilité, un alignement correct de la colonne et un bon maintien, tandis que les fléchissements vers l'avant stimulent la digestion, développent la souplesse de la colonne vertébrale et apaisent la physiologie. Les fléchissements du dos favorisent la mobilité et la souplesse de la colonne – en particulier dans le haut du dos –, et sont en même temps revigorants. Les poses inversées stimulent le système endocrinien et améliorent la circulation, tandis que les torsions facilitent la digestion, l'élimination et tonifient la colonne vertébrale. Ces postures sont suivies d'une période de repos et d'exercices respiratoires, qui permettent une expansion de conscience, ainsi qu'une plus grande cohérence et un meilleur équilibre.

L'enchaînement est important : il commence d'abord par une bonne préparation du corps, grâce aux échauffements et à l'élimination des raideurs ; puis il se poursuit par des postures qui revigorent, renforcent et étirent le corps entier. Cela explique pourquoi il est très utile de pratiquer les postures selon un enchaînement précis, chaque pose constituant une préparation à celle qui suit ou faisant contrepoids à la précédente.

Quelques recommandations avant la pratique :

1. Accomplissez les postures lentement, en prenant soin d'inspirer et d'expirer sans retenir ni contrôler le souffle en aucune manière. La respiration devrait être aisée, fluide et régulière.

2. « Absence de douleur équivaut à profit maximum. » Si vous ne pouvez pas atteindre vos orteils sans

avoir à faire un effort atroce, ne forcez pas. Laissez vos genoux s'amollir ou se plier à leur gré. **Ne forcez jamais le corps au cours des exercices.** Maintenez chaque posture quelques secondes, puis relâchez-la doucement. Les mouvements devraient se faire lentement et confortablement. Ne jamais commencer ou interrompre une posture brusquement ; éviter toute précipitation pour accomplir l'une ou l'autre. Utiliser le souffle pour faciliter le mouvement.

3. Quelle est la limite autorisée ? Dans chaque posture, arrêtez-vous lorsque vous ressentez que « ça tire ». Les mouvements ne devraient pas aller plus loin que ce que l'on peut faire sans effort, avec aisance. Laissez la conscience se poser naturellement sur la zone du corps qui est étirée. Ne jamais forcer le corps ; éviter de trop étirer ou allonger tel ou tel membre. Il est parfois bon de relâcher une posture ou de se dégager complètement d'un étirement, puis de les reprendre avec aisance. *N'oubliez pas de respirer !*

4. Au fil des mois, vous allez remarquer que vos forces, votre souplesse et votre flexibilité s'accroîtront. C'est pourquoi il n'est nullement nécessaire de forcer le corps en vue d'atteindre le but désiré. L'objectif de ces postures n'est pas d'imposer au corps une « figure » particulière ; il n'existe pas de posture « idéale ». Au contraire, les progrès que vous ferez proviendront d'une bonne intégration entre la conscience, le mouvement et le souffle.

5. Tout exercice ayurvédique affecte autant l'esprit que le corps. Chaque exercice permet à une zone particulière d'être étirée. Laissez votre conscience se porter naturellement sur cette zone. La disparition du stress

qui a pu s'accumuler dans le passé se fera en laissant simplement l'attention se poser sur la zone étirée.

Pour cette raison, veillez à ce que toute votre attention soit mobilisée pendant les exercices. N'allumez ni la radio ni la télé, et ne passez pas non plus de musique douce en sourdine. Mieux vaut laisser simplement l'esprit être conscient du corps, sans effort.

6. Portez des vêtements amples et confortables. Utilisez un tapis plat, non glissant, mais évitez de faire ces exercices à même le sol. Il est préférable d'utiliser une couverture de laine pliée, un tapis de gym ou toute autre surface pas trop lisse.

7. *Note importante* : Toutes les postures devraient être adaptées selon les besoins de chaque individu. En certaines circonstances, comme une maladie aiguë, une grossesse, la période des règles, ou d'autres problèmes physiques particuliers, la posture pourra être ajustée ou modifiée afin d'être plus efficace et de mieux répondre à ces diverses modalités. Pour ces cas spéciaux, il sera bon de consulter un instructeur de yoga qualifié.

I. Exercices de tonification (une à deux minutes)

Nous commençons par quelques exercices ayant pour but de revigorer et de tonifier le corps. Le premier exercice consiste à masser progressivement tout le corps en allant vers le cœur.

1. Commencez par vous asseoir dans une position confortable. Avec les paumes et les doigts des deux mains, appliquez des pressions sur le haut du crâne et continuez progressivement à masser le visage, le cou et la poitrine, par une série de petites pressions et de re-

lâchements. De nouveau, repartez du sommet du crâne, massez l'arrière de la tête avec les paumes et les doigts, puis la nuque et le haut du dos, avant de revenir à la poitrine.

***Figure 1*. Exercice de tonification de la tête.**

2. Pour tonifier les mains et les bras, commencez par masser d'abord le côté droit. Saisissez les doigts de votre main droite avec votre main gauche et appliquez une série de pressions et de détentes sur le bras droit, en remontant jusqu'à l'épaule, puis en massant la poitrine vers le cœur. Répétez l'opération en appliquant des pressions suivies de détentes sur le dessous du bras droit, en remontant de la main jusqu'à l'avant-bras, puis à l'épaule et à la poitrine. L'application des pressions devrait être ferme et le massage progressif et régulier. Recommencez du côté gauche, en vous assurant bien de masser d'abord le dessus puis le dessous du bras.

Figure 2. **Exercice de tonification des mains.**

3. Placez les extrémités de vos doigts sur votre nombril, puis, les deux mains posées sur le ventre, commencez à appliquer une série de pressions suivies de détentes autour de l'abdomen, et continuez ainsi en remontant progressivement jusqu'au cœur.

4. Massez de la même manière le bas du dos, la région des reins et les côtes, en remontant vers le cœur.

5. Massez les pieds en commençant par le pied droit. Saisissez et massez les orteils, la plante et le dessus du pied, remontez le long des mollets, des cuisses, des hanches, de l'estomac, et jusqu'au cœur. Même chose avec la jambe gauche, en remontant jusqu'aux hanches, puis en continuant de la sorte jusqu'au cœur.

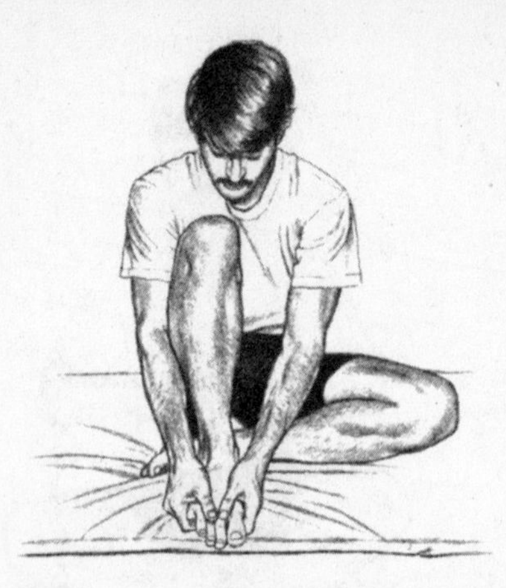

Figure 3. **Exercice de tonification des pieds.**

6. Allongez-vous sur le dos et étirez bien votre colonne en maintenant la tête et le cou allongés et dégagés. Montez les genoux à la poitrine, accrochez vos mains à vos genoux et commencez à rouler lentement et avec aisance d'un côté sur l'autre. Faites toujours en sorte que votre cou demeure bien détendu et dégagé. Respirez normalement.

7. Roulez 5 fois de chaque côté, puis dégagez les bras et allongez lentement les jambes à partir des hanches. Laissez le corps se détendre complètement.

II. Posture pour affermir – *Vajrasana* (de trente secondes à une minute)

1. Commencez par vous mettre à genoux puis placez le fessier sur les talons. Les pieds devraient être légère-

***Figure 4.* Exercice de tonification, roulades sur le côté.**

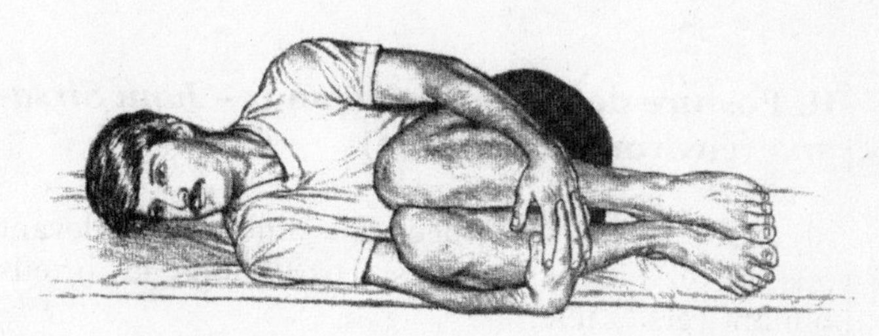

***Figure 5.* Exercice de tonification, roulades sur le côté.**

ment écartés et les gros orteils l'un par-dessus l'autre. Étirez la colonne, élargissez la cage thoracique et relevez légèrement la poitrine. La tête et le cou devraient être bien étirés et dégagés. Regardez droit devant vous et respirez avec aisance. Placez vos mains sur le haut des cuisses, main droite sur la gauche, paumes vers le haut.

2. Sur une inspiration, relevez le fessier en le dégageant des talons et revenez à la position agenouillée. Maintenez la colonne allongée et la poitrine ouverte et

relevée. Détendez les épaules. Sur l'expiration, abaissez lentement le corps et asseyez-vous de nouveau sur vos talons. Répétez l'opération sans à-coups en maintenant une respiration régulière.

3. Faites ces mouvements lentement. Respirez profondément et avec aisance en conservant l'avant et l'arrière de votre corps toniques, bien droits et dégagés.

Bienfaits : Cet asana renforce la région pelvienne, allège les tensions des genoux et des chevilles, et développe la robustesse du dos.

III. Posture de la tête aux genoux – *Janu Sirsasana* (environ une minute)

1. Asseyez-vous et allongez vos jambes droit devant vous. Étirez bien vos cuisses et vos talons, les orteils pointant vers la tête.

2. Pliez le genou gauche et posez la plante de votre pied gauche sur la face interne de la cuisse droite.

3. Inspirez et levez les bras bien droits à partir du haut du dos en les étirant au-dessus de la tête. Sur l'expiration, penchez le corps vers l'avant et vers le bas en allongeant bien la colonne. Continuez à étirer la colonne, les bras, et le cou tandis que vous poursuivez votre mouvement vers l'avant. Évitez de renfoncer trop la poitrine ou d'arrondir excessivement le haut du dos. Vous pouvez détendre légèrement le genou de devant pour dégager davantage le bas du dos.

4. Conservez la posture pendant quelques respirations. Puis inspirez et dégagez les bras en les remontant

Postures pour affermir l'assise :

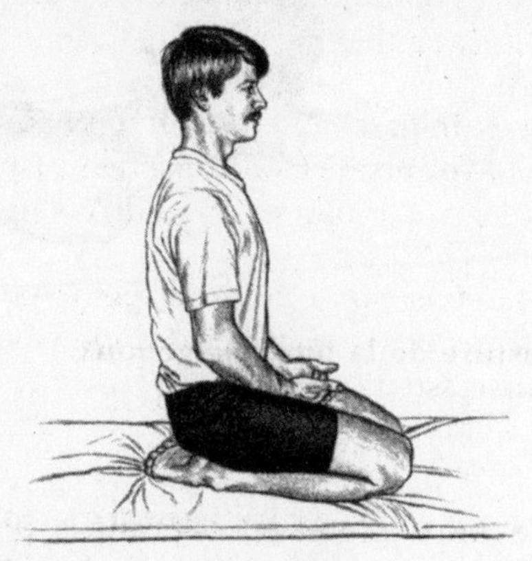

Figure 6. **Position de départ.**

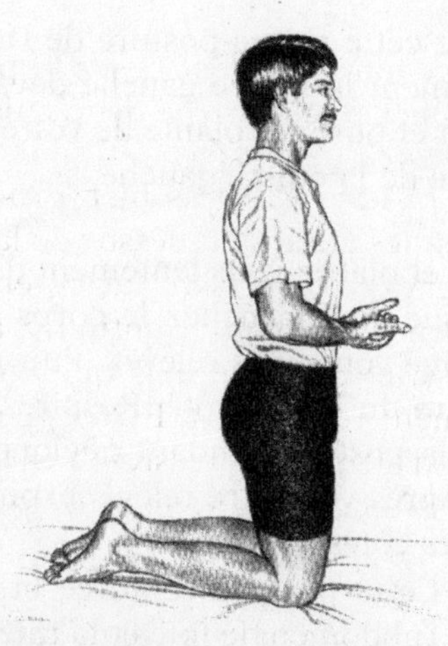

Figure 7. **Position redressée.**

Figure 8. **Posture de la tête aux genoux.**

au-dessus de votre tête et en relevant la poitrine vers l'avant et le haut. Répétez de nouveau du même côté en faisant des mouvements lents et aisés. Inspirez lorsque le corps se relève et expirez lorsque vous rabaissez les bras sur les côtés.

5. Reprenez cette même posture de l'autre côté. Étirez complètement la jambe gauche devant vous. Pliez le genou droit et posez la plante de votre pied droit sur la face interne de la cuisse gauche.

6. Respirez et placez-vous lentement dans la posture. Expirez lorsque vous penchez le corps vers l'avant et inspirez lorsque vous vous relevez. Puis répétez à nouveau la posture du même côté. Respirez normalement et conservez la posture pendant quelques respirations sans forcer. Après vous être relevé, expirez et abaissez les bras sur les côtés.

Bienfaits : Cette posture renforce et détend la colonne, tonifie l'abdomen, le foie et la rate, et favorise la digestion.

IV. Posture de la chandelle – *Sarvangasana* (Commencez en maintenant la pose pendant trente secondes ; augmentez progressivement jusqu'à deux minutes si vous êtes à l'aise dans la posture.)

Note de mise en garde : Si vous êtes débutant(e) ou souffrez de raideurs ou de problèmes dans le cou et le haut du dos, pratiquez cette posture en plaçant une ou deux couvertures sous vos épaules pour vous protéger le cou, ou faites la demi-posture plutôt que de redresser le corps dans la posture complète. Accomplissez cette posture lentement. Si vous souffrez d'un problème chronique de dos ou d'hypertension, tenez compte des conseils de votre médecin avant de pratiquer cette pose. (L'Ayurvéda Maharishi recommande de ne pas se tenir sur la tête – c'est-à-dire de ne pas faire le « poirier » –, car cette posture peut causer des lésions au cerveau, au cou et à la colonne si elle n'est pas pratiquée correctement.)

1. Allongez-vous sur le dos en appuyant bras et mains bien à plat contre le sol. Détendez les épaules et étirez la colonne.

2. Sur une expiration, pliez les genoux et montez lentement les jambes au-dessus de la taille. Poussez les paumes contre le sol et envoyez les genoux vers le haut, par-dessus la tête. Repliez les coudes en les gardant près du corps et en ligne avec les épaules. Soutenez le dos en plaçant les mains au-dessus des hanches. Coudes et épaules devraient former une plate-forme stable pour soutenir le corps.

3. Redressez les jambes en tirant sur les talons et les plantes de pieds. Laissez la colonne s'étirer vers le plafond. Allongez complètement les jambes à partir des hanches, pour que le corps fasse une ligne droite des chevilles jusqu'aux épaules. Étirez la colonne vers le haut.

Figure **9. Posture de la chandelle.**

4. Si vous préférez vous contenter de la demi-posture sur les épaules, ne dressez pas le corps à la verticale. Soutenez le poids du corps avec les mains, en laissant vos jambes faire un angle, pieds pointés dans la direction de la tête. (*Note très importante* pour cette posture, veillez à prendre appui sur les épaules, et *non sur le*

cou ; il ne devrait y avoir aucune pression sur le cou ou la gorge.) Maintenez une respiration douce et laissez le visage se détendre. Conservez la posture pendant quelques respirations, puis augmentez progressivement la durée de la pose si vous vous sentez à l'aise.

Bienfaits : Cet asana active tout le système endocrinien, accroît la circulation dans la glande thyroïde, soulage de la fatigue mentale, permet à la colonne de s'assouplir, et a un effet apaisant sur le corps.

V. Posture de la charrue – *Halasana* (de quinze secondes à une minute)

1. Vous l'enchaînerez à partir de la posture précédente, sur une expiration, lorsque vous repliez le corps au niveau de la ceinture pelvienne pour ramener les deux jambes vers le bas, en passant par-dessus la tête. Tirez sur les talons et gardez les jambes bien droites, afin qu'elles forment un angle droit avec le torse. Laissez s'allonger la colonne pour éviter de trop recourber le haut du dos. Maintenez une respiration douce et régulière.

2. Laissez vos jambes descendre aussi bas que cela sera confortable, sans affaissement de la colonne ou de la poitrine. Faites attention à ne pas exercer trop de pression sur le cou. (Si vous ressentez une douleur, dégagez-vous et ressortez lentement de la posture.)

3. Allongez maintenant les bras derrière vous, loin des jambes et de la tête. Le torse devrait prendre appui sur le haut des épaules, et les hanches former une ligne verticale avec l'articulation des épaules. Étirez bien la colonne.

Figure 10. **Posture de la charrue, bras étendus.**

4. Repliez les bras au-dessus de la tête et conservez la posture pendant quelques respirations.

5. Pour redescendre, expirez, pliez les genoux et soutenez le bas du dos avec vos mains. Déroulez la colonne lentement et sans effort, en maintenant les genoux pliés jusqu'à ce que le corps soit étendu de tout son long. Reposez-vous confortablement quelques instants.

Figure 11. **Posture de la charrue, bras derrière la tête.**

6. Veillez bien à respirer avec aisance, en particulier dans les postures de la chandelle et de la charrue. La qualité de la respiration devrait constituer un critère pour savoir si vous forcez ou poussez votre corps trop loin.

Bienfaits : La posture de la charrue affermit et détend le dos, le cou et les épaules. Elle améliore le fonctionnement du foie et de la rate, et élimine la fatigue. La chandelle tout comme la charrue stimulent et normalisent le fonctionnement de la glande thyroïde.

VI. Posture du cobra – *Bhujangasana* (de trente secondes à une minute)

1. Allongez-vous sur le ventre, rapprochez les pieds et placez les mains juste au-dessous des épaules, doigts pointés vers l'avant. Étirez légèrement la colonne pour protéger le bas de votre dos.

2. Sur l'inspiration, remontez et ouvrez la poitrine vers l'avant et le haut tout en vous appuyant sur les mains. Gardez les coudes près du corps et continuez d'étirer la colonne vers le haut. Ouvrez et élargissez bien la poitrine, descendez les épaules loin des oreilles pour dégager le cou et la tête. Sentez le haut du dos s'élargir et s'allonger.

3. Maintenez la pose pendant quelques respirations, puis expirez et redescendez lentement.

4. Répétez la posture une à trois fois, en commençant sur une inspiration et en soulevant la poitrine. Prenez garde de ne pas induire ce mouvement à partir de la tête ni de lever votre corps en tirant sur le cou. Gardez

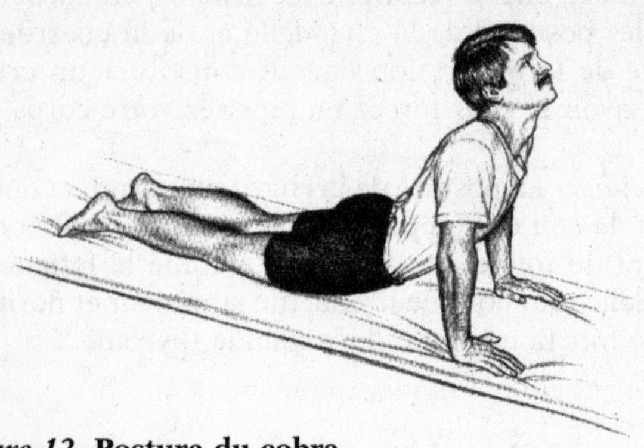

Figure 12. **Posture du cobra.**

la colonne bien allongée et respirez normalement. Laissez la respiration se faire de manière fluide et aisée. Expirez et redescendez lentement. Laissez le corps se détendre complètement.

Bienfaits : Cette posture renforce le dos, étire les muscles abdominaux et s'avère utile dans le cas de problèmes utérins et ovariens.

VII. Posture de la sauterelle – *Salabhasana* (de trente secondes à une minute)

1. Restez allongé face au sol et tirez les bras vers l'arrière, de chaque côté des jambes, soit près des hanches, soit sous les cuisses, paumes de mains vers le plafond. Rapprochez les pieds et ressentez toute la région du dos s'allonger. Placez doucement le menton au sol.

2. Sur l'inspiration, levez les deux jambes, en les soulevant à partir des hanches. Maintenez l'allongement de

toute la colonne tandis que les jambes tirent vers le haut et l'arrière. Tirez bien sur les cuisses et gardez les deux jambes parfaitement droites et allongées. Continuez de respirer avec aisance ; maintenez la pose pendant quelques respirations avant de laisser les jambes redescendre lentement.

3. Répétez la posture de 1 à 3 fois. Prenez garde de ne pas bloquer la respiration dans cette pose. Profitez de l'inspiration pour lever les jambes. Maintenez l'allongement de la colonne pour éviter de forcer ou de trop étirer le bas du dos.

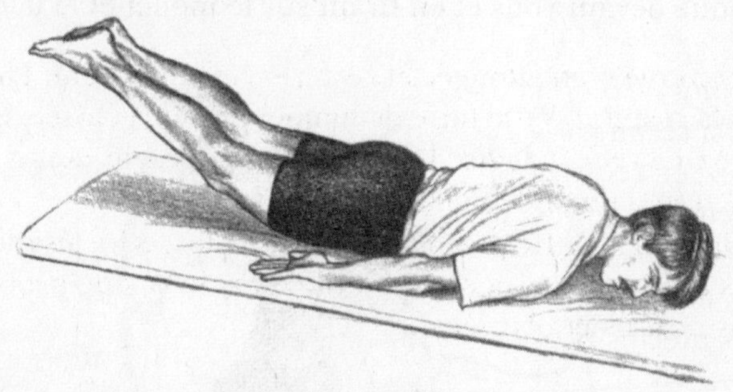

***Figure 13*. Posture de la sauterelle.**

4. Ne forcez pas votre corps pour tenter d'accomplir une posture parfaite. Il se peut que vous souhaitiez ne lever qu'une jambe à la fois. Procédez alors en allongeant chaque jambe à partir des hanches ; puis poursuivez en levant les deux jambes ensemble.

Bienfaits : Cette posture renforce le bas du dos, facilite la digestion et est bénéfique pour la vessie, la prostate, l'utérus et les ovaires.

VIII. Torsion en position assise – *Marichyasana* (environ une minute)

1. Asseyez-vous jambes tendues droit devant vous. Gardez la colonne allongée, la tête et le cou bien dégagés.

2. Repliez le genou gauche et maintenez la plante du pied gauche au sol. Amenez le talon vers les fessiers, juste au-dessus de la partie interne du genou droit. La face intérieure de votre pied gauche devrait toucher la face interne de la cuisse droite. Maintenez votre jambe droite en extension, en vous assurant qu'elle soit bien tendue devant vous et en tirant sur le mollet et le talon.

***Figure 14*. Torsion en position assise.**

3. Placez la main gauche sur le sol derrière vous et le bras droit à l'extérieur du genou gauche. Si c'est difficile à réaliser, saisissez simplement le genou avec la main. Inspirez, relevez la cage thoracique, étirez bien votre colonne vers le haut et, lors d'une expiration, faites une torsion sur la gauche à partir de la base de votre colonne vertébrale.

4. Au cours de la torsion, continuez à ouvrir la poitrine vers la gauche et laissez la tête suivre le mouvement de votre colonne dans la direction de la torsion, Continuez à allonger la colonne et à ouvrir la poitrine tout en respirant. Essayez de ne pas trop renfoncer le devant de votre corps. Si vous pouvez confortablement maintenir la colonne étirée dans cette position, continuez à glisser la main gauche autour du dos et à la placer sur la cuisse droite. N'allez pas au-delà de ce qui est possible ; ne forcez pas.

5. Continuez à respirer normalement et maintenez la pose pendant quelques respirations. Dégagez-vous lentement, puis reprenez la posture de l'autre côté. Il est particulièrement important de bien respirer pendant cette posture et de permettre à la torsion de se faire sur l'expiration. Exécutez toujours ces torsions en gardant votre colonne bien étirée plutôt que tassée.

Bienfaits : Cette posture accroît la circulation dans les organes abdominaux, soulage des raideurs dans les épaules et le haut du dos, étire le cou et stimule les glandes surrénales, le foie et les reins.

IX. Fléchissement debout vers l'avant – *Uttanasana* (jusqu'à une minute)

1. Mettez-vous debout et rapprochez les pieds en les plaçant en position parallèle, écartés de la largeur des hanches environ. Prenez bien appui sur vos deux pieds et allongez la colonne en relevant et en ouvrant la poitrine. Maintenez la tête et le cou droits et bien dégagés. Regardez devant vous et respirez normalement.

2. Laissez vos bras pendre mollement sur les côtés et gardez les épaules bien détendues. Regardez devant vous et respirez normalement.

***Figure 15*. Fléchissement debout vers l'avant.**

3. Sur l'inspiration, montez lentement les bras au-dessus de la tête tout en relevant et en ouvrant la poitrine. Sur l'expiration, penchez le corps vers l'avant et le bas en étirant la colonne de tout son long. Les bras et la tête sont dans le prolongement de la colonne. Laissez les genoux s'amollir ou se plier à leur gré et placez les mains au sol. Gardez coudes et épaules détendus et ne bloquez pas les genoux.

4. Continuez à respirer avec aisance. Maintenez la pose pendant quelques respirations. Sur l'inspiration, relevez les bras à partir du haut du dos tout en ouvrant la poitrine vers l'avant et le haut. Redressez-vous complètement jusqu'à la verticale, bras au-dessus de la tête. Expirez et abaissez les bras sur les côtés.

***Figure 16.* Fléchissement debout vers l'avant.**

Bienfaits : Cette posture tonifie le foie, l'estomac, la rate, les reins et la colonne vertébrale ; en outre, elle apaise et calme l'esprit.

X. Posture de conscience – *Chitasana* (au moins une minute)

1. Allongez-vous sur le dos de telle sorte que la colonne repose uniformément sur le sol.

2. Étirez bien les jambes à partir de la ceinture pelvienne, puis laissez-les s'ouvrir sur les côtés. Dégagez

la tête, le cou, les épaules et les hanches. Laissez les bras reposer mollement près du corps, paumes des mains tournées vers le haut.

***Figure 17.* Posture de conscience.**

3. Laissez maintenant votre corps se détendre complètement. Fermez les yeux et reposez-vous au moins une minute. La respiration doit être aisée et libre.

Bienfaits : Cette pose revigore et rafraîchit à la fois le corps et l'esprit, élimine la fatigue et soulage tout l'organisme.

LA RESPIRATION ÉQUILIBRÉE
(Pranayama)

Durée : 5 minutes
Répétitions : 1 série le matin et 1 série le soir

L'exercice respiratoire de l'Ayurvéda Maharishi consiste à équilibrer la respiration d'une façon douce en alternant le souffle d'une narine à l'autre, technique appelée *pranayama*. Son but est de permettre au cycle respiratoire d'être plus régulier, ce qui, à son tour, aura un effet calmant sur le système nerveux tout entier (c'est la raison pour laquelle nous l'appelons exercice « neuro-respiratoire » dans nos cliniques). Faire quelques minutes de respiration équilibrée, assis tranquillement les yeux fermés, est très reposant ; beaucoup de gens éprouvent ensuite une agréable sensation de légèreté dans la tête et de douce chaleur (ou lumière) dans le corps. Le pranayama constitue le meilleur prélude à la méditation, car il permet de porter l'attention sans effort vers l'intérieur et de réduire le « bruit » et le nombre de pensées vagabondes et qui encombrent généralement l'esprit.

La médecine moderne a montré que le fonctionnement du cerveau se répartit entre les hémisphères cérébraux droit et gauche, chacun d'eux apportant sa contribution propre. L'activité de l'hémisphère droit correspond à l'intuition et au sentiment ; celle de l'hémisphère gauche à la raison et à l'organisation. En pratiquant la technique du pranayama, l'Ayurvéda a trouvé une manière de « parler » aux deux hémisphères et de les conduire vers l'équilibre. Quand la respiration devient plus équilibrée, plusieurs choses se produisent : cela permet au souffle de passer de la narine droite à la gauche à intervalles réguliers ; l'esprit devient plus clair et plus vif, et l'on n'a plus l'impression qu'un côté du corps est sensiblement plus faible que l'autre.

Nous recommandons de faire cinq minutes de pranayama matin et soir chaque jour, en l'intégrant dans la routine ayurvédique quotidienne idéale.

Quelques remarques avant de commencer :

- Évitez toute forme de tension ; si vous commencez à ressentir un vertige ou à haleter, faites une pause, en restant tranquillement assis les yeux fermés jusqu'à ce que tout soit redevenu normal. Ne respirez pas d'une manière forcée pour essayer de dégager une narine obstruée. Il n'est pas conseillé de prendre des anti-histamines pour déboucher le nez avant de commencer. Si une allergie ou un rhume obstrue vos sinus, sautez simplement le Pranayama jusqu'à ce qu'ils se débouchent naturellement.

- Il est normal que les membranes des muqueuses se contractent lorsque l'on commence à apprendre cet exercice. Laissez-les simplement se détendre. En l'espace de quelques jours, elles vont s'adapter sans difficulté à la nouvelle routine.

- Pratiquez le pranayama dans une pièce calme. Ne mettez ni radio, ni télé, ni musique. Gardez les yeux fermés. Si, à un moment quelconque, vous ressentez une angoisse, interrompez l'exercice une minute, mais évitez de vous lever aussitôt. Restez tranquillement assis les yeux fermés jusqu'à ce que vous vous sentiez de nouveau détendu. Si la sensation désagréable persiste, allongez-vous quelques minutes en attendant qu'elle passe.

- Ne bloquez jamais la respiration et ne comptez jamais les secondes qui passent lorsque vous inspirez ou expirez. On trouve parfois de telles instructions dans des manuels de yoga, ou recommandées par des professeurs de yoga. Or, toutes ces pratiques s'avèrent contraires au but même de l'exercice, qui est de permettre au corps d'équilibrer la respiration par lui-même. Votre rythme respiratoire naturel est celui qui vous est le mieux approprié.

COMMENT PRATIQUER LA RESPIRATION ÉQUILIBRÉE (Pranayama)

Installez-vous confortablement sur une chaise qui vous permette de vous asseoir le dos bien droit et les deux pieds à plat sur le sol – il est préférable de ne pas s'adosser pendant la pratique du Pranayama. Fermez les yeux, laissez votre esprit s'apaiser et placez la main droite dans la position indiquée sur l'illustration : le pouce est posé contre la narine droite, le majeur et l'annulaire contre la narine gauche.

Pour pratiquer l'exercice, bouchez doucement une narine, puis l'autre, tout en respirant normalement. Pour éviter que le bras ne se fatigue, il est conseillé de rapprocher le coude droit près des côtes, mais sans le poser sur la chaise ou sur une table.

Le cycle de base du pranayama est le suivant :

1. Bouchez doucement la narine droite avec le pouce et expirez lentement par la narine gauche. Inspirez sans forcer par la narine gauche.

2. Fermez la narine gauche avec le majeur et l'annulaire et expirez par la narine droite. Inspirez avec aisance par la narine droite.

3. Continuez cette respiration alternée pendant cinq minutes. Puis abaissez le bras et adossez-vous confortablement une ou deux minutes, les yeux fermés. Vous pouvez alors immédiatement enchaîner sur la méditation si cette activité fait partie de votre programme.

Remarquez qu'il convient de *commencer chaque cycle respiratoire par l'expiration* et de terminer par l'inspiration – ce point constitue une différence par rapport aux exercices respiratoires proposés en Occident, qui commencent généralement par une inspiration profonde. Dans le pranayama, il n'est pas nécessaire d'inspirer profondément. Laissez simplement la respiration se faire naturellement, mais un petit peu plus lentement et profondément que d'habitude. Si à un moment quelconque vous avez envie de respirer par la bouche, n'hésitez pas à le faire, puis reprenez l'exercice dès que vous vous sentez de nou-

Au cours du pranayama, la main change de position à chaque expiration.

veau à l'aise. Chez un grand nombre de gens, les cycles respiratoires changent de temps à autre ; cela est normal et constitue une bonne indication que l'on est en train d'atteindre un mode de respiration mieux équilibré.

14

Routines saisonnières – comment équilibrer son année entière

L'une des grandes leçons à tirer de la notion de corps quantique est qu'une « personne » ne se limite pas à un simple « sac de peau ». Son existence a des prolongements à travers toute la nature. Vata, Pitta et Kapha sont à l'œuvre partout autour de nous, reliant notre physiologie au reste du monde. Telle est la raison pour laquelle notre corps change suivant les conditions climatiques : dès les premiers jours du printemps, alors que la nature s'éveille, il va ressentir la pluie jusque dans ses os, ou un certain état de paresse. Les doshas sont comme une sorte de baromètre indiquant chaleur, froid, vent et humidité, ainsi que toute autre variation liée à la saison.

Si un vent froid et sec se met à souffler, le Vata qui est en vous va réagir, parce que lui aussi est froid, sec et mobile. Il ressent qu'un élément auquel il est apparenté entre en scène. Chaque dosha est sensible à tel ou tel type de temps (climatique), et, suivant le principe selon lequel « la vie parle à la vie », il peut être activé puis émerger à son tour. En effet :

Un temps froid, sec et venteux va augmenter Vata.

Un temps chaud va augmenter Pitta, et en plus grande proportion encore s'il est aussi humide.

Un temps froid et humide, ou neigeux, va accroître Kapha.

C'est donc pour répondre aux influences de l'environnement que ces doshas vont s'accroître ou non. S'ils augmentent trop, leur accumulation peut passer au stade de l'aggravation et causer un sérieux déséquilibre. La raison qui fait qu'un dosha peut nous affecter hors saison, comme par exemple dans le cas d'un rhume en été, est due à un retard ou à un effet de débordement. Il faut du temps à un dosha pour s'accumuler et en arriver à causer des troubles dans le fonctionnement du corps. Les premières semaines de l'automne peuvent sembler parfaitement plaisantes, jusqu'à ce que l'on ressente brusquement un peu d'anxiété ou des élancements dans les articulations, signes d'une aggravation Vata.

Le principe en jeu ici est le même que dans le cas d'une « gueule de bois » au réveil : il faut du temps au corps pour traiter une erreur, puis l'évacuer sous forme d'un symptôme. Vata est le dosha le plus mobile, aussi ses déséquilibres auront-ils tendance à se manifester le plus vite ; le dosha Pitta vient à sa suite, pouvant prendre jusqu'à un mois avant de causer des troubles visibles ; enfin Kapha, qui, pendant tout l'hiver, sera resté de façon caractéristique « collé » ou « gluant » comme de la mélasse froide, va ensuite « fondre » et s'écouler avec le printemps (un nez qui coule ou des problèmes de sinus en avril ou mai sont le signe qu'il aurait fallu mieux prendre soin de Kapha en février).

Les doshas et leurs saisons

Parallèlement aux cycles de la journée, il existe des « cycles-maîtres » associés aux doshas, qui régulent l'année entière. Tant que nous n'interférons pas dans le processus, nos corps suivent automatiquement ces cycles. L'Ayurvéda Maharishi divise l'année en trois saisons au lieu des quatre habituelles.

La saison **Kapha** apparaît au printemps : de mi-mars à mi-juin.

La saison **Pitta** se produit en été et au début de l'automne : de mi-juin à mi-octobre.

La saison **Vata** couvre la fin de l'automne et l'hiver : de mi-octobre à mi-mars.

Un cycle annuel complet nous fait passer respectivement par Kapha, Pitta et Vata, tout comme d'ailleurs le cycle d'une journée. On remarquera qu'une saison du calendrier disparaît : l'automne, qui se répartit en effet sur deux doshas. On considère que l'automne est Pitta tant que prévaut un temps chaud, et que c'est une saison Vata dès que le temps devient froid, sec et venteux. Les gens à prédominance Vata se promenant par un jour frisquet d'octobre trouveront sans doute que le temps leur est extrêmement favorable – voire un peu trop d'ailleurs : en effet, les qualités de joie et d'entrain de l'automne se transmuent bien vite en fatigue et en dépression, comme certaines personnes le ressentent à cette époque de l'année. C'est comme si le vent Vata attisait chez elles une étincelle intérieure puis la soufflait. Aussi sera-t-il bon de rester vigilant pour se maintenir en équilibre tout au long de l'année, en particulier lorsque la constitution entre dans une période vulnérable.

Les trois saisons ayurvédiques ne constituent bien sûr que des indications approximatives qui devront être ajustées selon les conditions locales. En Inde, par exemple, il existe six saisons, si l'on tient compte de l'arrivée de la mousson et d'autres changements climatiques qui ne sont pas à prendre en considération lorsqu'on habite aux États-Unis. D'autre part, une région comme la Floride, par exemple, connaît des conditions climatiques Pitta pratiquement tout au long de l'année, à l'exception d'une brève période Vata ou Kapha en hiver.

Ce n'est pas tant le calendrier, mais la nature elle-même qui va nous faire savoir à quel moment les doshas seront influencés. Un temps humide, froid et couvert causera, quel que soit le jour, un accroissement de Kapha, que cela se produise en automne, en hiver ou bien au printemps. Les doshas sont la boussole la meilleure et la plus précise pour indiquer le temps qu'il fait. Même en Floride, ils sauront s'adapter aux petits changements mineurs qui peuvent prévaloir sous ces climats, permettant à tous de faire l'expérience du cycle complet de Kapha, Pitta et Vata tout au long de l'année.

Comment suivre une routine saisonnière

Traditionnellement, l'Ayurvéda conseille à chacun de suivre une routine saisonnière *(ritoucharya)* pour se maintenir en équilibre à mesure que changent les saisons. Cette routine n'implique pas de modifications majeures dans le style de vie, mais seulement un changement d'angle. Il est d'une importance vitale de maintenir quotidiennement la routine ayurvédique et de continuer à suivre le régime pacifiant le dosha prédominant (ou le régime qui aura été conseillé par un médecin formé à l'Ayurvéda Maharishi) ; certaines variations seront possibles afin de rester en harmonie avec les différentes saisons.

La saison Kapha (printemps et début de l'été)

Adoptez de préférence un régime plus léger, plus sec et moins gras que pendant les autres saisons. Réduisez les produits laitiers lourds (fromage, yaourt et glaces), car ils ont particulièrement tendance à aggraver le Kapha. Préférez-leur de la nourriture et des boissons chaudes. Mangez davantage d'aliments au goût piquant, amer et astringent, et moins d'aliments au goût sucré, acide et salé.

La saison Pitta (du milieu de l'été au début de l'automne)

L'agni est naturellement plus faible durant la saison chaude, aussi pourrez-vous remarquer que votre appétit va diminuer au cours de l'été. Respectez ce changement en évitant de trop manger. Privilégiez nourriture et boissons fraîches, mais non glacées. Le corps va être enclin à absorber plus de liquides par temps chaud, mais il est important de ne pas éteindre le feu digestif en buvant des boissons trop froides après le repas. Donnez la préférence aux goûts sucré, amer et astringent, et réduisez les saveurs acide, salée et piquante.

La saison Vata (de la fin de l'automne jusqu'à l'hiver)

Prenez de préférence de la nourriture et des boissons chaudes, des aliments plus lourds et adoptez un régime plus gras que durant le reste de l'année. Veillez à ce que la nourriture soit bien cuite et facile à digérer, et qu'elle soit accompagnée en abondance de liquides chauds (le mieux sera de boire de l'eau chaude ou une infusion Vata). Mangez davantage de mets au goût sucré, acide et salé, et moins de mets au goût amer, astringent et piquant. Évitez les aliments secs ou non cuits (particulièrement les salades, les fruits et les légumes crus). Ne vous inquiétez pas si votre appétit s'accroît : c'est une tendance normale en hiver, permettant de pacifier le dosha Vata ; simplement, faites en sorte de ne pas manger au-delà de ce que vous pouvez aisément digérer.

Deux points généraux sont à prendre en considération :

- Mangez des produits frais à tout moment de l'année, et de préférence ceux cultivés localement.
- Évitez les aliments qui ne sont pas de saison dans votre région : par exemple, moins de tomates et de laitues en hiver, moins de céréales l'été, pas de fruits importés encore verts d'autres parties du monde, etc.

Comme on peut le constater, la ritoucharya vise surtout à nous encourager à nous mettre à l'écoute de notre bon sens pour faire quelques ajustements dans les habitudes alimentaires que nous suivons déjà. Néanmoins, si par un jour glacé de février vous jetez un coup d'œil dans un restaurant, vous pourrez remarquer que nombre des repas commandés comportent au menu des salades réfrigérées et des glaces ; faute d'information, presque tout le monde va boire de l'eau froide, de la bière ou du vin blanc réfrigéré, autant d'impairs néfastes pour Vata durant la saison pourtant la plus bénéfique pour lui.

De manière générale, la saison au cours de laquelle il sera bon d'être le plus vigilant est celle qui s'harmonise avec votre constitution : l'été pour les Pittas, l'hiver pour les Vatas, le printemps pour les Kaphas. Ces époques de l'année sont celles où il vous faudra particulièrement veiller à respecter le régime adapté à votre constitution. En outre, comme à chaque changement de saison, le dosha Vata tend à devenir plus vulnérable, il sera bon de prendre soin de Vata lors des transitions saisonnières : de l'hiver au printemps, du printemps à l'été, et ainsi de suite. En effet, c'est surtout au cours de ces périodes que des rhumes et grippes saisonnières peuvent sévir.

Si vous avez deux doshas dominants dans votre prakruti – comme c'est le cas de la plupart des gens –, il vous sera possible d'équilibrer chacun d'eux au moment du changement de saison. Prenons un exemple concret : si vous êtes Vata-Pitta, il est conseillé de suivre un régime calmant Vata à la fin de l'automne et au début de l'hiver (c'est-à-dire à la saison Vata), et un régime apaisant Pitta pendant l'été (saison Pitta). La seule saison restant à prendre en compte est la saison Kapha, qui commence au printemps. Il sera alors propice, en cette époque de l'année, de combiner le régime Vata, correspondant à votre dosha principal, avec un régime Kapha, qui correspond naturellement à la saison en question. Combiner les deux régimes revient à choisir la moitié de vos aliments dans la colonne de suggestions indiquées pour le régime Vata, et l'autre moitié dans la colonne du régime Kapha.

La vie deviendrait beaucoup trop compliquée s'il fallait se concentrer sur toutes les modifications à faire pour que le régime soit sans cesse parfaitement adapté à chaque saison. Inutile de se casser la tête à cet égard : il suffit simplement de considérer la routine saisonnière ayurvédique comme un moyen de plus pouvant permettre à l'instinct naturel du corps de s'exprimer.

Épilogue

Des fleurs dans le champ quantique

La plupart des gens sont intimement convaincus que leur corps a eu un commencement bien précis et se dirige inexorablement vers une fin bien définie. Ils sont également persuadés que la vie de chaque être humain commence sous forme d'une simple cellule dans le sein de sa mère et finit « poussière retournant à la poussière ». Il ne s'agit là pourtant que de croyances culturelles et non de faits absolus. Le corps humain n'a ni début ni fin définis. Il se crée et se recrée lui-même sans cesse, jour après jour. Ce qui veut dire qu'à chaque minute se produit en nous une sorte de genèse et de mort, au cours de laquelle nous restituons un peu de poussière à la poussière. S'il est vrai qu'on se recrée soi-même à chaque instant, il n'est alors jamais trop tard pour commencer à se créer le corps que l'on souhaite au lieu de celui dont nous croyons faussement être affublés pour la vie.

Chaque inspiration que l'on prend est un acte créateur. Les molécules se promènent au hasard et d'une façon chaotique dans l'air. Si elles viennent à pénétrer dans votre corps, elles acquièrent comme par miracle un but et une identité. Pourrait-il y avoir acte plus créateur ? Considérez ce qui arrive au simple atome d'oxygène que vous êtes en train d'inspirer. En l'espace de quelques millièmes de seconde, il va traverser les membranes humides et presque transparentes des poumons, avant de se fixer presque immédiatement à l'hémoglobine présente dans l'un de vos globules rouges. Il n'aura fallu qu'un instant infime pour qu'une remarquable transformation se produise. Le globule rouge va changer de couleur, passant du bleu-noir sombre de l'hémoglobine privée d'oxygène au rouge vif de l'hémoglobine riche en oxygène, et un atome d'air, errant jusqu'alors, se transforme soudain en... *vous*. Il aura traversé la frontière invisible séparant l'inanimé du vivant.

En soixante secondes seulement, ce même atome d'oxygène, transporté par le sang, aura fait un tour complet de votre corps (voyage qui ne prend que quinze secondes dans le cas où vous pratiquez un sport vigoureux). Pendant ce temps-là, environ la moitié de l'oxygène frais du corps sera passée hors du sang pour se transformer ici en une cellule rénale, là en un muscle comme le biceps, ou un neurone, ou encore tout autre tissu. L'atome va séjourner dans ce tissu de quelques minutes à une année selon les cas, exécutant le nombre de fonctions que vous serez capable d'accomplir. Tel atome d'oxygène pourra soit faire partie d'une pensée de joie en se fixant à un neurotransmetteur, soit au contraire propager un frisson de peur à travers tout votre corps en s'accolant à une molécule d'adrénaline. En outre, il pourra venir alimenter telle ou telle cellule cérébrale en glucose ou se sacrifier au combat en fusionnant avec un globule blanc envoyé pour attaquer une bactérie agressive.

C'est ainsi que la rivière de la vie, la rivière du corps, poursuit son cours, pourvue d'une fluidité, d'une intelligence et d'une créativité optimales. Après avoir fait le tour des principes de l'Ayurvéda Maharishi, il doit désormais apparaître clairement que notre responsabilité envers nous-mêmes est elle aussi créatrice. Nous avons été placés en ce monde pour mener à bien un projet qui équivaut à la construction d'un nouvel univers chaque jour. Se créer soi-même sans cesse n'est pas seulement un travail à plein temps, mais une tâche à donner le vertige ! À chaque inspiration, vous exposez 5 000 milliards de globules rouges à l'air. Chacun de ces corpuscules contient 280 millions de molécules d'hémoglobine. Chaque molécule d'hémoglobine peut capter et transporter 8 atomes d'oxygène.

Supposez qu'un atome d'oxygène ressemble à un nouvel élément de construction ; à chaque inspiration, c'est comme si vous ajoutiez 11 10^{21} (soit 11 000 000 000 000 000 000 000) nouvelles « briques » qui vont se répartir en divers endroits de tout votre corps. Chacune de ces nouvelles briques va venir se loger en vous avec une précision parfaite, sans qu'aucune d'entre elles ne vienne perturber la position d'une ancienne. Celle-ci cédera la place à la nouvelle aussi doucement et sans effort que s'écoule un fleuve.

L'unique raison pour laquelle nous ne sommes pas tous en parfaite santé aujourd'hui vient du fait que nous prenons constamment ces nouvelles briques en nombre infini pour les replacer toujours exactement aux mêmes endroits. Pourquoi agissons-nous de la sorte ? Parce que en définitive, il s'agit d'une question de conscience, de la manière dont nous nous percevons nous-mêmes. Si vous vous penchez attentivement sur votre propre vie, vous vous rendrez compte que vous envoyez à votre corps des signaux qui renforcent les mêmes croyances anciennes, les mêmes peurs et souhaits d'autrefois, les mêmes vieilles habitudes que celles d'hier et de la veille. Voilà pourquoi vous êtes contraint de garder la même « vieille dépouille ».

Vivre la vie comme un tout

Les nouvelles briques pénétrant dans votre corps ne s'ajustent pas par magie ; elles sont mises en place grâce à un peu de votre intelligence interne, qui sait comment il faut construire votre cœur, vos reins, votre peau, vos enzymes et vos hormones, votre ADN et tout le reste. Cette intelligence est littéralement infinie et elle est tout entière soumise à votre contrôle. Cependant, la plupart du temps, nous prenons cette créativité sans bornes du champ quantique pour la bombarder avec les rayons étriqués de notre attention. Chacune des pensées que vous pouvez avoir n'est qu'un rayon d'attention concentrée, émise par votre soi quantique. Or il suffirait de quelques-uns de ces minces rayons ou pensées pour prolonger la vie un petit peu plus ou pour la rendre un tant soit peu meilleure. Vous pouvez étendre votre vie de cinq années en moyenne, en décidant d'arrêter de fumer. Vous pouvez encore l'accroître de quelques années en perdant vos kilos inutiles, en mangeant une nourriture saine ou en faisant régulièrement de l'exercice. Mais ces minces faisceaux d'attention concentrée n'ont qu'une portée limitée. Ils ne peuvent vous permettre de jouir d'une santé parfaite. Ils ne parviendront pas – bien que cela soit possible – à prolonger votre vie de deux à dix fois plus, ni à améliorer d'autant la qualité de votre vie.

Seul un mode de pensée radicalement différent peut accomplir cela, comme nous l'avons indiqué au début de cet ouvrage. Comment est-il possible d'activer le plein potentiel de notre corps quantique ? La réponse est étonnamment simple. Le projet gigantesque et infiniment complexe qui consiste à se « créer » soi-même peut être envisagé sous forme de quelques simples processus demeurant chaque jour sous votre contrôle :

L'alimentation. Manger est l'acte créateur consistant à sélectionner la matière brute du monde qui va se transformer pour devenir chacun de nous. Pour être sûr que le processus se déroule bien correctement, il suffit simplement de connaître sa constitution et de suivre le régime qui lui est adapté. Reportez-vous à la partie traitant des régimes selon les constitutions ; laissez-vous pénétrer de ces informations, en les lisant et relisant jusqu'à ce que vous en ayez absorbé les principes directeurs. Puis mangez selon ces principes, sans effort ni contrainte.

La digestion et l'assimilation. La digestion et l'assimilation sont les actes créateurs qui transforment les « briques » de matière en du tissu vivant. Le feu digestif du corps, son « agni », régit ces deux processus en assurant leur parfaite coordination. Reportez-vous de nouveau au chapitre sur l'agni, comprenez bien comment le vôtre fonctionne, puis respectez ce feu digestif en le réajustant régulièrement.

L'élimination. L'élimination est l'acte créateur qui purifie le corps, en rejetant les aliments non digérés et en débarrassant les cellules des toxines et autres « vieilles briques ». L'élimination pourra s'améliorer si l'on adopte une routine quotidienne régulière et si l'on tire également profit des thérapies de purification ayurvédiques. Dans le chapitre sur l'agni, nous avons évoqué les plantes purificatrices ; un régime sattvique est aussi d'un grand secours, puisqu'il permet de réduire l'absorption d'impuretés à son minimum absolu. Chaque fois que cela sera possible, planifiez des panchakarmas saisonniers dans votre routine annuelle, de préférence trois fois par an, ou au moins une fois l'an. C'est la meilleure thérapie pour favoriser l'élimination.

La respiration. La respiration est le rythme fondamental de la vie qui soutient tous les autres ; aussi pourrait-on la considérer comme l'acte le plus créateur qui soit accompli par le corps. Une respiration correcte va mettre nos cellules en harmonie avec les rythmes de la nature ; plus elle sera naturelle et raffinée, mieux nous pourrons nous sentir accordés. Nombre de routines ayurvédiques permettent de rééquilibrer la respiration : toutes les formes d'exercice correspondant aux trois doshas seront bénéfiques, de même que le Pranayama – ou respiration équilibrée – pratiqué en douceur quelques minutes chaque jour.

En fin de compte, tous ces différents processus peuvent se regrouper sous une seule rubrique, dont le titre pourrait être :

Une vie en accord avec le corps quantique. C'est là en effet l'acte créateur total de la vie. Si vous vivez en accord avec votre corps quantique, toutes vos activités quotidiennes vont se dérouler d'une façon aussi fluide que chacune de leurs composantes : la respiration, l'alimentation, la digestion, l'assimilation et l'élimination. La routine la plus importante à suivre à cet égard est de « transcender », c'est-à-dire de se mettre en contact avec le niveau quantique présent au fond de soi. Reportez-vous à la partie sur la méditation transcendantale, et incorporez dans votre emploi du temps quelques minutes de transcendance chaque jour, matin et soir.

Tel est donc, selon l'Ayurvéda Maharishi, le moyen de propulser l'existence ordinaire à un niveau supérieur. Il suffit que nous nous occupions correctement de quelques processus seulement pour que le corps prenne soin du reste, grâce à sa tendance innée à se maintenir en équilibre. Au niveau quantique, nous sommes tous des « maîtres-maçons » ; aussi nous suffira-t-il simplement de suivre l'intelligence lumineuse propre à notre nature (notre prakruti) pour que l'immense complexité du corps puisse se déployer aussi parfaitement que les saisons, les marées et les étoiles qui nous entourent.

Des vaguelettes dans l'océan de la conscience

À son niveau le plus profond, la « science de la vie » est une sorte de connaissance très intime et réconfortante. Elle renvoie chacun à soi-même. Aussi nous sentons-nous prêts, en guise de conclusion, à vous renvoyer à vous-même pour vivre la connaissance. Lorsque vous avez découvert ce livre et êtes tombé sur l'expression *santé parfaite,* peut-être avez-vous ressenti un petit choc. Chacun d'entre nous sait bien qu'il peut être malade à un moment ou à un autre de sa vie ; s'attendre à quelque chose d'autre paraît presque « illégal ». Les sages ayurvédiques portaient pourtant un tout autre regard sur la vie. Un célèbre verset védique affirme : « Notre devoir envers le reste de l'humanité est de nous maintenir en parfaite santé ; car, étant tous semblables à des vaguelettes dans l'océan de la conscience, chaque fois que nous tombons malades, ne serait-ce que légèrement, nous troublons l'harmonie cosmique. »

Désormais, vous êtes mieux à même de comprendre le fondement sous-jacent à ce verset extraordinaire. Il ne serait pas juste de vous considérer comme un organisme isolé dans le temps et l'espace, occupant un volume d'un mètre cube environ et ayant une durée de vie de quelque sept ou huit décades. Tout au contraire, vous êtes une cellule du corps cosmique, et avez droit à tous les privilèges de votre statut cosmique, y compris celui d'une santé parfaite. La nature a fait de nous des penseurs en nous créant, afin que nous puissions prendre conscience de cette vérité. Comme le déclare un autre verset védique : « L'intelligence interne du corps est le génie ultime et suprême de la nature. Elle reflète la sagesse du cosmos. » Ce génie est en vous, il fait partie de votre matrice interne qui ne peut être effacée.

Au niveau quantique, il n'existe pas de frontière définie qui nous séparerait du reste de l'univers. Chacun se tient en équilibre entre l'infiniment grand et l'infiniment petit. Ce sont les mêmes protons qui se trouvent au cœur des étoiles (où ils vivent depuis au moins cinq milliards d'années) et qui demeurent en nous. Les neutrinos, qui n'ont besoin que de quelques millionièmes de seconde pour traverser la terre, font aussi partie de nous, l'espace d'un très court instant. Vous êtes une rivière qui coule, un fleuve fait d'atomes et de molécules rassemblés depuis tous les recoins du cosmos. Vous êtes l'émanation d'une énergie dont les ondes s'étendent jusqu'aux confins du champ unifié. Vous êtes un réservoir d'intelligence qui ne peut tarir, parce que la nature constitue une totalité inépuisable.

L'Ayurvéda fait son entrée en scène à un moment tout à fait opportun, concomitant au « réenchantement de la nature » mis en évidence par l'avant-garde de la physique. L'idée d'un univers semblable à un organisme vivant qui respire et qui pense, aurait été perçue comme ridicule, ne serait-ce que par la génération précédente, alors qu'il est probable qu'elle s'affirme de nos jours comme le principe premier d'une nouvelle science. Si tel est bien le cas, l'Ayurvéda va s'élever à une place prépondérante, en tant que médecine quantique de notre temps.

Pour l'homme moderne, la maladie n'est plus une nécessité mais un choix : la nature n'a jamais imposé que telle bactérie ou tel virus doive être cause de crises cardiaques, de diabète, de cancer, d'arthrite ou d'ostéoporose. Tous ces maux ne sont en fait que le fruit de nos douteuses conceptions humaines. Heureusement, l'homme dispose aussi d'une aptitude à défaire ce qu'il a construit. Si cet ouvrage a pu inciter votre esprit à se lancer dans le voyage de la connaissance de soi, vous ne pourrez alors jamais plus vous percevoir comme un être nécessairement confiné dans des limites étriquées et archaïques. En outre, lorsque le corps, en apparence si borné et massif, pourra lui aussi entreprendre ce voyage, quelque chose de bien plus merveilleux encore s'accomplira. Nous ne nous contenterons plus simplement de rêver de nous libérer des maux auxquels la chair succombe, mais nous serons réellement capables de nous en libérer, tout en vivant dans notre vêtement de chair, devenu aussi parfait que nos idéaux.

Glossaire

Abhyanga – massage à l'huile quotidien.

Agni – feu digestif, synonyme en médecine occidentale d'un métabolisme cellulaire convenablement équilibré.

Ama – impuretés résiduelles qui se déposent dans les cellules à la suite d'une mauvaise digestion. Également *ama mental,* pensées et humeurs impures ou négatives.

Ananda – béatitude, synonyme de « joie pure ».

Asana – posture de yoga.

Dhatou – l'un des sept constituants fondamentaux du corps, synonyme de « tissus » en médecine occidentale.

Dinacharya – routine quotidienne ayurvédique.

Dosha – l'un des trois principes métaboliques fondamentaux reliant le corps à l'esprit.

Gandharva – antique tradition musicale védique (également appelée *Gandharva Véda*).

Ghî – beurre clarifié.

Gouna – toute qualité naturelle fondamentale (par ex. : sec, humide, chaud, froid, etc.). S'applique également à *sauva, rajas,* et *tamas,* les « trois gounas ».

Kapha – dosha responsable de la structure corporelle.

Mahabhouta – éléments constitutifs de l'univers, au nombre de cinq : espace, air, feu, eau, terre.

Marma – point de jonction entre la conscience et la matière (107 marmas sont accessibles sur la peau grâce au sens du toucher). Également *Mahamanna,* l'un des trois marmas principaux.

Nadi Vigyana – diagnostic par le pouls.

Ojas – expression la plus pure du métabolisme ; produit terminal issu d'une digestion et assimilation de la nourriture correctes.

Panchakarma – traitement de purification (littéralement, « les cinq actions »).

Pitta – dosha responsable du métabolisme (étroitement associé à l'*agni,* la chaleur vitale du corps).

Pragya aparadh – l'« erreur de l'intellect » (c'est-à-dire l'identification à la partie au détriment du tout).

Prakruti – nature, notion faisant référence soit à sa propre nature individuelle (constitution physique), soit à la Nature dans son ensemble.

Pranayama – exercice respiratoire ayurvédique, appelé également « respiration équilibrée ».

Rajas – impulsion innée à agir.

Rasa – l'un des six goûts ou saveurs.

Rasayana – préparation ayurvédique traditionnelle à base de plantes ou de minéraux, en vue de la longévité et du rajeunissement.

Rishi – voyant védique.

Ritoucharya – routine saisonnière ayurvédique.

Sattva – pureté ; impulsion innée à évoluer.

Surya Namaskara – « salutation au Soleil », un exercice physique ayurvédique comportant douze phases.

Tamas – inertie ; impulsion innée à demeurer le même.

Vata – dosha responsable du mouvement.

Véda – littéralement « science » ou « connaissance », en référence à la connaissance complète de la création manifestée et non manifestée. L'Ayurvéda (« science de la vie » ou « connaissance de l'étendue de la vie ») est une branche du Véda.

Vipak – l'arrière-goût de la nourriture dans le corps.

Yoga – connaissance védique en vue de parvenir à l'union avec le transcendant ; synonyme du processus de « transcendance ». La branche du yoga comportant des exercices physiques porte pour nom véritable le *Hatha Yoga*.

Table

Préface 5
Introduction 8

I. UN LIEU APPELÉ SANTÉ PARFAITE

1. Invitation à une réalité supérieure 15

2. À la découverte de votre constitution 44
   Test pour déterminer sa constitution physique selon l'Ayurvéda 53
   Caractéristiques des constitutions :
   Vata 54
   Pitta 57
   Kapha 61
   Compréhension des constitutions à deux doshas 80
   Compréhension de la constitution à trois doshas 86

3. Les trois doshas – créateurs de la réalité 87
   Une approche plus détaillée : les sous-doshas 105

4. La matrice de la Nature 117
   Causes du déséquilibre des doshas 132

5. Comment retrouver l'équilibre 146
Points généraux pour une vie équilibrée 162

II. LE CORPS QUANTIQUE HUMAIN

6. Une médecine quantique pour
le corps quantique 183

7. Ouvrir les canaux de guérison........................ 200
Le panchakarma 201
La méditation, une technique pour
« aller au-delà ».. 207
Les sons qui guérissent – les vibrations
naturelles les plus subtiles............................ 220
La « marma thérapie » – stimulation
des points de jonction entre le corps
et l'esprit.. 232
La thérapie par les arômes – l'équilibre
grâce au sens de l'odorat 243
La thérapie par la musique du Gandharva..... 249

8. Comment se libérer des toxicomanies............ 254

9. Vieillir est une erreur..................................... 274
Les rasayanas – des plantes pour la longévité 284
Petit test : est-ce que je vieillis bien ?............. 291

III. VIVRE EN ACCORD AVEC LA NATURE

10. L'impulsion nous poussant à évoluer 301

11. La routine quotidienne – ou comment
chevaucher les vagues de la Nature 311

12. Le régime – comment s'alimenter
pour atteindre un équilibre parfait 328
Régimes selon les constitutions....................... 331
Régime pacifiant Vata 334
Régime pacifiant Pitta 342
Régime pacifiant Kapha.. 350
Les six goûts (ou saveurs) 358
Agni – le feu digestif... 371
Régime pour la béatitude.................................... 387

13. Les exercices – ou pourquoi le dicton
« souffrir pour réussir » n'est qu'un mythe..... 400
Exercices selon sa constitution....................... 405
Exercices pour les trois doshas 411
Salutation au Soleil 413
Postures du yoga.. 426

14. Routines saisonnières – comment
équilibrer son année entière 454

Épilogue 461

Glossaire 470

8007

Achevé d'imprimer en France (Malesherbes)
par Maury-Imprimeur le 1er février 2010.
Dépôt légal février 2010. EAN 9782290352212
1er dépôt légal dans la collection : mai 2006

Éditions J'ai lu
87, quai Panhard-et-Levassor, 75013 Paris
Diffusion France et étranger : Flammarion